JN110853

卒寿医師の幻想

目次

まえがき

先だって九二歳の誕生日を迎えた。莫逆の友はすべて去り、切磋琢磨の友も無く、いたずらに馬齢を重ねる私だが、診療所における週三日間の診療はまだなんとなく続いている。小人閑居して不善を為すほどではないにしても、これで良いのだろうか。振り返れば百感交集、振り払うことの出来ない深い悔恨が脳裏を過ぎる。

以前にも述べたが、私は薬の名が思い出せなくなったら引退しなくてはならないと考えており、また後輩の医師達には「おかしいな」とか「なんとなく一寸」と思ったら遠慮無く肩を叩いてねとお願いし、患者さんにもそのように伝えてある。しかし往々にしてその逆のことが起こって、年老いた私の方が取り残される羽目になっている。それでも患者さんには「(私はもうそうは長くないのだから) いつでも別のお医者さんを紹介しますよ」と念を押しており、実際そう感じて転医された方も数名おられた (でもまた戻って来られる方もいる)。またお年を召して通院が無理になる時には勿論だが、ソロソロと思った時は遠慮無く早めに申し出て頂くことになっている。先だっては数十年前から通院、もう九〇歳代半ばを過ぎた山形市からの外来患者さんとはお別れした。九二歳で大動脈弁置換術を行い大変元気になられたのだが、やはり年齢には勝てず、足腰が弱って車椅子生活となり、もはや通いきれなくなったのである。だが通院を止められた後、急に衰えて、あっという間に亡くなられた。こういう患者さん方は疾病治療という実利を超え、一種の信者さんとも言うべき方々だが、私の外来患者さんの相当数は、実はそういう親身の方なのである。看護婦さんも「患者さんか信者さんか」と私を揶揄する。現在、最長観察例は六一年間で、でも二ヶ月毎に几帳面に通って来られる。残念ながら、心電図のある所見が極めて徐々に異常度を増して来ており、いずれはペースメーカー治療かなという心配もしている。そして私にとって何より悲しいことは、この五年に亘って、数名の患者さんを癌で見送ったことである。実は心臓疾患関係の診療を中心にしていても、そのために亡くなられることは珍しい。亡くなられるのは常に悪性腫瘍の偶発、そして「おかしいな」と思った時は、既に半数が手遅れなのである。何時も「何かお変わりは…」と聞くのだが、自覚症状が無いから「変わりありません」としか返答が無い。検査が無ければせいぜい口唇癌とか悪性リンパ腫くらいしか発見出来ない。胃癌なども実は本当に難しい。二〇年以上通院されていた方でなんとなく気になって胃の検査をしたら胃癌が見つかり、外科へ紹介したが、亡くなる前、「見捨てられた」と家族に語った方がおられた。残念である。また膵臓癌などはすべてお手上げだった。患者さんには老人健診などを推奨しているが、腫瘍マーカーが役立つ前立腺癌以外、なかなか見つからない。「専門が違うのだから、それは仕方無いよ」とおっしゃって下さる医師もおられるが、私はそうは思わない。常に慚愧に堪えない。

でもそう思っている私の身体を逆に労わって、私が言うより先に「先生、お大事に」と言って帰って行かれる患者さんが増えて来た。どっちが患者かと苦笑するが、患者さんが私を大事に思っていて下さることをひしひしと感じ、一層身が引き締まる。

日本の医師は患者さんとの付き合いをあまり好まない。まして家族ぐるみの話もしないし、個人の電話やメールアドレスも教えない。病院側も同様、住所さえ決して教えない。でも私はその逆、要求があればなんでも話しまた教え、家に電話が入り、患者さんの家族や知り合いの診察予約をすることもある。曜日は問わない。患者さんからの賀状や暑中見舞いも相当数にのぼる。

また外来で時間が空けば、出来るだけ医学以外の話をする。色々な話では、経済のことは苦手だが（実は株屋の患者さんもいる）、それ以外ならニュース、テレビ番組、政治、自然、科学、芸術、文学から伝統芸能、落語や色々な趣味、各種のスポーツ、殊に野球、果ては孫の話に至るまで、広く話題になる。勿論医学の話は多い。それに白い巨塔ならずとも、大学や学会の裏話は患者さんの興味の的だ。そして昔からそういう話や考え事を文章に綴っていてプリントし、患者さんはそれを目当てにして、今日は何も無いんですかと催促しに外来に見える。生まれてから中学校を卒業するあたりまでの二人の孫について、折に触れての思い出の記として書き残した「母と子と孫」とか、二年ほどに亘って毎月のように書き綴った「孫物語」には熱狂的なファンが多かった。お孫さんを持つ高齢の患者さんが多いためだろう。一寸したトラブルを抱えた「病院の窓から」とか散発的な多数の書き捨てエッセイもあった。でもかなりのものが散逸してしまい、また纏まったものの刊行は出版社に突き返されてそのままになっていて、早一〇年、二〇年が経ってしまっている。

そんな中で比較的大掛かりな長編エッセイが「健康医学」と「東大第二内科同窓会誌」への毎年の執筆である。前者は主として患者さんが話し相手、後者は主に医師相手の論戦である。そして数年前、「健康医学」の数編を纏めて出版させて頂いた（『多病息災・あるお医者さんのたわごと』）。

本書はその『多病息災』の続編とでも言うものであるが、斜めに構える姿勢は変わらないにしても、それに加えて段々と老いの一徹といった頑なな傾向が滲み出ている。また思想奔逸の傾向が歴然ともしている。手にされる方はそのようなお気持ちで、またどこからでも拾い読みして頂ければ良いと思っている。オプティミスティックと言うよりは若干ペシミスティックな話が多いが、しかし人生訓話とか上昇志向とは無縁であるから、そのおつもりでおられたい。

折しも中国は武漢に発する「武漢ウイルス」（新型コロナウイルス感染症：COVID-19）が世界的流行を齎して、世はそのパンデミックに戦（おのの）いている。中国は自分で火種を撒き散らしておきながら、マッチ・ポンプ宜しく、世界を睥睨している。自分のところが少し落ち着いた時点で、ほかの国が遅れて撒き散らされたウイルスにあえいでいるのを冷笑しながら、世界制覇を目指す中国は盗人猛々しく「お助けしましょう」などとほざいている。許せない。コロナ災害でもっとも利を得ているのは火元の彼等である。アメリカが怒って悪しざまに非難の声を上げ、国際的に断交も辞さない姿勢だが、それに対して、本当に恐るべきことだが、我が国は決して彼の国のことを悪しざまには言わず、非難どころか、媚中外交を厳守している。いやそれどころか「中国」という国名を口にすることが決して無いのである。またこのパンデミックに対して各国は「戦争だ」と言って警戒するが、日本の政治家もマスコミも、断じて「戦」という字を用いず、疾病と「戦う」の「た」の字も決して口にしない。完全な言論・言語統制である。そして最近は世界的に非難の対象となっているWHOに対して、「嫌日」の韓国などと共に、我が国の厚生労働大臣は愚かにも「WHO支持」を喜んで表明したりしている。なんというお人好しか、呆れる。国賓待遇という習近平の来日が延期となって、新型コロナウイルス対策では、初めて中国からの入国を禁じるの愚挙に出、また尖閣諸島防衛も及び腰、相手国になめられ放題である。軍艦が押し寄せて来ても、それを「公船」と呼んでごまかす。

もともと「武漢ウイルス」をCOVID-19などと名付けたのは、中国が（ペストを始め多くの感染症が中国発の病原菌であるため）地名を付けないようにしたいとWHOに申し出て、それに「差別はいけない」など同調する愚者がいて、承認されたからである。

中国科学院ウイルス研究所で某女医（名前は石正麗という）によって作成された新型コロナウイルスが同じく武漢のウイルス研究所に移り、漏出したのではとアメリカなど各国が疑っているが、中国が査察を許さないので事は闇の中である。やましいことは見え見えである。それにしても、WHOのみならず、国連などの要職を次々に手中に収めて行く中国のしたたかさには目を見張るものがある。中国共産党の党是をそのまま国連に持ち込み、勝手気ままに振る舞う国に、真面目に人権委員などを任せることは出来ないはずだが、これではチベットや新疆ウイグル自治区での彼らの数々の極端な人権侵害でさえも議題に上がる訳は無いのである。日本に対する様々な濡れ衣もそうである。トランプ前大統領がWHOを是認しない態度も良く分かる。

そういうことも章を改めてさらに詳しく語りたかったのだが、投稿した某紙には掲載不許可となってしまった。幸いなことに、我が国での武漢ウイルス感染症死亡者数は世界的に見て奇跡的なほど少なくて済みそうである。色々な批判はあっても、これは日本人の生真面目さ、清潔さ、衛生意識、医療制度、ひょっとするとＢＣＧ接種、それに医師の献身的努力などに加えて、なんらかの遺伝因子に負う所が大であると言えるであろう。

最後にお断りしておかねばならぬが、本書は数年に亘っての断片的執筆なので、自分の興味の幾つかが別の章に再度現れて、読者が「またか」と思われまいかという危惧がある。『多病息災』と重なり合うこともあり得る。しかし本書は別に順を追って読まねばならぬ読み物ではない。どこから目を通されても構わない。そのためには成り行き上、重複があった方が理解に好都合でもあるだろう。

また職業上、内容が医学など科学的な事に偏り、読者によっては面白味が無いのでないかというの利権（?）が衝突して相争う。この五年、そういう意味では世界は依然として混沌としている。まさしく累卵の危機である。戦争の無い日は一日たりとも無い。

それに引き換え、この我が身はと言えば、力に頼る上から「ああしろ」「こうしろ」と押さえ付けられれば「そうか」と諦め、逆に下からは幼稚な心情派に、「出来れば」という条件付きではあっても「原発は〝終局的〟に廃止せよ」と突き上げられて困惑したりもする。私は「現状維持の原発〝賛成派〟なんだよ」と心の中で呟くのだが、結局は「ああ面倒だ」とすべてを諦観する。今や私は虚無的にうすら笑いを浮かべている典型的な日本人といったところだ。

とにかくどちらを見ても、暗中的を射るとまでは言わないが、そんなこんなで我が周囲を見回し、犬も歩けば棒に当たるを警戒して引き籠り、気の向くままに駄文を書き綴っていたら、上述した『多病息災』なる本が出来上がった。予期せぬことに初版はほぼ売り切れた上に、遠くに住む友人の好意で東大医学部の月刊新聞「鉄門だより」に書評も頂いた。さらにアメリカはワシントンDCの議会図書館からは書架に置くという嬉しいような恥ずかしいような通知を頂戴した。一般の書店では棚にも飾られず、日本の図書館ならいずれは廃棄処分にされる本だと思うが、これで身は亡びても本は遥かアメリカの地で永久に保存される目途が立った。まさに匕首(あいくち)に鍔(つば)だが、まずは目出度しである。

今回のエッセイの目的は、上記のすべてについて述べるのではなく、医学的なものや科学的なものに限って思い付くまま、殊にそれらの危機を述べることである。勿論駄文で、論文などといった口幅ったいものではない。単なる異聞「徒然草」である。だがいささか気の滅入る内容が多いことを御容赦願いたい。

始され、翌月には理研チームが作成出来ないと中間報告、小保方氏は九月から二ヶ月半の間、論文と同じ手法を使い、複数の監視員や防犯カメラという非常に厳重な監視下でSTAP細胞作製に取り組んだが(これはまさしく異常である)果たせなかった。彼女にとっては物凄いストレスであったであろう。実験は四八回、一六一五個の受精卵に細胞を入れたが、万能性は確認出来なかったという。iPS細胞でノーベル賞を受賞した山中教授も疑いの目を持って見ていたらしい。最終的には年末になって「再現出来ない」と理研が公式に発表し、それ以後の継続的検討を中止した。小保方氏は退職し、その後、体調不良であると伝えられたが、病気についての詳しいことは何も分かっていない。上記のように鬱になったとも言われた。物凄いプレッシャーだったから、そうなったとしてもおかしくはない。でも今はやりの過労死にはならなかった。過労死はもともと死を招きかねない原病を持つものに限り陥るものだからである。

ここで一言触れておきたいのは、当初は宣伝に努めた理研が、掌を返すように小保方追い落としに狂奔し、細胞を掏り替えた犯人の犯罪行為を追及しないのは何故かということである。それに腑に落ちないのは、理研の無責任な態度、つまりSTAP細胞の検証を第三者委員に一任したことである。

注：二〇一五年二月初旬、小保方氏は改めて理研を懲戒解雇され、また共同研究者であった若山氏は出勤停止処分となった。厳しいが、理研の体面を保つにはこれしかないのであろう。だが小保方氏は既に退職しており、若山氏は転職しているのだから、解雇とか出勤停止などというのは単なる形式で無意味である。なんということはない。理研の面子を保とうとするだけである。研究費の返還に関しては問題がありそうだ。なお小保方氏は出身校の早稲田大学理学博士号を剥奪されているという（関係無いと思うのだが）。小保方氏はその後マスコミに追われたりして可哀想であったが、瀬戸内寂聴さんと対談したり、「婦人公論」に幾つかの記事が載ったりした。現在は整形した模様でお顔は変わっており、あるところの洋菓子店でパティシエール（お菓子の女製造人）になっているとのことである。

B　隣は何をする人ぞ――黄禹錫を巡る狂気

隣の国の韓国には、あっても無くても良いノルウェー発行のノーベル平和賞の金大中（二〇〇〇年）を除き、本来のノーベル賞受賞者がいない。この点は彼の国が日本に対し引け目を感じる所である（私は是非推薦したい医師を知っているが）。日本は科学者で二七名が受賞している。戦前（第二次大戦より以前）のノーベル賞は白人のものとなっていて、当然受賞されて然るべき日本人科学者は「黄色い」というだけで受賞対象外とされていた。

時代を振り返ると、医学・生物学関係だけでも北里柴三郎の破傷風の純粋培養やペスト菌発見（不思議なことに共同研究者のベーリングが受賞）とか、鈴木梅太郎のオリザニン発見（現在のヴィタミンB1）、志賀潔の赤痢菌発見、高峰譲吉のアドレナリン発見、秦佐八郎のサルバルサン発見、野口英世の梅毒患者でのトレポネーマ・パリダム発見、さらにまた黄熱病の野口英世、ワイル病スピロヘータ発見の稲田龍吉、それになんと言っても人工癌作成の山極勝三郎教授と市川厚一など、どれ一つとっても当時のノーベル賞ものである。しかし山極に対するノーベル賞委員会の見解は「黄色人種だから…」であったのだろう。その年（一九二六年、大正一五年）のノーベル医学賞は同じネズミ胃癌作成研究で寄生虫（線虫）をその原因としたデンマークのフィビガーに与えられた。白人故にであろう。しかしこの研究は後に誤りであることが発覚したが、フィビガーはそれを知ること無く、一九二八年に物故し、涙を飲んだであろう山極も一九三〇年にこの世を去った。その他にも幾つものノーベル賞に相応しい研究がある。そして丁度その四半世紀後に湯川秀樹氏がノーベル物理学賞を得、日本は凄い興奮に巻き込まれた。私もその当時をよく覚えている。京大物理学科に受験生が殺到したのも宜なるかなである。

注：ノーベル賞（Nobel prize）には数学賞が無い。それには理由があるという。ノーベルの友人にそれに値する人物がいたが、その男とノーベルは恋敵、三角関係だったという。それでノーベルは数学賞を作らなかった。もし数学賞があれば、たくさんの日本人受賞者が生まれていると、これは数学者でエッセイストの藤原正彦さんの受け売りである。因みに私は彼のファンでもある。だがノーベル賞に匹敵するフィールズ賞（四〇歳未満、四年に一度のチャンス）では、一九三六年の創設以来、日本人の受賞者は僅かに三名、しかもこの四半世紀近く、受賞者がいないのである。これはノーベル賞よりも難しく、また権威が高いそうである。似たようなものにウルフ賞数学部門があるが、残念ながらそこでも日本人は僅かだという。

閑話休題。その韓国で二〇〇四年、真の意味でのノーベル賞候補者が現れた。黄禹錫（ファン・

ウソク）ソウル大学生物学教授である。二〇〇四年、Science に掲載されたES細胞（胚性幹細胞）に関する論文が世界の注目を浴びた。体細胞由来のヒトクローン胚から胚性幹細胞（ES細胞）を作成することに成功したという、生物学会を震撼させた論文である（Science 二〇〇四年三月一二日）。それまでドリーと呼ばれた羊など、哺乳類でのクローン技術はあったが、サルなどの霊長類での報告は無かったのである。

ともかくノーベル賞に値するとして韓国人は熱狂し、マスコミも大騒ぎして、韓国大統領は破格の研究予算を計上した。実際、この科学者に対する韓国国民の期待は想像以上であった。「最高科学者」第一号、黄禹錫バイオ臓器研究センター設立、記念切手発行、民間人としては初めての警察庁の要人扱い（警備員が付く）、韓国国家イメージ広報大使、学校教科書記載など、韓国人ならではの当時の熱狂ぶりがよく分かる。

だがすぐにその論文共著者からの氏名削除要請が出たり（却下されている）、卵子提供などの倫理問題で揺れたり、そして何分にも研究員の不正行為が明らかになり、翌年一月には韓国警察が逆にこの要人の捜査を開始、三月には教授は罷免されてしまった。そうしてクローニングによってES細胞が出来るという前提に立つ研究は一時期完全に閑却された。熱し易く冷め易い韓国人だが、この時ばかりは韓国社会は大いに揺らぎ、的外れだと思うが、矛先を転じてニュースを流したテレビ局へ非難殺到、それに便乗した広告品の不買運動まで起こった。かくして再び幹細胞と再生医療研究とが明るみに出るには、山中伸弥氏のノーベル賞受賞を待たねばならなかったのである。

だから韓国の新聞が小保方氏を非難する謂われは無い。

C　科学への信頼を裏切る「裏話」

しかし黄氏にしろ小保方氏にしろ、どうしてこのように科学への信頼を損なうようなことが起こるのか。研究者の功名心、自己顕示欲、出世欲、不勉強、低劣な実験手技や観察能力、指導者の怠慢、論文査読者の未熟、予算請求上の必要性、科学関係雑誌社の顕示欲など、実にさまざまな問題が絡んでいる。少々「インチキでも」という心とか、期限が差し迫ってしまったなどという焦り心も働くであろう。現在のように無数の博士が誕生出来るようなシステムでは、専門が多岐に亘り、一つの研究室に切磋琢磨する同僚がおらず、また良い指導者に恵まれずにいて、いい加減な研究で誤魔化す人物が現れるであろうことは十分考え得る。一人だけでの密室研究が良くないらしい。

医学の分野なら我々はインチキ論文に慣れているし、通り一遍のやっつけ学位論文などはよくあることだから、特に私には始めから論文を疑って掛かる癖が付いている。現に私の弟子にも生涯不正行為に明け暮れ、心底手を焼かせた国内留学生がいた。教室主任始め多くの人が騙され続けていたのである。その彼による論文盗用もあった。

しかし純粋科学の分野では研究者の不正行為、いわゆるミスコンダクト（misconduct）は少ならしい。話は戻るが、殊に相手は理化学研究所という日本では最も権威ある超一流の研究所の研究員である。笹井氏という世界的権威も付いている。だから敢えてその論文に異を唱える学者がいなかったのも分からぬことではない。しかし学問の世界では一流雑誌でも自ら論文を取り消したり、ミスを後から追加訂正することは現実によくあることだ。二〇一八年のノーベル生理学・医学賞受賞者の本庶佑博士はもっと激烈に、Scienceやnatureといった超一流誌の論文でさえ寿命が短いと述べている。そういう事実に対して第三者はそれを是認し、それほど騒いだりしないものである。色々な医学会雑誌の最後の頁には"Correction"（訂正）という記事がよく載っているし、中には図を差し替えるという著者もいるが、読者はさほど意に介さないものである。そして「このように読め（should be read...）」と命令的な文が付いている。自分で訂正しておいて他人様に読み直せと命令するのもどうかと思うのだが、慣習だから仕様が無い。

そしてそれとは次元を異にするが、研究者を陥らせようとする第三者の妨害による研究結果の誤判定もあるし、盗んだ資料を勝手に自分のものとする不埒な学者もいる。留学時、アンプの結線を刺し替えられて（器械に凭れながら後手でやったらしい）、実験を台無しにされたことがある。ノーベル生理学・医学賞を日本で最初に獲得した利根川進博士も指摘しているように、学門・学者の世

だがこの度、遂に日本高血圧学会ではK教授の処分を検討し始めた。それ以前、京都府立大学のM教授は「役員資格停止および厳重注意相当」という結論を出され、早々に大学を辞しているが、さらにM東京慈恵会医科大学元教授へのヒアリングも予定されていて（実際には拒否にあっているが、それに対し大学側は客員教授の資格を剥奪した）、これらのうち重要な点は最近の学会誌Hypertension Researchに掲載されている。ディオバンの大規模臨床試験論文で撤回されていないのはK東大教授（元千葉大教授時代）の二本のみとなっていて去就が注目されている。困ったことだ。それでなくても、大変残念だが、「臨床能力」に乏しい「臨床科」教授への学内での風当たりも強い。だが確かに循環器学研究には欠かせない重要な学者である。

要は研究費が潤沢で、医師に対する報酬がアメリカ並みであれば、こんな醜い事態は起こらないのではないかと愚考する。それに医学や医療に無知な役人や、開業医の政治的団体に過ぎない日本医師会に振り回されない医療体制作りが急務なのではなかろうか。

B　おどろおどろしい医学・医療

大学での研究の粉飾はまだまだ続く。その後も東京大学できな臭い問題が起こり、徳島大学、慶応大学などにも煙が上がっている。名古屋大学や東京医科歯科大学でも火の手が上がり、他の大学が安泰だとは必ずしも言えないのではないか。遡って、東大医学部の分子細胞生物学研究所K教授らによる論文不正では、多数の学位の取り下げや研究費の返還請求が行われたが、学位を失った大学院生こそよい面の皮である。

研究費の使い込み事件もある。私の知っているものとしては、K国立大学の学長が独立行政法人の名を借りてか、業者からの謝礼五〇〇〇万円を大学事務局に申告もせず懐にして、半年も経って発覚、その翌日であったか、急遽大々的に寄付金者の表彰式を行い、ついでと言ってはなんだが、その社長をこともあろうに大学の理事に任命したという暴挙を敢えて行っている。許せない所業だが、残念なことに名誉教授とか特任教授授与の決定権を持つ学長に敢えて抵抗する現教授はいない。我が身第一で、これはどうしようもない自堕落だ。抵抗した某教授は追放されるように定年退官し、裁判沙汰となっている。独立行政法人には政府は手が出せないので、文部省も困っているらしい。親友のＩ元官房副長官も頭を抱えていた。

それについ最近、虚偽ではないが、名門東京女子医大では前回に懲りず、また過失を犯し、第三者機関の審査を受けている。なんらかの制裁が下るらしい。すべて社会の信頼を失い、医療への不信が募るばかりで困ったことである。こんなことで自殺を図る医師はまだ良心的であると言おうか。

このように、驕り高ぶったマスコミに劣らず、本来清潔であるべき学者の方にも強い反省が無い。それに学会発表と言えば聞こえは良いが、あの一〇〇〇題とか二〇〇〇題以上という膨大な数の発表の果たして何％が真実なのか、そう言われて忸怩たる危惧を抱く学者はまだ救われる余地があるが、それすらも無く、虚偽に近い、あるいはまったく出鱈目な発表が、残念ながらごまんとある。良くても前年の発表に毛の生えたような内容を、あたかも第二の独立した論文のように見せ掛けて発表するとか、「サラミ」論文と言って一つの論文を出来るだけ薄く切って多数の論文に仕立てて数を増やす輩もいる。発表者は専門医の点数稼ぎに忙しく、また中には自己宣伝的にまったく同じ内容のものを手を変え品を変え、至る所の学会で発表を繰り返している御仁もいる。一一の学会で同じものを発表した豪の者もいて、しかもそれを恥ずかしくも無く原著論文の脚注に丹念に並べている愚かな医師もいた。発表する側も聴衆側も時間と金の無駄使いであるが、そこには専門医制度更新目的の水増しという如何ともし難い実情がある。

その昔、講演に行ったS医科大学で二五例ばかりの心室中隔欠損（VSD）のカテーテル検査所見の供覧を拝見した。しかしそれらの何症例かを実際に診察してみて驚いた。心雑音はあるが、VSDはただの一例で、ほかの数例は無害性心雑音に過ぎなかった。首を傾げたが、その教授の体面を保つため、惻隠の情を持って口をつぐんでいた。その教授が私を招待したのだからというのは苦しい言い訳である。教授の無知・不勉強と言うべきか。しかし担当医の一人は端から首を傾げていた。また別の○市立大学でも、その講師が供覧した肺動脈狭窄（PS）二一例のうち、驚くべ

C　清新の気風に挑む

そんな折、ある学会の会長を命じられたが、私は独断でその学会に提出された発表予定演題の過半数を切り棄てて、理事長やその側近から大変問題視されたことがあった。参加者が激減し、参加費が減って学会が赤字になるのを恐れてのこともあったようだ。だが毅然としていい加減な出題だと分かったものをすべて除外したのである。そういう場合、昔なら会員数に応じて演題数を配分するとか、有力者から頼まれるとか、選択する側が演題提出教室の教授に気兼ねするとか、演題採択は随分といい加減であった。学会によっては摩擦を避け、すべての演題を採択する無茶苦茶なものもあった（そのため、かつての日本超音波医学会のある年次大会では、一題三分発表、討論無し、これでは学会とは名ばかりである）。

でも私の決断は正解で、卒業年度とか権威者などには無関係に厳しく演題を選択した結果、発表演題数は極端に制限されたが、十分な時間を持つことが出来、出席者の大幅減少による学会の赤字が心配されたのとは裏腹に、信じられないことだが、参加者はそれまでの丁度倍になって大成功を収めた。みんな、下らない発表に嫌気が差していたのであろう。ただしその直後、余剰となった九〇〇〇万円ほどの入場料金の行く途が突然不明となり、そのことに嫌気が差し、またもやその学会を退会してしまった。学会の紊乱振りは学問分野のみではないことを知った。学会の金の使い込みで裁判沙汰になったり、持ち逃げ、使い込み、使途不明金とかの不正問題もある。ある婦人専門学会では事務長が大金を持ち逃げし、理事ばかりか評議員までがその穴埋めをしたという醜聞があった。学会では醜聞が社会問題化するのを恐れ、事務長を依願退職ということにした。また財務担当理事の三〇〇〇万円横領事件という例もあり、その彼は学会永久追放処分となった。最近は税務署が立ち入るようになっているが、三〇〇〇万円ばかりを使い込んで、理事を免職されたばかりか、学会始まって以来の追放処分を受けるとは情けない。そのため、さらにその学会では事務局を京都から東京に移転するなどという事件もあった。だが、専門医制度で着膨れしたその学会は、幾らリーマンショックで価格が下落したとは言え、こともあろうに東京の超一流ホテル関係の建物を借りて事務局を開設するなど、どっちもどっちといった体たらくである。専門医制度が変わったら学会収入が激減して、そこで初めて目が覚めるということになるのではないか。

小保方氏の失脚の場合も、弱い者虐めという一面が指摘された。これは上述のように昔からのことで、お蔭で弱小研究室とか、大教室でも新参者はしばしば学会発表の機会が封じられていた。小保方氏の場合にもそういう背景があるのでは、と言った人がいた。だが理研というお墨付きがあった。

私は若い頃、有志の二人に謀って、そういう恵まれない若手を積極的に重視し、必ず論文に仕上げられるような少数の優れた発表演題のみに限定し（したがって発表時間は従来の倍以上で破格の一五分、十分に討論も出来る）、新たな学会（日本心臓病学会）を立ち上げ、これも大成功で、その発表論文の極めて多くが国外学者の目を引き、驚くべきことに（日本語論文でありながら）多数の独創的論文が外国のテキストに引用された。ものによってはある章の引用文献の一〇％以上が我々の雑誌からであった。驚天動地である。かくして関連する従来からの巨大な学会への参加者が減り、殊に若手が揃って我々の会に出席するようになって、お蔭で私達はいわゆる権威者達からそれこそ言語に絶する虐めを長きに亘って受けることとなった。

なかんずく所属する教室の主任教授からは連日の如く説教を受けた。教授は配下のものが「不始末」を犯しているとして他大学教授から非難されることを恐れ、自分の将来に響くと内心びくびくしていたのであった。それでも肯んじなかったため、これはその後の執拗なしっぺ返しに繋がっていく。

「会を閉鎖しろ」、「学会形式ではなく研究会組織にせよ」、「機関紙を発行するな」、「我々の学会の下部組織になれ」、「期日を限定せよ」など、無理難題を毎日のように頻回に亘って申し渡され、挙句の果てに私はその学会理事長に痰まで吐き掛けられる屈辱まで被った。みんなと諮り、已む無く七年間、若手の我々はその学会の下部組織に甘んじ、長老達の監督下に会を継続した。だが初志貫徹、決して挫けずに学会を維持し、数十年が過ぎ、二〇二〇年は学会創立五〇周年の記念すべき年となった。私の記念講演は「扁舟に棹さして五〇年」であった（コロナ禍で中止）。

遡って、最後の最後、その後のM学会理事長は大学定年後の学術会員選挙で、第三者を通じて、キャスティングボートを握る私達の学会の三票を無心したりしているのである（その結果、逆転、「満票」で当選した。反対者が後難を恐れ、全員が寝返って勝利する方に投票するという悪しき結果である。すべて「当選は満票」、学術会議の選挙とはそういうものである）。

そのM教授（故人）の大学在任時代、あちこちで小保方事件のようなものが無かったかと言うとそうは言えない。その教授の就任以来退官まで、同じ大学でつぶさに観察して来た経験ではそうである。製薬会社と各教室や有力医師との癒着は目に余るものがあった。だが唯一の救いは、東大第二内科に限り、一切の薬物治験を拒否し通したことである。いわゆるMRの訪問もすべて禁止した。だがこれは研究費の比較的潤沢な（それでも勿論大変不足である）東大だから出来たことであり、研究費に乏しい他の大学では無理だったであろう。つまり数多くのおかしな研究結果をもって誤魔化して来たのは事実であり、それによって製薬会社は莫大な利益を上げ、前述のように、その見返りとして大学や病院、あるいは医師達が潤っていたことは紛れもない事実である。忘年会まで製薬会社の世話という例も少なくなかった。開業医が協力する場合はもっと酷い不正行為があった。なぜなら、彼等は医師であるとともに事業主、つまり会社社長であり、生きるためには製薬会社や卸商、MRからの便宜供与が必要だからである。第三者がそれを責めるのは酷な場合もあった。実際そういうことを口にする第三者は皆無であった。それ故、例えば高血圧に関する講演会を例にとると、上記のように、後援が会社Ａであればその会社の薬剤をベストと推奨し、会社Ｂであれば、臆面も無く、同じ系統の会社Ｂの薬品がベストだと言って憚(はばか)らないのである。私から見るとこれは詐欺である。

Ｄ　悪者達

話は変わるが、私が趣味で集めていた美麗な心電図を無断借用して本を出版したアメリカ帰りのＷ医師がいた。その本の序文を書かされた教室主任はそのことを後で知って、Ｗ医師を教室出入り禁止とした。もっと悪質な数件は私の研究室に次々とやって来た前述のK医科大学医師達によるものであった。先任者は私の研究室のデータを無断搬出し、こちらが企画していた論文を先取りして自分一人の業績として専門誌に発表、あまつさえ経歴を詐称したりし、激怒した教授は彼を追放した。

続く第二の医師は最悪であった。身分詐称(東大助教授とか講師などの名刺を偽造し密かに使用)を始め、どうやってか某医学新聞の顧問になり(後にスキャンダル事件で解雇)、製薬会社との密着、誰をどう騙したのか二、三年前の私の英文論文を翻訳、それに研究室の他の和文論文を合わせ、勝手に論文を作成して学位を取得してしまっていた。主任教授が騙されたのである。その医師はアメリカ留学時にも不正な論文を一流誌であるCirculationに掲載、その後嘘がばれて、ある専門書の中でその無学振りを披露されるという失態を演じた。そういった数々の悪業は続き、それを認めたがらない(騙され続けている)教授は、むしろ弟子を虐めるとしていつも私を叱責した。私の私物スライドを密かに持ち出して出張先の大病院で自分が研究した如く講義したり、だが最後には抜き差しならない失態が公衆の面前で暴露され、医局から追放されたのである。だが行く先でも数々の虚偽を行っていたと聞き及んでいる。

次の後継者は自分の英文症例報告論文で以前の私の和文論文のある考案の全文をそっくりそのまま英訳して外国誌に投稿している。それ以上の文章が書けなかったからと言っていた。学者の風上にも置けぬと破門したが、しかし出身大学の講師に昇進した。次の医師は私の研究室で今何を計画しているかを母校の先輩に逐一報告していることが発覚、それ以後、その医科大学からのさらなる国内留学を断った。しかしその後、最初の医師は他人を使い、我々が文部省試験科学研究費で開発中の機械の写真を撮って自分の出版物に無断掲載し、大学間の問題となり、その医師は出身校からも追放された。因果応報だが、その間、数年に亘って私の方が悪者にされていた。だが後年、彼はアメリカと日本での手蔓を利用して某私立大学医学部教授となった。今度は大学が騙されることになったのである。

無さそうである。

エピローグ

ゆく河の流れは絶えずして、しかも、もとの水にあらず。淀みに浮かぶうたかたは、かつ消え、かつ結びて、久しくとどまりたるためしなし。世の中にある人とすみかと、またかくのごとし。

時代のはかなさや人生の無常を訴える文章の一つとして、この鴨長明の方丈記ほどその真実を語るものは無い。私のエッセイではそのうち醜いものばかりが強調されているが、それは流れが途中の巌石に衝突するような瞬間の出来事である。流れが円滑であるように見えてもその底に渦があればあるほどその衝撃は大きく波乱に富む。だが淀みに浮かぶ「うたかた」のような不正は「かつ消え、かつ結びて」次から次へと止むことを知らない。

生涯まったく誤り無く医学の道を歩んだ人は恐らく大変稀であろう。寄り道したり落ち込んだりする医師は枚挙に遑が無いほどいる筈である。しかしそれが天地の大道から大きく外れ、人々を驚愕させるような波瀾を産む人は稀であろうし、実際にお目にかかることは恐らくそうはあるまい。だから稀代の詐欺師は多くはいまい。

だが学問の進歩という名を借りて、自己の専門性を誇示し、自由奔放に振る舞う医師がいたとしたら要警戒である。残念ながらそういう医師が増えている。

実際、アメリカ医学会での不正行為事件は際限が無い。実に多くの偽作論文が指摘され続けて来ている。殊に一時的にアメリカに席を置く留学生研究者の論文には、常に疑いの目を持って臨まねばならないように思う。

丁度一週間前、現代医師の診療に疑義を持つ団体からの依頼により、「賢い患者になるために」という題で二時間近い長い講演と一時間ほどの質疑応答を行った。私の『多病息災―あるお医者さんのたわごと』という最近の本を見ての依頼だったようである。実際、患者さんの多くが、「挨拶無し、目も合わせない」という非礼な医師の態度、診察をせず、痛い所に手を当てない、聴診器も使わない、時間に拘る、そういう医師に怒りを感じていた。そこから医師不信・医療不信が生ずる。医師・患者関係がぎくしゃくする。それにつまらない個人情報とか、医師と患者共々が主張する権利・義務の厭らしい関係が交錯する。それが他の多くの真面目な医師の診療意欲を阻んでいる。

医療は今大きな曲がり角に来ているようだ。医局制度が崩壊して患者本位の医療が衰退し、一方、専門医制度は形骸化して意味をなさなくなり、専門医とは名ばかりで内容に乏しく、また視野狭窄的で幅が無く、全人的医療が消滅しかけている。このことに、医師よりも患者の方が危機感を抱いている。私の見た限りでも、アメリカの専門医はもっと権威があり、日本の似而非（えせ）専門医とは違う。それに広い視野を持ち、内科と小児科の兼任教授とか循環器内科と薬理学教授兼任、面白いところでは内科・外科兼任教授さえいる。この際、我々医師は患者の声に謙虚に耳を傾け、また日常の診療や研究の態度に留意せねばならない。

治すことの出来ない病気や病人は多い。だが医師は少なくともそのような患者に共感し、「癒(いや)す」ことは出来る。いや出来なければならない。

そういう考えを述べて、皆さんの共感を得ることが出来た。それがこの講演での私の収穫であった。

しかしこのエッセイを書き終えた私の心はほとんど闇である。

第二章　嬉しいこと、困ったこと、面倒なことに出遭う

プロローグ

平成二七年（二〇一五年）は慌ただしく幕を閉じたが、大袈裟に言えば激動の一年であった。一寸振り返ってもフランス、アメリカその他各地のテロ多発、大量難民、ドイツなどは一変しての受け入れ姿勢が逆転、援助金もカット、北朝鮮の核実験、ついでにオリンピックにおけるロシアの大量ドーピング問題、一五年にも亘り巨額の贈収賄に明け暮れたサッカーＦＩＦＡ幹部連の汚職問題、南シナ海におけるシナの戦略的基地建設もあった。

日本は相変わらず、韓国、シナ、ロシアなどの高圧的態度に振り回され続けている。目を転じると長年に亘るマンション違法建築、賞味期限切れ廃棄食品の大量転売、オリンピック騒ぎ（エンブレム問題、競技場振り出し問題：いずれも金銭的ロスを伴う）、消費税を巡る論戦、ワクチン疑惑

問題などなど、さっぱり良いことは無い。

僅かに快哉を叫んだのはなんと言ってもフィギュアスケートの羽生結弦（能楽の野村萬斎仕込みの三番叟演技を観て思わず涙ぐんでしまった）、ついでに日本勢の金、銀、銅メダル。羽生君は声高に君が代を歌った。さらに、小さな身体ながら高梨沙羅嬢のスキージャンプ優勝（五連勝、そしてあっという間に一〇連勝、ワールドカップ出場四年にして女子最多の四四勝（二〇一六・二・二八現在）、近々、男子の持つ優勝世界最多記録を破ることは確実だ）（注）。またバドミントンの快勝、水泳も望みがありそう。ともかく日本の若者に期待が集まるのは愉快だ。

注：二〇二〇・三・九の大会優勝、歴代女子最高の通算五七勝、今回の表彰台数一〇〇回は歴代二位、女子では初。

それに学問的には、アフリカなどで寄生虫が惹き起こす熱帯感染症に対する特効薬を開発、生きた生物から薬品を生み出させるという地道な研究者大村智さんのノーベル生理学・医学賞（二〇一五年)、それにニュートリノが質量を持つことを示すニュートリノ振動の発見者梶田隆章さんも、現代物理学の根幹を揺るがす業績を上げた(ノーベル物理学賞、二〇一五年)。凄いことだ。さらには来年もその候補者達がいるのは頼もしい。だが、今度はどうやらアメリカ勢による重力波の直接検出が最有力候補らしい。これも大発見、物理学が一大転換するかも知れない。

それにしても、今世紀に入って一七名もの日本人ノーベル賞受賞者で、多国籍のアメリカに次ぐ第二位というから、有色人種故に受賞出来なかった二〇世紀前半以前の多くの候補者を考え合わせると、本当に驚くほどである。諸外国では「日本人が何故?」という論評が出回っている。なんと言うことはない。それは金儲けに走らず、芯の強さ、実行力、さらにもう一歩上を目指すというねばり強さ故である、と私は思う。

それ故、今やネジ一本に始まって、携帯から自動車、さらに宇宙ロケットに至るまで、数限りない日本の素材・製品が無ければ世の中は動かない。宇宙船の船長も日本人だ。残念ながら日本ではいかに技術が優れていようとも総合的能力にやや欠ける面がある現状だが、しかし新幹線などは他の追随を許さないし（インドネシアはシナに煮え湯を飲まされることだろう）、また世界に誇るべき筈の原子力産業も例外ではない。もんじゅ原発の復活を世界は待ち望んでいる。またごく最近はより高性能のステルス戦闘機まで開発した。それを実戦配備するか否かはともかく、原子力発電を含め、高度な技術力を内外に示すことは最善の防御策である。我々は大いに胸を張って然るべきなのである。日本学術会議が防衛研究を阻止しようなどとは、とんでもないことである。

さて、脳裏に去来するそういう渦巻きの中から何を語ろうか迷う。

1　プロローグってなに？

私のエッセイには何故かいつもプロローグとエピローグがくっついている。

プロローグ（prologue）とはお芝居で言えば前口上、歌劇などでは序曲（overture）とか前奏曲（prelude）、書き物であれば序文とかまえがき，論文などでは序言（序論）（introduction＝イントロ）のことである。歌劇でもレオンカヴァルロのパリアッチ（道化師）のように立派な前口上のあるものも稀にはある。

ものによって少しずつ意味するところが異なるが、これからどういうストーリーが発展するか、それを相手に予見させ、話し手と聞き手が一つの輪を囲む。通常の書籍であればその「序文」や「はじめに」、「まえがき」があり、最後に「あとがき」があるのが一般的だが、書店で本を購入する際に参考になるのはこの「まえがき」と「あとがき」で、それが本の全容を彷彿とさせる魅力的なものでなければ、たとえ良い書評があっても、私はその本の購入を止める。

では翻って、私のプロローグはどうかと言えば、恥ずかしくて、いつもながらあまり他人様にお見せ出来るようなものではない。まったく定見に欠けるし、その後の内容とはちぐはぐだらけ、しばしば結びの言葉、つまり跋（あとがき）、プロローグと対比すればエピローグが、まったくシンメトリカルではなく、お互いにソッポを向いていたりして一貫性が無い。それに土台文章が下手である。書くことが好きなのと文章の善し悪しは関係が無い。

それでも本書の各章にプロローグがあるというのは、まったく無目的ではなく、始めは確かに何かの意図をもって己の考えを披露してみたいと思っているからである。

今回はそのことを戒めとして、吉野源三郎の「君たちはどう生きるか」のコペル君が様々な現象から思索を重ねて行くように、大人としての私も、その後を追うかのように思索ならぬ愚索に触れて行くことにしたい。だが例によって世の有為転変を論じるとは言い条、実際は観念奔逸、支離滅裂、動き出した車の行方は分からない。何しろ軌道の無い動きなのだからブラウン運動と同じ。それは同じ演目でも、その日、その時によって、世情を反映して軽妙に語り口を変える落語の「まくら」のようなものか。でもそれにはその落語家特有の語り口と観客に合わせた噺家らしい芸がある。私にはそんな才能は無い。そして時には「まくら」の後がまた「まくら」となってしまうこともある。志ん生でも円生でも三木助でも文楽師匠でも、はたまたまるで「まくら」がそのまま長講一席となる柳家小三治師匠でも、のっけから人を惹き付けた。私に果たしてそんな軽妙洒脱な語りが出来るかと言うと、とんでもない、まったくもってその自信はまるきり無い。

この章では楽しみに明け暮れたような私と、馬車馬のような協奏曲的生活と、老いて遭遇する驚きと恐怖について考え、終えることにしたい。

私はクラシック音楽好きである。何が好きかと言われても困るが、バッハ以前の古典音楽も好きだし、バッハの膨大な曲（一五〇一曲）も教会カンタータの多くを除けばすべて聴いている。後で述べる「あらえびす」の「楽聖物語」流に言えば、「戦闘の人ヘンデル」、「音楽の父バッハ」、「父ハイドン」、「眞の天才モーツァルト」、「英雄ベートーベン」、「旋律の泉シューベルト」、「純情の奇才ベルリオーズ」、「幸福な天才メンデルスゾーン」、「ピアノの詩人ショパン」、「情熱のシューマン」、「洋琴（ピアノのこと）の巨匠リスト」、「巨人ワグナー」、「音楽の隠聖フランク」、「孤独の鉄人ブラームス」、「悲哀の権化チャイコフスキー」、「ドヴォルシャークの郷愁」、「印象派の勝利ドビュッシー」、いささか勇ましすぎるが、どれもが高名な作曲家、それに続いて小文字で九七名の作曲家評伝が並ぶ。どれも若き日の私が惹き付けられた音楽家である。

私は医者一家の次男として、小学校入学時から将来的には医師になるよう決められていて、「東京帝国大学医学部」と書かれた半紙を渡されていた。勿論、当時の私には読めない文字だった。今と違って、入学前に書ける文字は平仮名の名前くらいであったせいである。

だが一方、家庭では音楽に馴染むことが躾の一つであると、子供の時からそのように育てられた。一番古い記憶は小学校入学時に買って貰った（と言うか買い与えられた）一〇インチSP（sandard play）六枚組のアルバムで、その中の片面一曲のチェロ曲（ガボット）が好きだった。後年分かったのだが、それはバッハの無伴奏チェロ組曲第六番ニ長調からのもので、有名なカザルスの演奏であった。同じセットのSPアルバムは毎年段々難しい曲を含むようになり、一〇インチが一二インチになって届けられた。メンコン、チャイコン（メンデルスゾーンとチャイコフスキーのバイオリン協奏曲）など、殊のほか懐かしい。ワグナーのニュルンベルクの前奏曲などは強い印象を与えてくれた。

このように、高価なレコードを購入できる比較的裕福な家庭であったため、田舎町だが新しいクラシックのレコードが（時計屋に）入荷すると、店主が一部を持って我が家にやって来て、黙って置いていった。街で蓄音機（レコードプレーヤー）を持っている家は決まっていたからでもある。

注：レコードは高価であった。子供の頃、お小遣いは「銭」の単位であったが（それもせいぜい一〇銭まで）、レコードはその「銭」の一〇〇倍の「円」の単位であった。昭和の始めのレコードのいわゆるSPは、落とせばすぐ割れてしまうシェラック性の重いレコード盤だった。片面演奏時間最大四分程度、片面ずつ、いちいち金属製（または竹製）のレコード針を取り換えながら、例えばベートーベンの交響曲第五番「運命」なら全四枚の八面に収録されていて、それを蓄音機、通称「チコンキ」のゼンマイを適当に回してプレイバックするのである。LP（long play）片面で運命が聴けるのとは訳が違う。家には確か私の生まれた一九二九年に名門ウィーンフィルがシャルク（F. Schalk）の指揮で初録音した「運命交響曲」という貴重なSPレコードもあった。

家にあった最大のSPセットはビゼーの歌劇「カルメン」で、全二七枚の箱入り、とても持って歩けるようなものではなかった。それこそ大切に扱い、レコード棚は平らな面が反らないよう、必ず横向きに収納するようになっていた。そういうレコードを、あろうことか、駆け出しのサラリーマン時代からすべての給金を投じてその購入に費やす奇特な野村長一なる御仁もいた。有名なご存知『銭形平次捕物控』などの著者、野村胡堂である。ものを書きながらレコードを聴いていたという。上に述べた「あらえびす」の筆名で「楽聖物語」という本（昭和一六年：四八七頁：金三円二〇銭）を大東亜戦争開戦直前に出版しているが、翌年昭和一七年二月の再販本がまだ私の書架にある。勿論、固い表紙も禿げ落ち、紙面は端がかなり黄ばんでいるが、人生最初の愛読書の一つで、今もって捨てられないのである（最近、復刻版が出た）。ついでにこっそり言うと、私は歌謡曲（良い歌が多かった）や講談（森の石松など）、それにエノケンこと、榎本健一の下らない歌のレコードも聴いていた。そんなものが、定年の際に演じた私の音楽入りの三〇分を要した長大な浪曲「ベートーベン人生劇場」に繋がっているのである。お恥ずかしい話ではある。

クラシック音楽における幾多の前奏曲のうち、歌劇カルメンの前奏曲はつとに有名で、全曲の主要な旋律を網羅した極めて暗示に富む名曲だと思うが、これがどうしてオペラ上演が初演で失敗し、ビゼーを落胆させたのか（一八七五年初演、同年、三六歳で死去）、そして逆に今ではオペラと言えば誰でもカルメンと言うようになったのか。これも私が医学生時代から入局後にかけて購入し続けた全一一冊の名曲解説辞典（これもボロボロである）をひもとくと、一八七五年のパリ初演から二〇〇四年までの間に、パリだけでも二〇〇〇回以上上演されているというから、ビゼーも以って瞑すべしというところだろう。

私の好きなオペラの序曲に一つにヴェルディの「運命の力」がある。これは「カルメン」の序曲とは違って胸を打つ物哀しげな旋律が一寸出て来るだけであり、その旋律の全体は実は終幕の、それもその最後に近く、また女性と二人の男性により繰り返し歌われる。

それよりも我ら日本人にとって最も身近なオペラは、プッチーニの「蝶々夫人」（マダム・バタフライ）だろう。ところがこの作曲家の幾多のオペラには、実はまったく序曲とか前奏曲が無いのである。このいわゆる「蝶々さん」でも、音楽が鳴り始めてなんとなく幕が上がる。よしんば序曲があったとしても、例えば有名な「トスカ」ではたった三小節の強烈な前奏でしかない。そして未完に終わった最後のオペラ「トゥーランドット」に至って、初めて激しいフォルティッシモを挟んだ短い（たった八小節）序曲が現れる。このオペラ、二〇〇六年、トリノにおけるオリンピック開幕式で三大テノールの筆頭パヴァロッティが「誰も寝てはならぬ」を歌ったので、ご記憶の方もおられよう。

一方、オペラの中の主な旋律を網羅して交響詩のような形をとった壮大な序曲には、ドイツ語のオペラとして大成功したウェーバーの「魔弾の射手」（自由の射手）がある。一〇分以上かかる。有名なホルンの四重奏の旋律があって、そのホルンの音がドイツ人の血をたまらなくたぎらせるのである。まだ東西ドイツの時代、東ドイツのベルリンで学会に呼ばれた際、たまたまベルリン国立歌劇場で観劇したが、序曲からすぐ第一幕に入っていた。ところが日本にベルリン・ドイツオペラが来演した時には、上野の東京文化会館で観たのだが、序曲を演奏し終わると聴衆の盛大な拍手が入った。若杉弘さんの指揮だったが、こんなことはほかのオペラではかつて無い。そしてこのホルン四重奏の旋律は「秋の美空　高く澄めり…」と、有名な歌曲として歌われるまでになっている。耳にすれば、おそらく多くの方が「ああこの曲」と思われるだろう。今は「秋の夜半のみ空澄みて…」と歌詞が現代的になっていて、また賛美歌でも歌われるが、しかしこの美しい旋律は、不思議なことにオペラそのものの中には出て来ないのである。

序曲が幾つもあるというオペラもある。ベートーベンの「フィデリオ」(レオノーレ)がそれで、フィデリオ序曲のほかに、レオノーレ序曲第一～三番がある。気に入らないとパトロンに促されて、第二番、第三番と書き改められ、他に遅れて書かれた第一番がある。ベートーベンにはほかにエグモント序曲、コリオラン序曲もあるが、これらのうち序曲第三番は殊のほか名曲で、その後、わざわざオペラの途中、第二幕の前に演奏されたりしている。演奏会の一演目として独立して演奏されることもある。かつての年末恒例の第九演奏会では、何時もこれが先に演奏されていた。第九は六〇分一寸で終わるのだから、それ一曲だけでは短い演奏会なので、付け加えられていたのであろうが、いつの間にか、近頃は無くなっていて、第九を聴きに行くと、何時も少し損したみたいに感じるのは貧乏性のせいか。

序奏がそれ自体、一つの作品というものもかなりある。本来は劇音楽で冒頭に演奏されるものだが、その後、序曲だけが残ってしまったもの（バッハ以前はシンフォニアと言って、ハイドンの交響曲の前身であった）、例えば有名なものとしてウェーバーのオベロン序曲、オイリアンテ序曲、シューマンのマンフレッド序曲などがあり、さらにまた序曲だけで終わる有名曲もある。ブラームスの大学祝典序曲（東大の入学式に演奏される）や悲劇的序曲、チャイコフスキーの序曲一八一二年（ロシア軍の勝利を祝う大砲入りの曲）、ショスタコーヴィッチやイベールの祝典序曲などなど、数多い。

だが私の少年時代の序曲と言えば、子供が理解しやすいズッペの軽騎兵序曲とかロッシーニのセビリアの理髪師序曲で、それぞれ一二インチSP裏表に入っていた。いわゆるロッシーニ独特のクレッシェンドを厭というほど聞いたものだった。

かくして私の音楽視聴歴は止むことを知らず、少し経つと、ゼンマイ巻きではなく電気で動く電気蓄音機（電蓄）の時代に入り、大きなプレイヤーを前にして、当時のほとんどの有名曲に聞き入っていた。何しろテレビなどは無く、ラジオも時間区切りで夜九時頃までの放送であったし、音楽番組もほとんど無かった時代、レコードと読書以外、楽しみは無かった。

プロローグが音楽の話に転じてしまったが、これらの序曲は私の人生のプロローグでもあった。その中で特に強烈な印象を与えたのは、文字通りその名を冠したリストの交響詩「前奏曲」（Les Préludes）であった。フランスの詩人ラマルティーヌの「詩的瞑想録」の一節「我々の一生は、その厳粛なる第一音が死によって奏でられる未知の歌への一連の前奏曲にあらずしてなんぞ…」という文が踊っていた。意味が良く分からなかったにもかかわらず、その音楽は長く私の心に残った。

その後音楽愛好の道には多くの紆余曲折があったが、大学三年生になって自分で初めて電蓄なるものを手に入れ、新宿のコタニに赴いてまず購入したのはこの曲であった。今は手元に無いが、フィラデルフィア管弦楽団演奏、オーマンディ指揮の二枚組SPであった。毎日聴き、昔流に言うと（大木正興さん：音楽評論家）、レコードが擦り切れて向こうが見えるくらいであった。
序曲だけで長い物語になり、プロローグの範疇を逸脱する。いずれまた書き残したい。

2　年末の思い

個人的なことだが、友人との論文書きが一段落して、超音波によるエコー・ダイナモグラフィー(Echo-dynamography）の第六論文がやっと掲載の運びとなった。手前味噌だが、従来の心臓生理学に革命を目指す（と信じる）臨床研究である。他の追随は許さない。これで一段落し、第七論文に手を染め始める。かくして年末を迎え、テレビを見ながら年越しそばを楽しんだ。

振り返ると、二〇一五年は我がポリシーの如く「多病息災」であった。意識喪失を始め三度の入院生活、そして別に血栓性静脈瘤(外傷性)の手術も行った。加えて病気の合間を縫って学会の司会、六回の講演と結構忙しかった。原則として毎度話題を変え、同じことはなるべく二度とは話さない主義だから、その都度趣向を凝らす数十枚のスライド作成は大変なのだ（一度使用したスライドのほとんどは二度と使わないが、実は新しい製作を楽しんでいる）。かてて加えて、家族揃ってのウィーン生活も送った（文末注1）。病気、勉学、発表、旅行、その間に音楽、テレビ（多数の歴史物、政治、ドキュメンタリー番組などは必須）、自分でもよく時間があるなぁと思う。テレビは録画して、音楽以外は倍速で見る。時間の節約である。国会討論は必ず見る。そして毎日日記を付け、別に何かをもぞもぞと書いている。拙著『多病息災』も加筆し四六六頁として再販した（文末注2）。次の執筆「孫物語」も手掛け、ほぼ草稿が出来上がった。

私はかつて多読家のつもりだったのだが、以上のようなことが重なって落ち着いた読書の時間が減った。それに最近は目がかすむ上に読解力が落ちて沢山は読めなくなった。幸い以前には霞が関ビル内に本屋があり、近くの省庁にも格安の売店があったのだが（オウム真理教地下鉄事件以来、立ち入り禁止）、その後はビルの隣に「書原」というかなり大きな書店が出来て購入がさらに便利になったため、毎月、少なくとも数冊買い込んでいた。昔のように「積読（つんどく）」にならぬようにしているせいか、通勤時の読書は欠かせない（そのため時々駅を乗り過ごす）。そしてここ二、三年はテレビ同様、政治的な本を多く手にするようになった。日本の将来が少し心配になって来たからである。残念ながらその「書原」は二〇一六年一月八日をもって急に閉店してしまったが、その日は大変なお客さんで賑わっていた。私も最後の本を幾つか購入した。そして残った小銭で精算所に横積みしてあった『THEがよくわかる本』という以前から一寸気になっていた一冊を購入した。この小さな本、十数年来、良く売れているという。"the = one and only"、"a = one of many"を改めて頭に刻んだ。だが例外も多い。そこが英語の難しいところ、出鱈目と言われる所以だ。ヴィクトル・ユーゴーは収監される度に一ヶ国語をマスターしたが、理屈の通らない英語にだけは音（ね）を上げたという。現在、その英語が国際語なのだが、数百年後はどうなっているかしら。

昨年一二月に意識的に読んだ中で印象深かったのは、特に中東問題に関して宮家邦彦氏の『日本の敵：よみがえる民族主義に備えよ』、沖縄問題の建て前と本音を見事に暴いた大久保潤・篠原章氏の『沖縄の不都合な真実』、それに永久的かつ絶対に解決することの無い歴史問題などを扱った黒田勝弘氏の『どうしても〝日本離れ〟できない韓国』の三冊である。最近は李栄薫の『反日種族主義』も考えさせられる一冊であった。またそれに一寸風変わりだが坂本廣身氏の大著『ノンフィクション太平洋戦争～真実の敗因と敗戦の功罪～』も、皇国の興廃とか青少年時代の我が軍人学校生活に照らして胸の痛む思いもあったが、興味津々であった。そしてこれは内緒だが、こっそり落語に関する数冊も読んだ。『立川談志：まくらコレクション』は、落語の本題に入る前のまくら話だが、私の話の「まくら」には役立たない。でもとても面白かった。思ったことをポンポンと言えるのは痛快、私も落語家を目指せば良かったと、ディレッタントの「僕」は思う。「馬鹿でも落語家にはなれる」と家元立川談志は言う。東大第二内科のクリスマスパーティーで、コント、漫談、落語、浪曲などなど、多くは人真似だが、マルチタレントぶりを発揮した昔の私が懐かしい。前述したように、広沢虎造をもじった長大な浪曲（ベートーベン人生劇場）では大賞を頂いたのが密かな自慢である。

3　我が国の立場と海外状況

我が国では、国会前で心情派の人々が訳も無く喚き立てているが、ともかく安全保障法案が国会を通過して、曲がりなりにも、これでやっと世界に恥ない人並みの国家になれるかと安堵した。後は変な憲法解釈法を破棄して、一日も早く我等が自主憲法を作ることである。「何でも反対」の野党は安保法阻止法案を提出するというが、それが結果として逆に戦争を交える法案となり得ることを認識出来ない。本当に情けない。

我が国は「四面海もて囲まれし…」という歌のように、歩いて渡れる国境が無いことが幸いして、古来平穏な生活を享受し得た。元（げん）（習近平によれば中国＝シナ）が高句麗（朝鮮北部）を駆り立てて押し寄せた二度に亘る連合軍の日本侵略（元寇）も、海があって食い止められた。その点、朝鮮は地続きの大国から侵略を受け易く、どうしても両面外交に頼らざるを得ないので気の毒である。ましてや国が南北に二分されて共産国家（シナ）と民主主義国家（アメリカ）との板挟み状態にある現在の朝鮮は、何時もどちらかへの事大主義でいなくてはならないので、多くの南朝鮮（韓国）国民は苛つく。それは日本の植民地政策のせいだと教育され、挙句の果ては「癪に障る」と、反日に走ってしまうのだ。「親日＝売国奴」、つまり何に付けても「日本離れ」が出来ないという悲しい地盤が出来上がっている。民主主義国家だと言いながら公道に違反物体（慰安婦少女像）を設置して平気でいたり（車ならすぐにでもトーイングされるのだが）、それも取り締まれない悲しい事態が平気で行われている。いつぞやアメリカ大使館前に置かれた別の像はすぐに撤去されたのだが、日本大使館前では「反日無罪」で通る国ならではである。心ある在日韓国人はさぞかしそういう自国の未発達な民主主義国家の現状を恥じ、慙愧に耐えずと感じていることだろう。そういう調子であるから、年明け早々に日韓外務大臣折衝があっても、「これで」という訳には決して行かないと私は思っている。

注：「日本への韓国の恨みは一〇〇〇年経っても忘れない」、そのように韓国女性大統領はのたもうたが、今から七四四年前の日本侵攻での壱岐・対馬における大虐殺・婦女暴行、死人を干して食っていた韓国兵の史実は彼女の歴史から抹殺（都合良く失念）されており、ベトナム戦争での韓国兵の大量慰安婦問題も忘却の彼方に霞んでしまっている。要は日本だけが大統領（マスコミ）の「やっかみ」の対象となっていて、国自体の品位を自ら貶めている。善良な韓国人はむしろ気の毒である。

注：先日、ベー・チェチョルという韓国の優れたテナーの日韓合作記録映画「ザ・テノール 真実の物語」を鑑賞した。セミドキュメンタリー的なドラマである。東洋一という歌声がイギリスでの甲状腺癌手術によって失われ、日本に渡り、京大形成外科名誉教授で耳鼻科専攻の一色信彦医師の手術によって、まったく奇跡的に回復して行く感動的な映画である。だが解説者によると、韓国での上映の際、日本人輪嶋東太郎・音楽プロデューサーの親身の国際的援助や一色医師の手術成功場面などはすべてカットされていたという。親日的というだけで国賊扱いされかねない感情政治国の故である。実に気が滅入るほど侘しい。だから忌わしき慰安婦像の撤去など、出来る筈もない。

大東亞戦争後の日本国憲法はいわゆる平和憲法で、今年は発布七〇周年になる。この憲法に第九条があるから平和を保てるという、あるいは保つべきだと言うのは分かるが、ではそういう呪文を唱える人達は、外敵が侵入した時に第九条の幟を立ててみんなを守ってくれるかと言えば、そうは行かないだろう。むしろ彼等は真っ先に逃げ出すのがオチだと思う。それより台風に反対だと唱えれば台風がやって来ないかと言うとそうはなるまい。そしてやって来れば真っ先に逃げる。被害に遭えば国に援助を求め、場合によっては憲法違反だと彼等が断じる自衛隊に御助けを願う。勝手気儘だ。ある高名なK女性歌手は「日本と聞けば吐き気がする」と言いながら日本に住み、日本国のビザを利用して外国に出掛ける。御都合主義の典型である。心情派の人達は、他国とは、話し合い、つまり外交によって解決を図れとするが、シナや韓国、ISなどを見ると、とても通常の話し合いによる近隣諸国や国際的合意は望み難い。殊に憲法での他国への信頼性や寛容の精神により、すべての事態を打開し得るとは絶対に思えない。各国の尺度が異なり、シナのように国際法よりも国内法、それより共産党の決議が法律より優先すると主張したり、価値観もまったく異なるIS相手では、そもそも話し合いさえ出来ない。国内でさえ、基地は反対だが、その基地は手放したくない沖縄が我儘を言えば、話し合いどころか裁判にまで発展して、政府はお手上げなのである。

それにしても、報復を恐れる白人の常識に従ってアメリカが半強制的に押し付けた日本国憲法に対して、当時の政府はこれを受け入れ、それに対抗して野党であった社会党や共産党などは強力に反対した。しかし自衛隊違憲を唱えた社会党は、自民党に身を売り、党首が総理になれば合憲だと路線修正した。

今度は政府の自民党が憲法改正路線を採ると、社会党系（民社党や消滅寸前の社民党）、それに共産党は逆に憲法護持を唱える。要するに憲法そのものよりは現政権への反対路線を墨守することにその重点を置いているという状態、憲法はその道具、国益は二の次なのだ。また、そもそもソヴィエト（スターリン）にしろシナ（毛沢東）にしろ、国家転覆を謀った共産党国家は、世界最大の国民虐殺を平気で行った国だ。それに比べるとヒットラーなどはスケールが一桁小さい。日本などは問題にならない。日本共産党も国会開催時の天皇の御臨席を拒否して開会式を欠席し続け、今回はようやく国民におもねって何十年振りかに出席したが、天皇の御席が我々を見下ろす位置にあることは国民を見下す仕草だと、訳の分からないことをほざいている。

今や世界的に見ても、激動は留まるところを知らない。中東の災いは英仏が資源を巡って勝手に国境を直線で引いて民族を分断したことが遠因であり、日本人には理解し難い宗教対立という問題や、日本を民主化出来て自信を持ったアメリカが、国情のまったく異なる中東の民主化に失敗したのが災いを後押ししている。

国と国との対立と言うよりも、これからの世紀は「民族と民族との対決」という図式に変わって行くようにも見える。シナの勃興と覇権主義はまさしくその典型のようであり、それまでの西洋諸国の植民地支配、それを真似た日本の支配（これは黄色人種が植民地を持ってはならぬという白人の干渉に遭った）からの脱却を意図するものであろう。最終目的は世界制覇である（そのように公言している）。一方、中東ばかりでなく、今や台湾も新しい総統のもと、民族主義に徹し始めている。

北朝鮮は、かつての強国、女真族の興隆を見るような思いだし、世界からバッシングを受けても平然と構え、開き直って全世界と対等であると信じてなんでも行い、余人を寄せ付けない。怖れを知らぬ金正恩は、見方を変えれば見境の無い悪しき英雄の如き存在でさえある。それに対して水爆実験を世界に喧伝する暴挙を誰も抑えきれずにいるのは、まったく以って歯がゆい限りだ。彼はかつてのフセインやカダフィがこの世から消えたのは原爆を諦めたせいだと言って憚らない。かくして原爆保有国は九ヶ国に増えた。核拡散条約など、どこ吹く風の状態である。日本は武力を持たないが、話し合いだけでは埒が明かないと、アメリカの新大統領が開き直ったらどうするか。日米安全保障条約解消という噂まで聞かれるご時世だ。

まだ問題は山積する。幾ら国際的に非難されても、世界の法律よりも国内法が優先すると開き直り、南シナ海の海洋進出に精を出して憚らないシナとて同様である。座して待てば、二二世紀における我が国はシナの属国としての、一つの省、つまりは「倭省」、良くてもせいぜい「大和省」となっていることだろう。だから安倍首相は座して待つことが出来ないのである。こんなことが分からない輩は認識不足と言うよりも、体内にそちらの国の血が流れているためか。そう言えば民主党やその他の野党には、元首相二人を含め、極めて多くの非大和民族がいて、日本を貶めている。それにしても、国会討論を見ていて、政府側も野党もともに「近隣諸国」とだけ言って、決してシナや北朝鮮を名指ししない卑屈さが気になって仕方が無い。大人の態度と言えば聞こえは良いが、妙に腰が引けて見えるのは代議士流に言って「如何なものか」。

一寸触れたように、この執筆中、北朝鮮がまたもや人工衛星の名を借りて長距離ミサイルを発射した。国際的に見ても、また我が国にとっても大事件である。

二月七日の日曜日朝のことである。それに対して日本を始め各国が抗議しても北朝鮮はどこ吹く風、無視である。制裁措置を発すれば、関係無い拉致問題の廃棄を宣言する。抗議文など、何の効力も無い。かと言って指を咥えて座して待つでは様にならないから、無意味だと知りつつも意味がある体裁を装って抗議文を出す。人工衛星と言ってもミサイルだから結局はどこかに落ちる。沖縄県知事は何かと政府に揺さぶりを掛けるが、今度のミサイルが沖縄近海に落下するということを知って「心臓が凍る思い」をしたそうだ。それでも自衛隊に迎撃してとは言わないし、言えまい。現実に北朝鮮は「まだまだやるぞ」との態度を変えていない。経済的封鎖と言っても、肝心のシナがこっそり後方支援をするのだから、あまり実効性が無いのである。

注：北朝鮮の金正恩は私とは違った「多病息災」らしい。だが病気の質が違うようだ。手首にはカテーテル検査の痕がある。冠動脈疾患の治療を行ったことが歴然としている。また右脚を引きずってもいた。

4　医学の歩み

余計な談義がつい長くなり過ぎた。でもことほど左様に我が国の周辺は非常事態であり、そして医学会とて、スケールは小さいながら似たり寄ったりである。付いて行けない進歩、一方で自分勝手な専門医制度、医師の患者離れ、将来像を描けない医師の急増、研究費不足、厚生労働省の医師に対する締め付け、学会の会社化、老人問題、介護問題、すべてが重くのしかかる。だから米寿を迎えて行く先の短い筆者は余計憂慮に堪えないのである。

注：学会は「会社」と化した。評議員会などは学会会期中に行えば時間・経費ともに安上がりだが、今はわざわざ日や場所を変え、「社員総会」という名で執り行われる。愚の骨頂である。遠方の会員は欠席、委任票だけが増加し、論議は無くなる。

だがこの「健康医学」の記載は、もともと実地医学関係のことが中心でなければならぬ。しかしこの方面もそんなに明るくはない。天秤に掛ければ「明るい方」より「暗い方」が下がるようにも思える。ただし気が重くなって下に下がるほど、我が脳みそは軽くなってぴんと上に跳ね上がる。とにかく天秤に掛けるというのは嬉しいことではない。

その中で強いて明るいことと言えば、山中先生のｉＰＳ細胞が実験段階から臨床的実用化に歩み始め、その細胞増殖が惹き起こすかも知れない無限の発育、つまり「癌化」の危険性が否定されたということは朗報である。これは網膜病変についてであるが、心筋梗塞の患部が再生出来たということも朗報であった。

さらに近年におけるノーベル賞に輝く偉大な我が国の学者の輩出は、前述のように医学においても行く先の燈明である。顧みて過去の実に多くの偉人達が、恐らく黄色人種故にノーベル賞を逸した冷厳な事実に再び思いを馳せる。

注：ビタミンB_1（オリザニン）の発見：鈴木梅太郎、破傷風の純培養とペスト菌発見：ともに北里柴三郎、アドレナリンの結晶単離：高嶺讓吉、サルバルサン発見：秦佐八郎、赤痢菌発見：志賀潔、黄熱や梅毒スピロヘータ発見：野口英世、ワイル氏病スピロヘータ発見：稲田龍吉、世界初の人工癌作成：山極勝三郎、房室結節発見：田原淳など、往年のノーベル賞候補は数多い。山極教授の人工癌作成は審議に掛けられたことが分かっているが、同年、寄生虫か何かで胃癌を作ったというベルギーの医師が受賞した。しかしその研究は間違いだったことが判明している。

医学における進歩は、しかしこのような刮目すべき業績だけではない。枝葉末節に至るまで、無数の大切な情報がある。どれがそれに該当するかを嗅ぎ分けるには相当の年季が必要である。自分で書く論文の周辺のこと以外、判定は難しいのだが、経験を積むと、当たり外れはあるが、匂いでそれと分かる。それが出来ないと、それこそ鳴門の渦潮に身を投げる結果となる。これが昔からよく言われる「文献学者」という蔑称呼ばわりのもとである。

文献情報に慣れるには、学会に出席して現場の学者と交流することは勿論、ある肝心な雑誌に十分目を通すことである。それでなくても、頼みもしないのに毎月送られて来る雑誌約一〇種類（実は有難いことなのだが）、毎週の医学雑誌と関係新聞、インターネット情報は無限に近い。私にとってもっとも重要なものはアメリカ心臓病学会誌（電子版）、日本心臓病学会誌（電子版と雑誌）、もうそれだけで手一杯だが、すべてが喫緊の情報ではないし、かなりの先走りや、ひょっとすると欺瞞も混じっている。爆発的な情報の氾濫には、第一章に述べたＳＴＡＰ細胞のごとき欺瞞もあるし、実際、毎年一〇〇万を超す論文の中には、そういう欺瞞が数多く存在するであろう。私が主催していた小さな研究室でさえ、二、三の偽作論文が見つかった。いずれも同一医師のものだが、その巧妙さはまるで手品師の如くである。東大でも最近数多くの論文偽造が発覚し、一〇数人が学位を剥奪されている。悲しむべきことだ。

しかし信憑性の高い論文も数多い。その多くはいわゆる一流誌に掲載されるものである（一流誌でも贋作はあるのだが）。

その中から、この健康医学を目にする方々が興味を持ちそうな明るい面の幾つかと、暗い面の若干について、簡単な内容と私見を述べておこう。

5　最近のアメリカ臨床医学を振り返る

PubMedという医学文献情報のサイトを開くと、そこには二〇〇〇万件以上の医学情報がある。

とてもではないが、自分の専門でさえ、まったく追い切れなくなっている。だがそうかと言って手を拱（こまね）いていると、たちまち遅れをとり、藪医者に堕する。それを打開するための年間展望の書籍が出回るが、専門ごとに三〇〇頁ほどの大冊であり、まして医学の全貌を展望することは不可能である。それに追い付くには学会に出席しても無理である。大宣伝のもとに開かれる四年に一度の日本医学会総会は街中の実に三〇ほどの会場に分かれ、非常に高い参加費を払っても物理的に数ヶ所の聴講は出来ないのだから、ほとんどまったく身にならない。開催者のお偉方の箔付きに役立つだけで、お祭り行事、一般の参加者には無意味に近い集会だと思う。同じ日程で「反日本医学会総会」なるものが存在した所以である。私は駆け出しの頃、最初は医療班に駆り出されたが、その後はたった一度の司会で懲り懲りし、したがって事実上、生涯不参加で過ごした。

アメリカにはアメリカ医師会雑誌（Journal of the American Medical Association：通称ＪＡＭＡ）という世界的に権威ある週刊誌がある。「ジャマ」と呼称するが、勿論「邪魔」になるどころか、毎号、ためになる臨床系の原著論文が幾つか載っていて、内外で広く読まれている。
その雑誌が例えば二〇一五年を顧みて、次の一〇論文（①〜⑩）を紹介している。

① 高齢者の認知機能は運動によって向上するか？

このことは我が国でも盛んに論じられている。だがどの主張も「運動は良い」の一点張り、統計科学的検討がなされた訳ではなく、まして「意味が無い」という記載は見当たらない。実際、従来の無作為研究は症例数が限られていて、結果はまちまちであった。

認知機能の一面は、複雑な思考を処理し、学習内容を保持するという学習能力であるが、後述のようにこれらの力は加齢とともに低下する。これは自分自身を省みても歴然としている。

本論文では七〇〜八九歳の一六三五名で二四ヶ月に亘る「身体活動プログラム群」と「健康教育プログラム群」を対比し、認知機能改善、軽度の認知機構や認知症のリスク軽減を検討している。

中には運動によってこの認知機能が改善する例が存在したが、しかし統計的には両群ともに認知機能の改善は認められないという否定的な結論であった。つまり例外はあるが、認知障害に対し肉体的、知的活動は効果が無いのであった。新聞誌上のように治療に過度の期待を持たせる報道は、考えようによっては罪作りである（後述）。

②特上オリーブ油またはナッツによる食事の補充（地中海食）は記憶力の改善に役立つ

以前から地中海食（野菜中心）と心疾患のリスクとの関連が論じられていたが、本論文ではこれが記憶力保持に役立つか否かを検討している。心保護作用効果のある抗酸化物質が認知機能低下の遅延に役立つのかという訳である。

心血管リスクの高い四四七名の無作為並列群比較試験において、既定の食事を約六年間摂取させた前後で神経心理学的評価を行った結果、酸化ストレスと血管障害の軽減によると思われる記憶力改善が認められたというのである。

つまり①では悲観的結果、②では少し希望の持てそうな結果である。これだから、あることにおける医学の結論付けは難しい。マスコミの報道が左右にぶれたり、あるいは出現・消滅を繰り返して、読者・視聴者を戸惑わせるのも、むべなるかなである。そしてまたネット上の医学情報の多くは当てにならない。インターネットはクズの山と言われる所以である。

長くなるので以下は項目と注釈を簡記するに留める。

③ビタミンの一種である葉酸を高血圧薬に加えると脳卒中（初回）のリスクが低下：二〇七〇二患者（中国人）、葉酸を加えると、二・八％の発症率が二・二％となった。およそ一万名において二八〇例対二二〇例。ごく僅か。降圧剤は日本では単独使用例のほとんど無くなったエナラプリル（レニベース）。魅力に乏しい。

④インフルエンザワクチンで肺炎の入院患者が減る：インフルエンザ関連の市中肺炎患者では、関連の無い患者（肺炎球菌肺炎など）に比べ、ワクチン接種率が低い。当然か。

⑤アメリカでは処方薬の使用が増加し続けている：財政的問題である。二〇歳以上の入院して

いないアメリカ成人三万七九一九例を追跡、特に脂質異常症、うつ、消化性潰瘍（プロトンポンプ阻害薬）、筋肉弛緩薬を含む一一種の増加が顕著であった。格差の大きいアメリカならではで、恵まれた日本ではあまり問題にならない。

⑥実験用エボラワクチンの高リスク曝露後の効果を研究者達が評価した：西アフリカで数一〇〇〇人の命を奪ったエボラ熱。治療の曙光が見え始めたか。

⑦妊娠中の糖尿病（の経過）で胎児の自閉症リスクが上昇する：多民族大規模臨床コホートと研究で、妊娠二六週以前からの二型糖尿病妊婦では、糖尿病への暴露により、二八週以後に診断された例に比し、胎児の自閉症スペクトラム障害が多い。母体の糖尿病はこれだけではなく、色んな悪さをするものだ。

⑧再発性クロストリジウム・ディフィシル感染（ＣＤＩ）は弱毒株によって低下する：この感染は重度の下痢を特徴とし、アメリカでは年間五〇万例も発見されるという。その弱毒化された毒素非生産性CD株M3は消化管にコロニーを形成し、有意に再発を抑制した。安倍首相に読ませたい論

文である（後述）。

⑨ 甲状腺機能の軽度亢進は骨折のリスク上昇と相関する：大規模の無症候性甲状腺機能変化例についての追跡調査で、亢進例では股関節骨折が優位に多いという（勿論すべての症例が骨折する訳ではない。症例全体から見れば骨折しない方が圧倒的に多いことに注意）。

⑩ 新技術によって進行性の脳腫瘍（神経膠芽腫瘍）は生存年限が増す：これは電場を与えて細胞分裂を抑制することによる。

いやはや、一流雑誌でもこんな調子である。私は内科全般の診療を志しているが、すべての内科疾患における医学的進歩に付いて行くのはなかなか大変、正直に言って不可能である。循環器疾患は得意だが、達者なのはその一部、でもこの領域だけは世界の潮流に後れないよう、常に気を使っている。送られて来る雑誌の中では、殊に某商業雑誌に毎号掲載される識者の座談会が内科系のその方面の動向を知るのに役立ち、また年二回の特大号も内科学を俯瞰するのに役立つ。二、三日かけて通読すべきである。

6 論文に振り回される医師と「扇骨医」

だが最近のこのような医学論文を見ていてつくづく思うことは、こういう論文の目指すところが実地と掛け離れ、どのように実際の診療に関与しているかということと、研究者達の志向するところがかなり乖離しているという事実である。譬えて言えば、喫煙では非喫煙者に比し肺癌発生が六倍であれば喫煙の害は統計的に有意であるが（そのため禁煙が勧められる）、実際の数値では一〇万人中六人と一人であったというようなことがある。つまり肺癌にならないのは九万九〇九四人対九万九九九九人、吸っても吸わなくても大した違いではないじゃないかとも言える。実際にはそのほかの悪い因子が幾つも重積するから、結局、喫煙は身体に悪いという訳だが、一つの局面だけを見ると必ずしもそうならない。

それと逆のことは新聞や週刊誌記事のように、「頭痛がする、それ脳腫瘍だ」とかカルシウム摂取が不足、それ骨折だ（最近、逆の論文も出た）」という短絡的情報に端的に表れている。生体内の出来事は大抵の場合一元的には考えられないし、「1＋2」がかっきり「＝3」になるということは医学的にはむしろ稀、偶然のことである。同じ薬が患者によって効いたり効かなかったり、効き方の程度が違ったり、あるいは逆に薬剤の重複が互いに効果を相殺したり、中毒を惹き起こしたりするのは端的にそのことを示している。「1＋1＝0とか1＋1＝−2」が現われる。

　そういう事情を無視するかのような各学会の現行ガイドラインに、私はあまり関心を持たないし、実際、ガイドラインの本を開くということはほとんど無い。開く時はその欠点を指摘したい時だけと言っても過言ではない。だがその繁文縟礼（はんぶんじょくれい）的と言うか、こまごました記述や煩わしい規則、面倒さなどには辟易（へきえき）する。そして物事には多くの視点、観点があるにも拘わらず、一本調子にそれに齧り付こうとする駆け出し医師を見ると、むしろ哀れさを感じる。血圧などは人によってそれぞれ適正な値があるにも拘わらず、今度は上限が一三〇です、次の規則では一四〇ですなどと、基準を麗々しく述べたてて恥じないのは、私から見ると、極端な言い方だが、肝心なところが変転し、画竜点睛を欠くという譬えがぴったりする。いやむしろ点の置き場所がくるくる変わる。次の改定では幾つになるだろうか。メタボリック症候群のＢＭＩ適正値なども見直すべきだろう。

にもかかわらず、単純にガイドラインに頼って周辺事情に目が行かない後述する「扇骨医」とも言うべき片輪の専門医の輩出は困った問題である。そういう彼等でも診療に当たることが出来るのは、一つには大多数の患者が比較的限られた疾患例であること、もう一つは、「これは」という新知見が、すぐにでも新しい知見に取って代わられたり（不要な知識になる）、また本当に後世に残すべき事実が意外に少なく、現実には旧態依然たる診療でことが済むからである。自慢話のようで恐縮だが、私が五〇年以上前に書いた一〇〇〇頁程の心音図学書はまだ生きているが、そういうことは例外中の例外である。

それはそうと、現代に生き残る事実を担保するのが教科書である。古い事実、例えばレントゲン写真が出て心臓の打診が捨てられたり、前述のプロトンポンプ阻害薬が出て胃潰瘍の手術が無くなったり、といった具合、そういう例は掃いて捨てるほどある。それ故、内科学関係の教科書は三、四年毎に書き変えられるのである。だがそこにも大きな問題があり、日本では初版で終わりというものもあれば、今となってはこの世から消えた天然痘について数頁もの記載を行っている教科書もある。

そういう中から、外来診療で感じた身近な問題を少し拾ってみよう。

7　痴呆を巡る諸問題

ここに痴呆の問題を取り上げたのは、一つには自分がそれに近付いていると感じるからであり、また最近、大きな社会問題となっているからである。

上にも少し述べたが、殊に長寿社会になってどこでも問題になるのは痴呆である。痴呆とは「ボケ」のことだが、痴呆になり得る年齢に達したある学者がこれを「認知症」と命名したので、最近はその病名が使われることが多い。だが私の親友の高名な元東大精神科教授H君はそれに反発している。運動の出来なくなった患者を「運動症」とは呼ばないのと同じことで、私も物事の認知が出来なくなった患者を「認知症」と言うのはおかしいと思う。「認知機能不全」、少なくとも「認知不全症」と言うべきだろう。痴呆という言葉の語呂が悪いとか、差別だとか、聞こえが悪いので患者に気の毒だとかで病名を変えるのが人権であるという錯覚で、一種の言葉狩りである。「インフルエンザ」を「インフル」などと呼ぶ愚かなマスコミが簡便な「認知症」に悪乗りしたため、世間一般にこの言葉が流通することとなった。因みに私は「認痴症」と書く。

上述したように、このボケ状態は進行性で治療が難しい。家庭崩壊の原因にもなるが、病気の本人にその自覚が乏しいか、あるいはまったく無いかなのだから、余計始末に困るのである。

痴呆には一番頻度の高いアルツハイマー型痴呆のほか、数は少ないが、レビィ小体型認知症とか、脳血管性のものなど幾つかの型がある。高年齢者に多いが、若年者に発症することもある。多くは物忘れ、記憶の障害で気付かれるが、年齢的な物忘れ（人の名前が思い浮かばないなど）と区別しづらい。よく見られるものは、記憶の障害（食事を済ませたのに忘れる、規定の服薬を忘れたり、二度服用したり、そもそも服用したどうかを思い出せなかったり）、店に着いても何を買いに来たのか思い出せないとか、見当識の障害（物を見間違う）、判断力の低下など（何が今一番大切か判断に迷う）だが、その他色んな妄想（例えば物が無くなる、盗まれたと思う、自分にはご飯を食べさせないなど）、幻覚、不眠（それまでそういうことは無かったのに）、はっと我に返ることがあってそれまでの自分に気付き、「うつ」となる、苛立って攻撃的になる（一寸したことで激高する）、進むと徘徊（昔、ボケ老人の森繁久弥とその義理の娘役の高峰三枝子が演じた「恍惚の人」という映画が印象的であった）など、周辺症状と呼ばれる兆候が出る。

いずれも処置の面倒な、介護に手のかかる厄介な病態である。私は原則として排泄の世話以外はするべきではないと思うのだが、実際に友人がベッドに縛り付けられているのを見、あるいはそれまで実に謹厳実直であった学者が介護施設に入った途端、女性（お婆さんなのだが）を追い掛けたりするのを見て、考えさせられた。そしてもし自分の身内がそうなったらと思うと、放っておくことは出来ないのではないかと思い悩む。そういう病状は始めのうちは一進一退だが、ある程度進行すると軽快することは絶望的となって周囲を苦しめる（前述のように例外的に良くなる例が無いことは無いが）。

ボケの診断法、治療法を述べる力量は私には無いが、最近、この疾患がほとんど完治した中年男性の興味ある症例をＮＨＫドキュメンタリーで見、私もある患者で思い当たる節があった。だが普遍的にはどうか。

この六〇歳の男性はまだボケとは言えないが、物忘れ、顧客のダブルブッキング、徘徊などがあり、いわゆる軽度認知障害（ＭＣＩ）で、放置すれば本当のボケになる。つまりその五割はボケに、四割はそのまま、一割が正常に復帰するのであるが、本人はいわゆる認知症の診断を受けてショック状態になったが、軽快したものである。

ボケの脳活動をＭＲＩなどで調べると、あることに反応して幾つかの脳内組織が連動して働くネットワークの衰えが見られる。この障害は年齢とともに現れるのだが、それを早く発見し、後で述べる防止法を実施するのが良いとされる。

極めて多数の症例で見ると、認知機能障害例ではまず歩行の遅さが目立つ。それに足にかかる力の不平等（したがってふらつき）があり、それと視力（ものを見る力）の衰えが連動してますます歩行が不確かになる。ボケが無く、足腰の異常が無い老人の歩行は秒速八〇㎝、時速二・九㎞以上で、治療には歩き方や速度の練習が大切であるとされる。また歩きながら、外人ならアルファベットを一字おきに口に出す脳活性化運動を行うと良いという。

ボケ開始時には、まず①外出が面倒になる、②外出時の服装に気を使わなくなる、③同じことを何度も話す、④小銭の計算が面倒でお札で支払う、⑤手の込んだ料理を作らなくなる、⑥味付けが変わったと言われる、⑦車をこするようになった、などがある。その所見が三つ以上現れたら治療に掛かった方が良いらしい。

脳は血流の停滞や途絶に反応し易い。私にも重い外傷性脳血管障害のため、血流停止による脳梗塞がある。半身不随、黒内障による一過性失明もあった（動脈狭窄と梗塞は残ったが、他はいずれも手術で消失）。そうすると脳内のネットワークの障害が起こり、認知の障害が発生する。これには歩くことによって脳血管内皮における細胞増殖因子（ＶＥＧＦと言う）を増やすことによって対応するしかないが、そうすると神経栄養因子（ＢＤＮと言う）も増えて脳内ネットワークが強まる。

今提唱されているのは早足歩き（息がはずむ程度）一回一時間、週三回である。そして少しずつ生活のスタイルを変える、食生活改善（肉、食塩を控え魚と野菜を増やす、バターを減らし、植物オイルに切り替える）、脳血管を守るために血圧を管理する、一回一分の記憶検査、例えば神経衰弱遊びなどをする、という具合である。ある研究ではこれで病勢の進行を止め、二五％程度は明らかな改善を見たという。

それでも認知障害患者は増える。各種の薬剤が開発されているが、完治に至るのは例外的である。もし脳循環の増大で脳のネットワークが保たれるのであれば、もっとも簡単な方法は日本で開発された低温サウナ法、つまり和温療法であろう。脳内異常物質の測定が採血によって簡単に出来ると言われているが、和温療法施行がその物質の増加を防ぎ、あるいはその除去に役立つことが証明されれば、多くのボケ患者にとって福音であろう。私はそれを期待している。そしてしばしば和温療法を受け、またその簡易型を自宅に置いて実施している。

8　糞便療法を考える

「エッ」と驚き、若い女性からは「ヤダッ」と拒否されそうだが、大便（うんこ）を治療に役立てようという方法が検討され、既にある程度、実地に生かされている。

人の腸には数一〇〇兆という細菌が棲んでおり、腸内フローラ（細菌群）を形成している。人によってその構成は様々で、言ってみれば指紋のように多様性があるという。

日本の前総理大臣の安倍晋三さんは腸の病気、恐らく潰瘍性大腸炎を患っていて、第一次安倍内閣瓦解の遠因となっていた。若い頃の私はこの疾患例を受け持って難渋した。何故かと言うと、腹痛、頻回の下痢、良くなったように見えてもぶり返し、生涯治らず、本当に患者が気の毒であった。アメリカでは年間五〇万人の患者が発生するという。

だが今は抗生物質でなんとか抑えている。しかし抗生物質の効かないクロストリジウム・デフィシル菌感染腸炎は難病である。

潰瘍性大腸炎では腸内フローラの菌が増えたり減ったり、バランスが崩れている。そこで健常の人の「うんこ」を患者に与えて（糞便移植と言う）フローラを変化させ、病気を治そうという考えが登場した。アムステルダムで二〇一三年に始まったのだが、その際、先立って抗生物質を十分に与えて腸内を整備してから行うと良いとされている。日本では正常人の「うんこ」を内視鏡などで注入するのだが、アメリカでは、「うんこ」内の細菌を抽出して、大きなビーカーで飲ませている。元が「うんこ」だと知れば飲まないかも知れないが、患者はそれを知らない模様だ。そしてこれはかなり有効なのである。

日本の国会討論会を見ていると、安倍さんは魔法瓶のようなものをしょっちゅう口にしている。まさか「うんこ」療法を既に行っているのではと、私は推測したりしている。安倍さんは快癒しているようである。だが最近再び悪化し、大変残念だが総理大臣の職を辞すると発表した。国情不安の中、大きな損失である。

そしてこのところ、ハイデルベルク大学、欧州分子生物学研究所などを筆頭に、世界中から集めた「うんこ」の研究が盛んである。そして驚くべきことに、三〇種以上の病気との関連性が認められている。癌、糖尿病、肥満、アレルギーなどであるが、何と美容にも関係、顔の皺が減るなどの効果も知られるようになり、若い女性は「イヤッ」などと言ってはおられなくなるだろう。日本では既にエクオールという錠剤が出ていて、服用後、顔の皺が浅くなったと報告されているから、期待が持てる。

また、痴呆症やうつ病にも関係があるという。脳の感情も腸内細菌によって操られているらしい。フローラを入れ替えると性格が一変する実験もある。脳は一〇〇〇億個の細胞の集まりだが、腸を覆う神経細胞のネットワークもそれに次いで多く、それを刺激するフローラもあるらしい。

精神的なものの一例をあげれば、活動性に乏しくじっとしているネズミに、積極性の高いネズミの糞を食べさせると、性格が変わって、冒険にも挑むようになる。ある種の動物では生まれたばかりの我が子に母親が自分の「うんこ」を舐めさせている。免疫だけでなく、やはり何か意義がありそうだ。コアラもそうだが、ユーカリの毒素を緩和する物質を母のうんこから得ているらしい。

この「うんこ」療法、未来の燈明になる可能性は高い。今は一日約二〇〇gという「うんこ」を水洗便所で流してしまうが（生涯で約七トン、中型トラック一台分！）、また昔に戻って日本式トイレが復活し、私が子供の頃の懐かしい「汲み取り屋」（おわいやさん）が生き返って、良質の「うんこ」が案外高く売れる日がやってくるかも知れない。因みに「うんこ」の量が多い人は長生きだとされている。


だがこういうことは、動物が誕生して数一〇〇〇万年、生き物と細菌の共生が作り出した神秘の世界のためである。動植物の中間に在る細菌は、この間、動物と互いに助け合う仕組みを作り上げて来た。どちらが主体かは問わないが、人間にとっても細菌は一つの運命共同体なのである。

そして戦前は「うんこ」は農業での重要な肥料であった。歴史は繰り返すか。面白いことに、シナの田舎では細長く深い穴を掘ってそこに排便し、日の当たらない底では黒豚がそれを食べて成長し、そしてそれを人間が食していた。これは引揚者の話である。

注：私は数人の超音波専門家とともに、一九八〇年頃から十数年間、毎年シナの各地で講習会を開いていた（中日友好超声波講習会：超声波とは超音波のこと）。会の後の数日は旅行で、厚生大臣（厚生部長）以下、外国人立ち入り禁止区域にも出入りし、ある時、太原から日本人としては初めて五台山に入って、林彪の豪華な別荘に泊まった時のことである。翌朝、その日の日程を聞くと、あちらの通訳は「こうもん通ってうんこに行きます」と言い、皆さん唖然とした。よく訊ねると、「こうもん」は毛沢東の率いる紅軍が通過した峠「こうもん岩」、そこを通過して「雲崗」の石窟を見学するとのことで、みなさん、安堵した。

この際追加すべきことは、食物繊維摂取の問題である。人間は虫と違って食物繊維を消化出来ない。だが腸内フローラの「ごはん」はこの線維である。私は野菜嫌いで有名だが、最近は仕方無く（馬鹿の一つ覚えなのだが）、少しずつ野菜を口にするようになった。

最近、オーストラリアの有袋類コアラの生態に関して一つの知識を得た。袋の中から子が顔を出すと、そこに母親の肛門があってうんこが付いている。前記のように子はそれを舐めるのだが、その訳が分かった。コアラの食するユーカリの葉には毒があり、コアラはそれに耐える。その物質を子は母のうんこから貰い、ユーカリに対し耐性を獲得して行くのだそうである。

9　我が国の医師の実態と専門医

痴呆のように古今東西を通じての問題とか、真新しく奇怪な糞便療法ばかりでなく、実地医療の世界にいて、現在、私がもっとも危惧しているのは、疾患と患者を診る人、つまり医師と専門医制度の問題である。

A　本当の専門医とは

私は出だしから現在における日本の専門医制度に反対であった。よく患者さんからびっくりされるのだけれど、私はもう二〇数年以上前に遡って専門医を拒否、あまつさえ、専門学会もすべて退会、日本医師会、東京都医師会、その他の団体にも一切関与していないおかしな医師である。ただ自分が創設した二つの国内学会、二つの国際学会、その他三種の研究会には義務（講演など）があり、それらの会員には留まっている。例外的に関係の無い学会からの司会依頼や招待講演には応じることもある。

一方、私はアメリカなどのように権威ある専門医は必要だと思っている。彼の地では、研究機関でこそ狭い領域の仕事に励むが、病院では極めて広範な臨床問題に対処している。私の師匠は心臓病学が専門で世界的に高名であったが、肺の研究もしており、生理学教授を兼任、アメリカに移民する前は薬理学教授であった。教授室では数冊の内科学関係の雑誌に目を通しておられた。ただし、六〇歳を過ぎては診療を止め、心臓病学全般の四巻に及ぶ巨大なエンサイクロペディアを編纂、その他鑑別疾患についての系統講義集、新たに心音図学書などを完成、その後他大学に移って、死の直前まで好きな研究に耽っておられた。意気に感じ、私は師の著書二冊を翻訳した。そしてアメリカ心臓協会（ＡＨＡ）における恩師の追悼集会には、選ばれて追悼の言葉を述べる栄に浴した。

師と仰ぐ先生を持つことは、名誉とともに最大の至福である。我が国では考えられないが、偉大な医学教育者には、大学全体を挙げて追悼する場合もある。

一方、開業医は大病院を利用し、ある金額を払って自分専用の外来診察室（曜日によって数人で分担）を持って診療し、また自分の患者を入院させる。取り仕切るのは三〇歳代位の若い総婦長であった（大変権威がある）。それ故、自宅または他の診療所勤務の開業医はしょっちゅう病院に来て若い医師と討論して新しい知識を得、日曜朝には病院に寄って診療してから教会に行く（因みに診察費は主治医の収入：だから日曜にも来る訳。入院費や検査・薬代は病院収入、手術には助手を務める）。通常の回診のほか、年輩の開業医による総回診もあったし、彼等はカンファにもよく出席していた。つまり自然発生的な自発的卒後教育である。心カテーテル検査の一番上手なのは開業医の一人のS博士、彼は背中からの左心房穿刺術の考案者としても有名であった。

後述するように、医学部は年間契約で病院のスタッフに学生の臨床実習をして貰っている。勿論教授も来るし、他病院との兼任者もいた。病院あるいは学部の理事会（医師ではない）が評判の高い医師を引き抜いて来るのである（一方、役立たずだと免職にもする）。日本も真似した方が良い。

その中で、数少ない専門医の権威は高い。私は心臓科のフェローだったが、レントゲン科や病理解剖の高名な専門医によく教えを乞うた。内科の専門医はセシル内科学書を完璧に丸暗記していてびっくりした。彼は心臓科の私に心臓病のことを語って聞かせ、これにも驚いた。数十丁のピストルを玄関に飾るという派手なガンマニアもいたが、総じていずれも医学的に広い教養（知識や医学的なものの考え方）の持ち主であった。

だが、日本の専門医は底辺を広げずに、若いうちにいきなり専門医資格取得に走る。そのためには医学博士は要らないと言う。専門的研究は一般内科学の基礎には拘っていないようである。つまり医学的無教養さ、視野の狭さ、無責任さにおいて、およそ本来の専門医のあるべき姿から外れている。勿論、私の知人の中には尊敬すべき素晴らしい専門医も確かにおられるのだが、実際、一般の医療で求められるものは視野の広い医師であり、その中で特にその医師にしか出来ない特殊技量を持った方である。また医学のみならず、広い教養も医師には必要だと思う。いつぞや某大学の病理学教授が試験に日本歴史問題を出して父兄の抗議を受けた事件があった。教授の答えは「この位の教養が無くては医師は務まらない」であった。実際、日本からの医学留学生はアメリカ人医師に比し、自国に関する知識を持たず、日本史や源氏物語も知らないと笑われる始末である。

B　日本における専門医制度の芽生え

それはそうと、もう三〇年近く前のことだが、アメリカに真似て日本で専門医制度の問題が起きた際、ある学会の理事長を務めていた私の所へ、同類のN学会の専門医推薦専任理事が訪ねて来られた。その趣旨は立派で専門医制度に賛意を表するには吝かではなかったのだが、金銭的条件はともかく、教育的見地に関しては鋭く意見が対立し、もの別れに終わった。

専門医の医学的教育に学会出席は必要だが（不可欠とは言えない）、N学会ではまだ「評価の分からない無数の学会発表」があり、それへの出席には専門医資格制度上の一〇点の評価が与えられるという。それに対し、厳選された一般演題のほか、教育にも重要性を置き、会員の知識向上に主眼を置く私達の学会への出席には、僅か三点の評価しか与えないというのである。

主客転倒とは正にこのことであり、専門医の内容充実という名を借りて、要は己の学会の権威付けと金儲けを志向しているのであった。いくら交渉しても、N学会はまったく自己本位の主張を繰り返し、己の学会がもっとも権威あるものだという考えを保持するのみであった。数年が過ぎ、制度が出来、そしてそれは現在に至っている。

それまでに特殊な臨床家制度（後述するＦＪＣＣ）を創設していた私は、躊躇なくN学会を退会した。それに対する非難や様々な脅迫も一蹴し、決して己の主義を曲げることはなかった。

一般に専門医になるには試験を経なくてはならないが（出だしは試験無しだった：もしあったとすれば、教授連や年配の医師達は揃って皆落第していたであろう）、また実地訓練の申告も必要である。だが当時、これはまったく出鱈目と言って良かった。

循環器関係で言えば、なんの施設も無い病院医師がカテーテル検査を何例、血管造影を何例、そのほか沢山の術技を行い、多数の臨床経験をしたと申告書に書くだけで良かった。自己申告制の書類審査のみである。だがそれらの医師はまったく何もしていなかった。外科手術でも一例の手術に数名の外科医が参加し、それぞれが一例ずつ自分で執刀したかのように装い、ひどい水増しをする例があった。また最近でも問題になったように、他の医師の経験症例をみんなで写しあって自検症例数を水増ししたり、出鱈目が横行した。

本来自由参加である学会出席は義務化され、おかしなことに退会すれば専門医資格は剥奪、したがって心ならずも退会出来ず、また学会を欠席すれば更新に対する点数が貰えず、出席が強要されることとなる。以前の学会ならば出入り自由(入退会自由)、欠席は何の損失にもならず、多忙、金欠、病気、周囲の事情で会に出掛けられない場合もあった。人によっては二年に一度の出席で十分だとしていた方もあった。実際、動物実験と違って、臨床研究で一年に一つの論文を完成することは無理なことが多いのだから理屈が通っている。去年はここまでやりました、今年はここを追加しますと、毎年、延ばし延ばしにする研究者もいるが、私は評価しない。すべてを完成してから発表すべきである。それ故、ＦＪＣＣでは第一報、第二報といった演題は受理されなくなった。

とにかく出鱈目が多い。現今では、色々制約が加わって出席不能な場合、最初は誰かがまとめて出頭して他人の代理で参加費を払うだけだったり（学会に行かなくても点数が貰えることになる）、それを薬品会社員に頼んだりして誤魔化す者もいた。一人で複数の医師の登録をしてしまうのである。それに気付いた学会は認定カードに写真を添付したりしたが、そうすると、受付で参加費を払っただけでとんぼ帰りする会員が結構出て来る。学会の会長は入金があった分だけ出席者がいると言うが、実はそうでないことも良く知っている。例えば二万人の参加者と言っても、会場は空席が目立ち、四、五〇〇〇名もいれば良いところか。面倒になったある学会では、学会登録すればそれで専門医と称するとした。茶番そのものである。

C　専門医制度と学会

学会で発表される演題はきわめて多い。それに学会の数が大変多い日本では、大晦日と元日を除いて毎日どこかでなんらかの発表会があると言われている。殊に春と秋の学会では恐らく毎日二〇位の学会の同時開催があり、それも大きい学会では二〇以上の会場で同時進行である。聞きたい講演を巡って、あちこち走り回る。あるいは会場から会場への巡回バスがある。だが私のような年寄りは疲れるので一つの会場から動かない（動けない）。幸い必ず出席する日本心臓病学会（The Japanese College of Cardiology：JCC）ではメイン会場（第一または第二会場）で教育関係、招待講演、基調講演などが行われるので、そこに居座るだけなのだが、そうすると最早一般講演で個々の発表を聴く時間的余裕は持てない。でも十分満足出来るよう、プログラムが構成されている。
何故通常の学会ではこのように溢れんばかりの出題があるのか。口演ではなく、壁発表というものも多数ある。目的は参加者数の増加による学会の収入増大、専門医制度の墨守である。またその他にも受理されなかった演題がごまんとある。そして問題はこのような講演発表のどの位が将来的に意義あるものとされ、あるいは少なくとも医学専門雑誌に掲載されるのであろうかということである。そうならない演題を幾ら聞いても、専門的には意味は無いだろう。如何にすべきか。

答えは悲観的である。一つの学会では発表される演題は二日ないし二日半で五〇〇位から二〇〇〇以上に上る。医学専門雑誌（商業誌を除く）の数も夥しいが（雑誌名を並べるだけでも分厚い一冊の雑誌が出来る）、しかしとても発表した全部の発表を載せることは出来ない。事実、大多数の発表は論文として書かれずじまいに終わり、掲載されるものは限られている。書き遺す価値の無いものの他、発表自体で緊張の糸が切れ、あるいは散々批判されて書く気力を失う。いやそれよりも元々書くだけの価値が無いものが多いのである。またたとえ論文が完成したとしても、投稿論文のかなりが拒否される。私が長年編集長をしていた「日本心臓病学雑誌」(Journal of Cardiology)の採択率は約三〇%であるが、投稿即採択という論文はまず無い。一度ならず、二度、三度と書き直しを命じられる。私の論文も、投稿から掲載まで一年ほど掛かっている。

以前、ある学会での調査では、その学会誌上の掲載がその発表の〇・一%、即ち約一〇〇〇演題中僅かに一題であった。これは時間の無駄、他人の時間を盗む仕業だと知った私は、その学会の会長を拝命した際、思い切って採択数を従来の三分の一ほどとした。少しでも不備のありそうな演題をすべて捨ててしまったのである。そしてその余分な時間をトピックスの講演と各演題の徹底した討論に向けた。当然、それまで勝手に発表していた医師や理学者達からは非難されたし、そのため、会場に足を運んでくれる会員数が激減するぞと、上層部からもひどく注意を受けた(入場料が少ないと学会が成り立たない：私は自腹を切る覚悟であった)。実際、大抵の学会ではなるべく多くの演題を採択し、またそれをもって学会が成功裡に終わったと自己満足する会長がほとんどである。
しかし私の演題厳選の発想は大当たりで、下らない演題を聴く必要の無くなった会場は超満員、開場と同時に通常の倍の参加者が集まり、入場者減少で設定された会場は人が溢れ、凄い黒字経営に終わった（しかし一〇〇〇万円近くの余剰金を巡る幹部の黒い事件があり、失望した私はその学会を退会した）。

それに勢いを得、私達が発足させた学会では、演題数を極端に絞り、徹底した討論に主眼を置き、そして講演のすべてを論文化した。その後暫くの間、論文提出の無い著者に対しては次回の出題を認めなかった。これも大当たりで、英文抄録付きの「日本語論文」であったが、アメリカの教科書に大量に引用され（章によっては引用論文の一〇％以上に上った）、高名なマサチューセッツ総合病院（ＭＧＨ）では、閲覧室に置かれる一〇〇冊ばかりの主要雑誌に、日本のCancer（英文）と並んで、唯一の日本語雑誌が置かれた。みんなに奇跡だと言われた。大使館や公使館に翻訳を頼みに来る医師もいた。

それはともかく、上述した学会演題数の激増は、それだけ研究が進むことと並行すれば万々歳だが、上述のように、発表することによって専門医取得・継続の点数稼ぎに堕しているのが実情に近い。上に触れたように、学会も多数を受理して参加費を稼ぎ、専門医を増やすことによってさらなる利潤を上げる。やることが派手になり、立派な学会事務局に鎮座し、かつては手弁当であった理事会や評議議員会に手当てが付き、「グリーン車を」という声も聞かれた。

学会が法人化され（本当はちっともメリットは無い）、果ては会社組織となって、学会会員は「社員」と呼ばれるようになった。毎年かなりの数の会員（社員）が出入りする会社がどこにあるか？

学会は本来知的興味のある者が自由に集まって学問的な論議を行う所であり、したがって前述のように出入り自由、厭なら欠席すれば良い世界である。だが今の専門医制度ではその自由が剝奪されている。専門医の質的向上とはまず嘘である。学会は研修の継続が必要だと主張するのだが、覗いてみれば先述のように研修とは名ばかり、ほとんど役には立っていない。単に学会組織の都合によって出席が強要されているだけである。繰り返して言うと知識や技術の向上のためというのはまったくの虚構である。便乗して同門会があり、本来先頭に立って後輩を指導すべき先達達はこまごました連絡会議、相談会に忙しく、弟子の発表に立ち会ったり、司会したりだけで終わる。かつては権威ある大家（同士）の論戦を聞くのも学会の面白さだったが、今はそれも無くなった。

それ故、私はほとんどすべての学会を退会したのであった。

D　専門医の数

この点で良く例に出されるのは、ただでさえ症例数の少ない診療科である脳神経外科の専門医が、日本には二〇〇〇名もいることである。人口が日本の三倍に近く、しかも世界中から患者の集まるアメリカの脳神経外科の専門医は日本の半分、一〇〇〇名だと聞く。日本で本当にその専門医であることを自称出来る医師は果たしてどの位いるのであろうか。

私の専門は内科であるが、循環器（とは言っても狭い意味での心臓病）の医師ということになっている。だが、循環器に関する学会は現在の日本には一七もあり、すべての学会に所属することは事実上不可能である。時間も無いし、会費も本当に馬鹿にならない。これは殊に若い医師には過酷で、みんな困っている。またたとえ一つ、二つの専門医になっても、もし厳格にそれらの領域が規定されるのであれば、同じ循環器病専門でも幾つかの専門医を取得せねばならない。それでも他の領域に関する専門医にはなり得ない。もし専門医でないとすれば、弁膜症の患者が気管支炎を起こしたりすれば、呼吸器専門にも送らねばならぬし、鼻炎を併発していれば耳鼻科も受診させねばならない。実に馬鹿げている。

昨年の日本心臓病学会では循環器系各専門学会の代表者による討論会があり、その数が一七から一六になることが決まったが、その他の学会は自己主張に明け暮れて、私は大いに失望した。自分は循環器専門医だと胸を張っても、一体その中の何の専門家かは誰にも分からない。

E　水増し経験の虚構

若い医師は先述のように水増し経験数で息を繋いでいるが、それにも増して深刻に思えるのは、経験数を増やすために、不必要な検査や、場合によっては不要な手術を行ったり、監督の行き届かない場所で自己流の医療を行ったりすることである。される患者はその裏の事実を知らないから、良い面の皮であると言える。こういう例は実際にあちこちで起こっている。

例えば私の患者姉弟は、東京では不必要として経過観察中であった小さな脳動脈瘤を、地方に引っ越した際に紹介した大学で手術され、今は哀れにも二人とも植物人間である。年輩で経験の深い脳神経外科医は滅多にそのような予防的手術を行わないが、点数稼ぎの若手医師により、幾らかの犠牲者は出得ることになる。

これが新しい手術手技となるとその犠牲者は相当な数になる。アメリカのことだが、第二次大戦で黒人は白人の矢面（やおもて）に立たされて戦死の犠牲となり、戦後は人体実験的な犠牲を強いられていた。私の留学時（一九六二～六四年）でさえそうであった。狭心症の「人体実験」で、“ouch, ouch !”

「おー痛い、痛い」と叫ぶ黒人が可哀相になったこともあった。弁膜症の手術でも多くの犠牲者が出た。日本初の心臓移植も誤魔化しで犠牲者が出た。だがそれによって、その後多くの患者が救われることとなったのも事実である。だが今はそういう人体実験が出来ない状態である。

F　犠牲となる患者

医師とて人間であるから、すべてに一〇〇％ということは期待出来ない。しかし、ある大学の心臓外科助教授が、恐らく専門医資格のための犠牲であろうが、彼には本来無理な手術により連続四例を死亡させた事件があった。また冠動脈カテーテルで冠動脈の穿孔によって心タンポナーデ死を招いたとか、事件は絶えない。手術に失敗し、後追い的に手術を重ねれば、通常碌なことはない。近年、それで私の長年の患者も二度、三度の弁膜症手術の結果、不慮の死を遂げた。私の経験では三年ほどの間に六度の開胸手術を行い、七度目は患者が拒否して死亡した例があった。

それほどではないが、実は私自身もそれに近いことがあり、犠牲になりかけた。だが実情を知り得る医師として受持医を批判し、窮地を免れた。こちらは極端な痛みに耐えかねて半泣きになって苦しんでいるのに、何のためらいもなく、カルテを埋めるために、どうでもよい質問を次から次に発する若手女子医師がいた。堪忍袋の緒が切れた私は、失礼とは思いつつも、その医師（研修医）を怒鳴りつけた。後で聞くと、専門医試験の病歴数稼ぎのためであった。その医師にとって患者は自分の試験材料、金銭稼ぎに役立つ道具にしか見えなかったのである。

しかし医師ではない患者さんは、診察医を怒鳴りつけたりは出来ないだろう。それにも増して、事前の断りも無く、余計な手術（恐らく点数稼ぎ）を追加して死亡させた事件もあるし、勝手に造影剤を注入されて瞬間死した例もある。一例でも二例でも、そういう例があると、医師として怒りの感情に走る。私が自分の直腸癌手術に際し腰椎麻酔を拒否したのは、東大時代、その麻酔によって車椅子生活を余儀なくされた患者を経験していたからである。その後麻酔科が独立して、そのような不祥事は激減した。それこそ専門医の誕生である。それまでのように外科医が持ち回りで麻酔を担当していた時代が終わったのである。だがそれも今では麻酔科医の「自宅待機・出張」という悪習慣に替わりつつあり、必要な手術が行われない場合が生じた。私の勤務していた病院でも、ペースメーカー植え込みや一般外科が出来なくなってしまった。法外な麻酔医出張費がネックとなったのである。新たな専門医の弊害である。

G　患者の憂いと怠慢

現在、外来患者さんが受診時に持つ最大の不満は、医師がまともな診察を行わず、極端な場合、パソコンに集中して患者の顔さえ見ないということである。これほど失礼なことはないと私は思う。人と会った時は、どんな場合でもまず目と目を合わせるのが最初の礼儀である。アイ・コンタクト(eye contact)はすべてにおける儀式、そしてさらに患者に対しては、続いて「どうしましたか?」、「どこがお悪いのですか」、あるいは再来患者であれば、「何かお変わりありませんでしたか」とかが挨拶の言葉であろう。アイ・コンタクトがあれば、その顔から、患者の言わない変化(痩せ、貧血、浮腫、口唇の変化など)に気付くこともあろう(その意味で外来担当医がくるくる変わるのは良くない)。

診療の手抜きは目に余る。痛い所には手を当てるというのが診療の鉄則である。でもそれを怠る。最近二例立て続けに起こったのは帯状疱疹の見落としであった。皮膚の発疹に気付き皮膚科を訪れたのだが、医師は診察せず、痛みに対してパップ剤を与えた。発疹はそれによって隠れてしまう。痛みがとれず翌日受診したが、日替わりで交代する医師が無診察で別のパップ剤を投与、これが一週間続いて、初めて六番目の医師が広範な発疹に気付いた。それからまともな治療に入ったが時既に遅し。今はリリカ(鎮痛剤)投与下にあるが、痛みはなかなか引かない。また親友である患者は虫刺されとされて帯状疱疹加療を受けず、今は足の裏が麻痺したままで、杖無しには歩けなくなった。発疹が虫さされかどうか、私なら必ず発疹上の刺孔の存在をまず検索する。それが常識だ。でもやはり診察の手抜きである。「パソコンを見る前に患者を診よ」と強く訴えたい。

手前味噌だが、心疾患や高血圧などの診察に聴診器を使わないのは言語道断であると思う。老人の背部（殊に基底部）の聴診で肺炎の基盤となる呼吸音の発見は重要だが、サボる医師が多い。自信が無いのだろうか。レントゲンで発見しにくい部位である。そう言えば患者の方も、聴診の際は顔をそむけるようにするのが常識なのだけれど、聴診しない医師が増えたせいか、そういうマナーも稀になったし、背部の聴診で背を丸めたり、自分でシャツを後ろ手で引き上げる患者も激減したので、肺野のラ音の有無を確かめない医師が多い。

検査成績も他人任せ、精々生化学検査値を眺める位になった。レントゲン、心電図を報告者任せ、自動診断任せ、ましてや心エコー図など実物を見ず、書かれた結果だけを見て満足している。ＣＴとかＭＲＩはほぼ完全に専門家の報告書任せで、自分で画像を評価する習慣を持たない。だから例えば循環器の専門家と言っても、ＣＴ、ＭＲＩいずれも読影出来ない。やれば出来るようになり、私はそれで「超高速ＣＴ」の本を書き、心エコー図や心ＭＲＩの本を編纂した。すると自信が持て、また楽しいのである。

病気ばかりしている私だが、あちこちの病院外来を訪れている。かつて、まったく目を合わせず、「検査（成績）は変わりありません。次の外来は何時々々で良いですか」という若い医師に遭遇した。私は躊躇なく言った。「先生!! そういう診察なら受付嬢にでも出来ますよ」。その医師は非常に驚き、それでも「申し訳ありません」と謝った。以後、診察はとても丁寧である。だがほかの患者さんにはどう対応しておられるのか、一寸心配である。

診察時間の短縮も驚くべきものである。一時、厚労省が最低五分は診察しないと診察料を支給しないと言ったせいで、「三時間待って三分診療」という悪弊は激減したが、それを逆手にとって、例えば現今の東大病院のように、「五分診れば良い」という悪習を生んだ。扉を開けた途端、『あんたの診察時間は五分だよ』と言われて激怒し、そのまま病院を去った患者がいた。当然である。病状を詳しく書いて持参した患者が、それを一瞥もしなかった医師に失望した例もある。医師対患者の良好な関係無しにはまともな診察は出来っこない。パソコンに向かうだけでアイ・コンタクトをしなかったばかりに、薫（かおる）という男女同じ名の患者の女性が、ハスキーボイスのせいか、男性と間違えられたという、まったく考えられない事件があった。

世の中、いまだに「東大病患者」が多い。「大病院、名医がいるとは限らない」というのは昔の東大病院にも当てはまるが、今はもっと酷い。明治時代に出来た皇室典範には東大病院が皇族を拝診するということになっていると聞いたが、それは日清戦争の頃の青山胤通、三浦謹之助、入沢達吉などといった権威ある大教授時代の話であろう。一〇〇年以上前のことである。その後出来た病院（創立時名称：三井慈善病院→泉橋慈善病院→三井厚生病院で、現在の三井記念病院の前身）は皇族（皇后の御下賜金五〇〇円）が創設された慈善病院であったが、何かあれば東大病院にお伺いを立てるようにとの内規があった。癌研究所も同様である。

だが時代は変わり、殊に大東亞戦争後は事情が一変し、特に大学紛争後の東大病院は衰微し、また医局崩壊後は臨床に強い有力者が教授に選考されなくなった。学問の趨勢が臨床よりも分子細胞生物学などに移り、それによって患者と直接関係の無い基礎論文を大量に物にし得る学者が臨床教室の主任教授となる傾向が生じた。研究相手は患者や病態ではなく、むしろ動物学に近い。口の悪い先輩は農学部「医学科」と言っている。そういうものを患者の病態に還元する研究（translational research）も提唱されているが、さっぱり成果を上げていない。

患者をまともに診察出来ない教授達であるから、その弟子達は言わずもがなとなって、心あるものは東大を去って二度と大学病院に復帰しなくなった。困ったある教授は別に私立大学の臨床家を招いて教育その他に当たらせている。その結果の最たるものが天皇陛下の心臓手術事件であると言えよう。だが医学部上層部は恬（てん）として恥じるところが無い。むしろこのような医学状況にあっては当然のことと思っている節があり、先輩にもそう考える方がいる。

私はこのような臨床医学の分節的現象には、先述した専門医制度の弊害が深く係わっているように思えて仕方がない。

H　専門医はいかに在るべきか：医局を巡って

元来、専門医とはある特殊な医学的専門性を持つ医師のことであり、私は一般の診療には現在の専門医は不可欠のものではないと思っている。

従来のあり方がすべて良いとは少しも思わないが、私達が医学部を卒業し、身分の不確かな（生活費の支給されない）インターン生活を送ってある科に入局すると、そこには沢山の先輩医師がいて、多くのことを伝授してくれた。四つの内科のうち、一つの内科には一〇名以上の同級生が入局し、沢山の患者を受け持ち、教授や助教授・講師に叱られたり激励されたりしながら成長し、受け持ち以外の患者についても討論し合い、また自分の興味に拘らず、すべての内科科目について自力あるいは耳学問で多くを学ぶことが出来た。今現在の私が、勿論力不足ではあるが、循環器のほか、消化器、呼吸器、神経、血液、アレルギー、腎・高血圧、内分泌や代謝、感染症などの患者を同時に診療出来るのも、また実際にしているのも、長年に亘る蓄積のおかげである。時には耳鼻科、眼科、皮膚科の患者も診ることがある。長年大学病院皮膚科に通院中の皮膚疾患を一ヶ月で完治させたこともある（老齢の患者は幾つもの病気を持っていることが多く、自慢にはならないが、いたって元気に見える私は、今現在、一一種もの病気の治療を受けており、その他にも経過観察中の病気を幾つも持っている）。

私はこのような数年の勉強を済ませた後、好きな専門があればその道に進むべきだと考えている。理想は出来るだけ広い知識を持った上の専門医である。

Ⅰ　専門医の孤立と扇骨医（せんこつい）

ところが現在のように早くから専門が著しく分化すると、広い視野を持つことが却って罪悪のように感じ取る医師が増え、何か狭い範囲の専門に安住してしまう。他の専門領域に口を出すのが厭だということは、逆に自分の専門に嘴を入れて貰いたくないという保守姿勢の裏返しである。実に了見が狭いし、また何かあったらという逃げ場設定でもある。

そうかと言って専門領域の患者をきちんと診察するかと言えば、必ずしもそうではない。先日、検診で前立腺の腫瘍マーカーが四・〇と境界領域を指摘された中年の患者が、いきなり某大学病院で一一ヶ所ほどの針生検（バイオプシー）を申し渡され、事前に入院料込み一六万五〇〇〇円を要求された。自覚症状も聞かず（本人は無症状）、診察（直腸診を含む）も、必須の超音波検査（安価）もせずにである。相談を受けた私は直ちにその患者を当診療所に連れて来て超音波検査を行ったのだが、むしろ小さな前立腺で、腫瘍は完全に否定的であった。

これには病院収益を上げる殊のほかに、恐らく配下の他の医師における専門医試験の資格獲得が関係している。このようなことが日常になると、病気の無い患者が増え、余計な出費が掛かり、健康保険財政が逼迫する原因にもなる。恐ろしいことである。

私は何度か講演の中で「扇骨医（せんこつい）」という内容に触れている。扇全体が病気なのだが、その骨は疾患そのものの専門医であり、さらに先に進むと細くなるとともに隣の骨（隣接領域の医師）との間が開く。狭い視野の専門医は隣が見えなくなって患者を失う。一本の骨が一つ一つの病気だとすると、多くの患者は何本かの病気の扇骨を持っている。そして糖尿病のように、幾つかの扇骨に関係する病気もあり、また多くの病気はその傾向を持っている。患者はそういう扇骨を持つ扇全体なのだということを決して忘れてはならない。だが残念ながら日本の専門医制度は扇骨一本を強調し、全体像を看過する。明らかにhandicappedの医師の養成である。だから私は少なくとも現今の駆け出しの医師には掛かるなと教えている。危なくて仕方がない。

最近「総合内科医」などという、私から見ると本来ほとんど意味の無い考えが台頭しているが、専門医制度が何故そのような結果を齎しているのか、それをどうしたら良いのかなどについての抜本的な考察が無い。

本来、殊に「内科」は総合的医療なのである。それを大学時代から学生に叩き込まねばならないのだが、前述のように、日本にはそれが出来る教師が非常に不足している。いや、そういう教育は教授間では評価されないのである。ある病院ではそのためにアメリカの医師に来て貰っている始末である。

敢えて東大臨床科教授の無能ぶりを指摘するようで恐縮だが、高名な教授が突然倒れ、同級生だった内科、外科、精神科の三教授が立ち会い診察した。心筋梗塞、脳出血、脳梗塞、様々な意見が出て結論付け出来ないでいたが、研修医が恐る恐る「心拍数が極端に少なく、それとは別個に頚静脈の拍動が見えるから、完全房室ブロックによる意識喪失では」と指摘して、教授達が恥をかいたことがある。その若い医師は基本に忠実だったのである。葬儀の際、誤診を謝罪したそうである。三教授の中一人は自他ともに不整脈の大家と称している教授であった（もっとも教室員はその教授をほとんど信頼していなかったが）。

専門医に掛かる前に、日本医師会は「かかりつけ医」というものを提案し、本年春からその機能研修制度を開始する予定という。大いに結構だが、専門医や専門医療機関を紹介する前に、最新の医療情報を熟知して何でも相談出来るのが「かかりつけ医」というのは俄かに納得出来まい。市井の開業医に「最新情報熟知」は高嶺の花ではあるまいかと心配になる。本来の「かかりつけ医」とはホームドクターで、患者のみならず、それこそ家庭のすべて（家族構成や家族の病気などを含む）を知っているような医師でなければ、とても親身になって患者の世話は出来まい。病気になった時だけ、なんの面識も無い人が患者としてやって来るというのでは、その医師を「かかりつけ医」などと言うのは憚られる。

専門の多極化、つまり「扇骨医」の制度に対して、行き詰まり感のせいか、新たに「総合診療専門医制度」を設けるという。だが上述のように、元来大学医学部教育は総合診療医の育成にあったのではないか？　何故今更それを強調するのか、せねばならなくなったのか。もう一度、教育制度を見直すべきではないか。そして専門医制度による医師の狭まった診療姿勢を矯正すべきではないか。でなければ、広い視野を持たせるために、アメリカのように、六～七年の臨床経験後に初めて専門医受験資格を与えるようにすべきであろう。勿論、より厳しく、多数の審査員による学位取得も必要だろう。

J　アメリカにおける学生臨床教育の一例

往年、私はアメリカのオハイオ州立大学医学部で短期間心臓病学の教鞭をとった。聴診、心音図、心機図、心エコー図の指導が主目的だったが、その心臓内科教室には定年退官教授達の広く豪勢な控室があって、私の尊敬する教授も二、三おられた。「聴診器でもっとも大切な部分は二つの挿耳部の間に在る」（つまり頭脳である）という名言を残したWarren教授、僧帽弁逸脱や医学史で高名なWooley教授などがおり、感激した。この大学医学部は戦後のものだが、アメリカ全土から優れた学者や教育者を積極的に集め、あっという間に一流の医学部となり、アメリカ心臓協会（ＡＨＡ）やアメリカ心臓病学会（ＡＣＣ）の理事長を何名も輩出している。

その学生教育を日本でも参考にすべきだと感じたのは、学生の臨床実習を定年後のベテラン教授が率先して担っていることであった。彼等は個人的に沢山の典型的な症例を持っていて、大学付属病院で診療に当たっている（アメリカでは診療費は彼等の収入になり、処置、検査費、薬剤費は病院収入となる）。その代わりと言うか、毎日、誰かが自分の患者を教育用に用い、学生一人と八時から半日の一対一診療を行わせ、心電図、レントゲン、心エコーなども指導者とともに記録させ、一一時からの一時間、その学生と元教授との討論教育が行われる。その日の患者の診療費負担は無い（無料なので患者も積極的に参加する）。教授は患者についてすべてを知悉していて準備の必要は無いし、学生は名だたる医師に接して個人教授されるのだから、こちらは真剣そのものである。この手取り足取りの個人教授は、恐らくその学生にとって生涯記憶に残るものであろう。側で聞く私も感銘を受けた。

そして驚くべきことに、毎日の患者について、教官室には予め、病名や担当学生名、指導教官名が六ヶ月分記載されており、学生には大切な疾患が万遍無く割り当てられていることであった。これはまったく素晴らしい！

日本の医学部でこのようなことは聞いたことも無い。出たとこ勝負、行き当たりばったりの学生教育で、大切な疾患でも経験出来ないことが多く、また一方、患者は沢山の学生に小突き回される羽目に遭う。興味があると言えば患者に失礼だが、東大第二内科時代、私の受け持つバセドウ氏病の若い女性が多数の医師やその卵に甲状腺を触られて、甲状腺クリーゼという大変危険な状態に陥り、真っ裸になって冷たい廊下を転げ回った例があった。

K　医局制度とその是非

十数年ほど前、研修医制度が始まって、前述のように、事実上、かつての医局制度は崩壊した。教授の権限剥奪、無意味に近い学位制度反対、半ば強制的な関連病院派遣などの弊害が強調された。だがどんな制度にも功罪両面がある。医局制度にも沢山の良い面があったことが回顧され、医師が国の制度に振り回されることも無く、自由に振る舞えた。

繰り返しになるが、学位は足の裏についたコメ粒、取らなくても取っても大して変わりはないとされたが、それによって研究の面白さを知る人も少なくはなく、私のように生涯の仕事に関連付ける人間もいる。論文の書き方を教わり、どんどん発表して国際的になった医師もいて、それが日本の医学を支えていたのも事実である。

経済的困難性もあるが、医局にいれば由緒ある関連病院に外勤させられて、多くの第一線の知識や経験を習得出来る良い点もある。妙な口車に乗せられて、研修後の良く分からない単なる病院に、それも業者によって金銭ずくで配置され、生涯に禍根を残すことも無い。それに上下、左右の医師から沢山の医学的教養的な知識も授けられる。毎週のカンファや抄読会その他によって専門的知識以外の見解も知り得る。だから私のように内科ならなんでもこなすようになり、時には他科の診療、例えば眼科の結膜炎、眼底検査（アメリカでは身体所見に含まれる）、簡単な皮膚科、心療内科、時には小外科も可能となる。それこそ「総合診療専門医」と言っても良いだろう。これも医局に長年いたお蔭である。要はそのような積極性を持つか否かである。専門医はその上で良いではないか。またそのような積極性は専門医にも必要不可欠ではないか。

日本の医学教育がおかしくなった最大の原因は医局制度の崩壊と無縁ではない。だがその前に、満足な患者教育が出来なくなった医学部の体制がより大きな問題である。病院の乱立による患者の分散（教育患者の激減）、大学病院は患者を教育に使用する「教育機関」であるという患者意識の消失（人権問題と教育問題の相克）、医学部乱立による教育者の分散、教授選考における教育能力の無視（これは酷い：患者を診察出来なくても臨床科の教授になれる!!）、有能な教授ほど雑務に煩わされ、対外的義務の増加がある（以前はまったく無かったり、あっても拒否して勉学に励む教授が多かった：現在はまったくと言って良いほど不可能）、教授の「教育・診療・研究」の三本立ては実現不可能（言ってみれば、三つの官庁の大臣を兼職し、かつすべての役職を遂行するようなもの）、それに多くの出張もある（学会や研究会：学会は必ず参加させられるし、研究会、殊に製薬会社主催の会の司会・講演謝礼などは、薄給の身にとっては生活費として不可欠）、私立大学教授では週一日程度のアルバイトも必要である。

かつて問題になったのだが、東大では各学部が単科大学として独立することが検討された（すべての学部は賛成したが、強大な権力を持つ法学部が断固反対して解消したという）。その際、アメリカのように、病院は学部から分離すべしとの声もあった。学部は教育病院に相応の金額を支払い、有能な臨床家に学生の指導を依頼（医学部教授の数倍の俸給を出す）、学部は研究本位で自立する。授業は両者の協議によって行う。これは上述のように、一九六二年代に私がシカゴで経験したのに似ている（教育は学部で、診療実習はマウント・サイナイ病院で行う：両者に関係する教授は、一方からのみ給料を貰う）。

とにかく、日本の教授達からこの三本の矢の呪縛を取り去るべきである。教授達は可哀相である。彼等は官僚や役人ではなく、教育者であり、また自由な研究をするべき学者なのだから。人材が勿体無い。

日本は専門医制度より先に、私たちは上述の問題に真剣に取り組まねばならぬ。教授選考や学生教育を考えるよりも、この先、役に立つか否か不明の当世研究目標を重点として行われる現況では、学生も患者もともに不幸である。しかもその研究に欺瞞が紛れ込んだりする。最近、国立大学病院の実質的な権威が凋落し、私立大学の方に比重が傾いているのは、賢明な患者の故である。前述のように、その私立大学から国立大学に医師を招いて天皇の手術を担当して貰うなどとは、しかもそれが適当だと自己の責任を逃れて平然としている国立大学など、税金で賄う必要はない。識者が国立大学の独立採算制を述べたりするのも尤もであろう。また私立大学も、国家扶助を当てにするのではなく（私立大学は元々官立大学に対抗するものであった筈だ）、ハーバードなどに倣って色々な方法によって蓄財し、授業料などを取らず、あるいは逆に奨学金を出せるよう、また優秀な教育者を招くようにすべきだろう。「国が君達に何をしてあげるべきかを考えるのではなく、君達が国に対して何をすべきか考えるべきだ」という名言を残した故ケネディ・アメリカ大統領のことが偲ばれる。

Ｌ　私の成就したもの

私は日本の現行専門医制度に反対はしたが、それを不必要だとは思わない。

だが私達は日本心臓病学会で「フェロー制度」を創設した。これはアメリカのFellow of the American College of Cardiology（ＦＡＣＣ）を手本にしたものであるが、学会会員中、相当な期間の臨床経験と力量を有し、学問的業績（論文執筆）もあり、学会の色々な行事に携わり、患者や同僚の尊敬を集めている医師を各支部ないし病院・研究所、あるいは団体から推薦して貰い、厳格な選考委員会の審査を経て日本心臓病学会特別上級会員（Fellow of the Japanese College of Cardiology:ＦＪＣＣ）とするのである。要はこの医者なら患者を任せられるよという保証である。例えば病気や老齢化によって保証出来なくなりそうなら、それを継ぐ医師を推挙すれば良いのである。これは終身制で学会からの強制は無い。また各種の特典を有し、論文などにはＦＪＣＣの称号を付記し、学会参加は「無料」、学会中はＦＪＣＣ用の茶菓付き休憩談話室も設けられ、互いの交流や発表準備の場所を提供している。そして毎年の学会ではＦＡＣＣとＦＪＣＣはジョイントカンファレンスを行い、またＡＣＣ理事長の講演も持たれる。学会行事の三分の一近くは教育講演に当てられ、極めて基礎的な診療講習も盛況裡に行われている。それだけではなく、年二度の教育講習会や、毎秋には学会支援で心疾患のもっとも基礎的な診察法の講習会が行われ、これも大盛況である。

学会設立などに奔走し続けた結果、私には世間一般におけるような栄達の道や栄耀栄華の道を選択する余裕が無かった。七つの教授オファーがあっても、学会業務の方が大切な身であった。お蔭で世界中を探訪し、「外国出張か病気入院かの役立たず医師」と、公式な会議場の満座の前で嫉妬心に駆られる教授から揶揄もされた。だが私はまったく後悔していないし、今もって東大以来の患者さんも付いて来てくれる。

日本心臓病学会はこのようにして、言ってみれば大学教育の欠を補いつつ、専門医が陥り易い落とし穴を埋めているのである。現在はこの学会にも循環器専門医の点数が割り当てられているが、先述のようにその評価点は異常に低い。だが現在の専門医制度が学会のためのものである以上、止むを得ない。

専門医制度は一日も早く正当な機構になって欲しい。出来れば学会から離れ、厳正な第三者機関による設定が望まれる。

M　時移り人は変われど

今現在、新しい制度の施行に対して、若い医師達やその卵達にはある種の不安があるらしい。一方、元大学教授達には古き良き時代の医局制度を懐かしむ声が聞かれる。単なるノスタルジアではない。後輩達の未来に対する不安からである。昨年夏、そのような教授達を前に、上述したような私の教育論をお話しした。

私の専門は強いて言えば循環器医だが、しかしそうだからと言って、昔行ったカテーテル検査とかペースメーカー植え込みなどは、今は出来ない。設備も無い。それにいわゆるインターベンション治療も行えない。だから専門医試験を受ければ必ず落第である。間違いない。従来からの専門医を持つ高齢医師、殊に無試験で資格を得た初期の方も同じようなもので、新たに受験すれば落第を保証出来よう。だからと言って、醜いことに、新制度の専門医に昔の専門医を合流させよなどという大家達がいる。いかにも見苦しい。

しかし現実には以前のような活気ある医局は無い。私の所属した東大病院第二内科も消えてしまい、今や新年会のほか、年一度の同窓会（医局員の招待講演、現在の研究報告、それに晩餐会）、そして『同窓』という同窓会誌の発行のみとなった。しかし年々お亡くなりになる方や転勤者がおり、いずれは消滅するだろう。

だが、第二内科教室では、日曜も休まず、講義の前日は面会謝絶で猛勉強し、原稿などを持たずに講義し、講堂では不真面目な学生を名指しで叱責したりと、厳格で真面目な上田英雄教授がおられた。学生の名や背景、家庭事情などを知っている教授にみんなびっくりした。また「総回診で全患者を診るのは臨床科教授の最大の責任である」と、在任中、定年退官の日まで、また大学紛争時でさえ、一度も総回診を欠かしたことはなかった。好き勝手に振る舞う私はしばしば叱られたりしたが、重要なことの相談役になり、教授の手足として楽しく働く場を与えられ、また新しい学会を創設する際の大家達の猛烈な反対の盾になって下さったのも上田教授であった（七年間の抑制を受けた）。次の教授に筆舌に絶する虐めを受けても耐え得たのは、似たような環境を経験されて来た上田先生の不屈の精神の継承である。誠に私淑すべき指導者で、天下に名をなしたその医局に在籍出来た私は幸せ者であった。

留学時にも莫逆の友となったインド出身のＰＭシャー（Shah）君（アメリカに帰化）や、可愛いインターンＲＥファリコフ（Falikov）君（カナダ）を知った。シャー君は肥大閉塞性心筋症で世界に名を成し、私は心尖部肥大型心筋症で、ファリコフ君は心室中部狭窄で、それぞれ世界初の発見者となって名を残した。病院の同じ部屋に机を並べていた三人が、それこそ「お手手繋いで式」に三つの型の肥大型心筋症における世界の雄となり得た。偶然にしては出来過ぎている。こんなことも医局の恩恵だろう。シャー君と私は昔、アジア・太平洋ドップラー・心エコー図学会を立ち上げ、それは私達の事実上の引退後の今も続いている。三年ほど前、日本循環器学会の美甘レクチャーに招待されたシャー君の司会は、私が勤めさせて頂いた。「友あり遠方より来る　また楽しからずや」。二〇一六年、私の心尖部肥大型心筋症発見四〇周年記念の論文が、日本ではなく、こともあろうにアメリカで出版された。

N　若い世代の医師へ

そのようなことを思い出している矢先、ある機会に若手医師の座談会を聞いて、まったく別の方向を向いている若手医師のものの考え方に一驚した。そして日本の医学の行く先に一抹の不安を覚えた。

東大の医師もいたが（東大出身か否かは不明）、自分の今後の方針を決めるに当たって、第一は収入、第二は就業時間、第三にやっと指導医の問題、今後の学問についての討論は欠如していた。何が侘しいかと言うと、およそ欲得だけで人生を考えることである。そして前途を開拓しようとする精神を欠如しているとは、ある一定の教育を受けた医師にとって、これ以上の寂寥感は無い。

私は彼等の上昇志向の欠如に驚いた。良い先生に会いたいというのはこちらから求める問題で、自然に与えられるものではない。自分の努力である。一寸した挫折感（に似た幼稚な思考過程）があるとすぐ別な方向を向く彼等の安直さにも驚いた。一寸注意すると、「私達はエリートですよ」という返事があって、絶句した。「天狗は芸の行き止まり」という文句が思い起こされた。

そして後輩の教授が言っていた言葉を思い出した。「なんでこんなバカなことして」の一言で、「私は親からもバカと言われたことはない」と医局を辞めてしまう者もいるという。呆れてしまった。まったく自己本位だが「パワハラ」だと彼等は言う。医学の進歩に貢献するどころではなくて、患者のために尽くすという職業意識よりも、如何にして自分のためにという、およそ医師としての使命感、言ってみれば資質に欠けた彼等ではないか。

国家試験にも出ていてびっくりしたが、医師の就業時間を厳守して、危篤に陥った患者を見捨てた研修医もいた。それでも悪びれず、当たり前の顔をしていた。医者を辞めるべきだ。

専門医は将来医師の格差（収入増大）に役立つから取った方が良いのではないかという。一方、教授職は（自分が成れないことは考えずに）社会的な意義があっても勤務が厳しく、雑用が多く、しかも給料は大して変わらず、なる意味が無いと言う。教授になると研究費もあり、やろうと思えば色々な知的な仕事が出来るという感覚、つまり学問的なことに考えが行かない。ましてや一般的教養の著しい不足も気が付かない。

後輩の教授が言っていたが、「学生が互いに切磋する気風を欠き、個人主義に走り、与えられるものにすがるだけで、自助努力によって立派な医師・研究者・教育家になろうとする意志を持たないのが悲しい」。iPS細胞の山中教授を見て欲しい。彼のように世界をリードするほどではなくても、顧みて、なんらかの達成感を持てる医師になって欲しいと、この老医師は思うのである。

もうすぐ東日本大震災一〇周年を迎える。やる気の少ない若者を尻目に、敢然と被災地の陸前高田に移住して診療に当たっている古くからの友人がいる。八〇歳近い高齢医師で、自分自身も冠動脈バイパス手術などを受け、身体も弱っている。陸前高田出身である彼の奥方の母上は津波で行方不明になり、少し前に死亡が確認された。指輪だけが発見されたのである。当地にあった七つの病院・診療所も被災し、二つに減り、医療は停滞している。

彼は長い大学教授職で多くの改革を行い、また超音波医学に大きな貢献をし、学会には彼の名を冠した賞もある。退官後は病院長を勤めていたが、すべてを投げ打って被災地に転ずる覚悟を決めた。後顧の憂いを無くするため祖先伝来の東京の土地や家を売却し、家族全員(と愛犬)を引き連れ、莞爾(かんじ)として被災地の診療のため赴任した。文字通り、不退転の覚悟である。「義を見てせざるは勇無きなり」とは正にこのことである。

だが、悲しいことに、現地の医師は自分達の領域を侵害するものとして診療所設立に反対、苦難の道を辿るが、その後、ようやく仮設診療所が荒地に完成した。送られてきた写真は荒涼とした被災した大地のみ、診療所近くの小川が唯一の自然であった。

最初の患者はなんと急性白血病、今様の対処としては勿論専門外来の疾患とされるべきだが、メールを見ると見事に処置している。「人生意気に感ず」と、何名かの老医師が東京から手弁当でボランティアとして週末に出向いている。まことに「人生意気に感ず」である。「欲無し・夢無し・やる気なしの三Y無き社会こそ、現代日本の最大の危機である」と、昨日の新聞で作家の堺屋太一さんが嘆いておられる。

願わくは、少なくとも医師がそうあって欲しくはないと思っている。

エピローグ

長い文章も漸く終わりに近づいた。一本指のパソコン打ちだから手も疲れ、また下手な文章を書く無能力ぶりにも愛想が尽きて来た。

歯揺らぎ、髪脱し、耳目は衰微し、悄然とする身だが、恐らくこれが最後の『健康医学』への執筆になるであろうと考え、敢えて厳しい一文を草した。失礼の段があれば陳謝するに吝かではない。

表題に記したように、もう四半世紀近く勤務しているこの診療所には、嬉しいことも、困ったことも、面倒なことも多々あった。しかし不思議なことに、最後の最後まで患者に尽くした尊敬すべき親友の病死以外、悲しむべきことはなかった。だから私はとても幸せであったと言うべきであろう。

嬉しいことと言えば、毎号、この『健康医学』に皮肉めいた、あるいは誹謗に満ち、しかも長い文章を書き綴っても、それを非ともせず、譴責もしない理事長の存在がある。そして毎号、寄稿を求められる喜びがある。私は視点を変えた別種の長文を、年一度、東大第二内科の同窓会誌『同窓』に書き綴っている。こちらはもっと辛口である。読む人は、「どっかで撃たれるかも知れないから、ご注意を」と言う。だがそれにも拘らず、毎年、寄稿を求められて書く。そして別に大坪会理事長や第二内科同窓会長に「おべっか」を使う訳ではないが、この「へんちくりん」な私を記憶しておいて下さることだけでも、嬉しいのである。

困ったことと言えば、さて執筆をという段階になって何を書くべきか、迷ってしまうことである。老齢化が進み、先年は米寿の祝いがあったのだが、頭脳の方はお祝いどころではない。第一、発想が纏まらない。思想が奔逸するのは、ひょっとすると私には分裂病（統合失調症）の気があるのかも知れない。ＵＳＢにはその都度思いついた断片が詰まっているのだが、それが統合されないのだ。

そして結局は原稿依頼による執筆が面倒になって来るのである。他にもすることが山積しているのだから、余計そうなって来る。そこでやって来るのは催促係の薬局長、阿久津さんである。うなぎの寝床のような長い廊下を歩いていて、向こう側に彼女の姿が見えると、反射的にどこかの部屋に隠れる。「面倒を見る側」の彼女に「面倒を見られる側」の私は結局食い付かれて、パソコンに立ち向かう。気持ちがずれないうちに幾つかのメモを残し、それに従って一気に書き綴る。そうすると、逆に止め処が無くなって、自然にとんでもない長さになり、読み返すのがまた面倒になる。また少しでも良い、一度でも椽大（てんだい）の筆と言われる文を書きたいとは願いつつ、それは夢のまた夢と気付き、長嘆息して手を休めると思考停止、かえって周章狼狽して、その分だけますます筆致が乱れる。その繰り返し。皆さんに面倒を掛け、原稿提出遅延を謝って歩くのがまた気を滅入らせる。

色々と述べて来たが、どこまで読者の共感を得ることが出来るか、まったく自信が無い。「鳥の将に死なんとする　その鳴くや哀し」、力不足がその原因である。まさに「日暮れて道遠し」というべきである。

注1：「ゾンビのウィーン紀行（奇行）」：東大第二内科同窓会誌〔同窓〕No.17：14—35頁
注2：『多病息災：あるお医者さんのたわごと』増補改訂第2版　2015・9　愛育社

第三章　徒然なるままにひととせ

プロローグ

「つれづれなるままに 日暮らし 硯にむかひて 心にうつりゆくよしなしごとを そこはかとなく書きつくれば あやしうこそものぐるほしけれ」とは、古典を読まれたことのある誰しもが諳んじている吉田兼好法師の『徒然草』、冒頭における名文である。

その名文にあやかろうという気持ちはさらさら無いのだが、このところ、怪しき者、狂おしきものに巡り合わせることは滅法多い（ただし兼好法師のこのくだりには様々な解釈があり、またそれ故に現代語に訳しづらいことで有名でもある）。だがもし私の感じるところに従って考えると、医療の世界もその例外では無いし、社会・風俗に至っては、毎日の新聞やニュースを借りるまでも無く、おどろおどろしたものに満ち溢れている。土台、新聞は商売、つまり売れることが第一目標で、読者のステレオタイプ的興味に迎合するだけであり、週刊誌などはその急先鋒、共に報道機関という名には程遠い。ましてやインターネット情報に至っては、掃き溜めに溜まった屑物のように、毎日毒にも薬にもならない情報が、これでもかこれでもかと行き交い、メールを開けば、まずそういった内容物の排除に忙しい。パソコンの使嗾のままに動くのも癪に障るから、いっそのこと、メールアドレスを変更しようかなと真剣に思う。ある執拗な医療広告には、死亡通知を送ってみたら、その後の配信は目出度く無くなった。

私はいつでも斜に構えていて、なんにでも反発するひねくれ男だから、別に昔に戻れという訳では無いが、流行というものが嫌いである。だから今もって携帯電話を持たない。いや一度、一〇数年前に緊急連絡用という名目で持たされて、テストで一度だけ家に掛けたが、二度目は歩行中に病院からの呼び出しに遭い、それで電源を切ってしまった。以来こちらから緊急的に家に掛けることも無く、使用料が無駄だということで家内に召し上げられ、それきりとなった。行動を遮られるのが嫌である。だからiPhoneだとかsmartphoneとか、その後の変化には無縁となり、完全な時代遅れとなった。だからつれづれの生活が満喫できる。だがパソコンだけは文章を書いたりスライドを作ったりする上で無くてはならぬものとなり、そして最後は年賀状の印刷（好きではないが）や要請されてメールを打つ必要が出来、仕方無くそれに従っている(二〇二〇年から手書きに戻った)。

忙中閑ありでひょっとしたことからフリーセル（Free Cell）というゲームにのめり込み、忙しい忙しいと言いながら数ヶ月で一四六連勝と図に乗り、毎夜、就寝前に勝率九八%にこだわって健闘中である。つまり私の日常も他人の言うようにかなり好い加減で、家内は呆れている。現在四六七勝一二敗、勝率九七・五%で、それ以上の勝率にするにはとてつもなく異常な努力が必要となる。一敗も出来ない。その緊張がまたたまらない。

注：二〇二一年二月現在、五〇〇〇戦四九〇八勝九二敗、勝率九八・二%、いかに勝率を上げることが難しいかが分かる。九九・〇%の勝率に達するにはさらに数百の「連勝」が必要となり、技量の判定基準が非常に高いレベルに設定されるようになって、問題はどんどん難しくなり、一題に二時間を要することもあった。無駄な時間だが、頭の

訓練にはもってこいである。夜半に駄目なら諦め、翌朝挑戦すれば勝てる。やはり睡眠が脳の活性に必要なことが分かる。

そういう最中、佐藤愛子さんの『九〇歳。何がめでたい』（小学館）が出版されたのを尻目に、その直後、昨年（二〇一六年）九月末、私の米寿の祝いが催された。私の希望で気心の通じた方々だけを選んでお呼びし、その喜びの言葉を戴き、心から幸せを感じた。その際、私は皆さん方それぞれについてのプロフィール、つまり御本人がこれを言いたいのだが自分からは…ということも織り交ぜ、私なりにその方々に対して感じていたままをそれぞれ二〇〇～五〇〇字ほどに書き綴り、最後に挨拶の言葉を添えてパソコン印刷し、受付でそのコピーを皆さんに手渡した。それを手にされた皆さんはまず御自分の所に目を落とし、その内容に対して一様に喜ばれた。受付から会場控室に座られた皆さんを観察していると、ニコッとされるのが手に取るように分かる。家内が私の横腹をつつく。誰もこういう変わった行為を恐らくしはしないであろうし、また私にはもうこのような晴れがましい行事はあり得ないであろう。生まれつき「多病息災」の身で、何度も死に損なっているのだから、当然のことながら卒寿などは無理だろうが、米寿でもう十分である。すると不思議なことになんとなく肩の力が抜けたというか、気が楽になって、二つの依頼講演を無事済ますと、三ヶ月余りがあっという間に過ぎ去って師走が近づき、最後にこの「健康医学」の原稿執筆が待っていた。今年は催促されないように書こうと思ったが、学会誌の投稿論文が重なって駄目だった。普段は優しいのだが、こういう時ばかりは監督官である薬局長のきつい目が催促のシグナルを送って光る。

1　またしてもノーベル賞

最近の医学界においてもっとも衝撃的な快挙は東京工業大学大隅良典栄誉教授のノーベル賞受賞であろう。実に三年続き、これまで自然科学関係では二八名もの受賞者である。学者の掃き溜めであるアメリカを除けば、こう毎年のように日本人が受賞し得るとは誰も考え得ぬことだったろうが、素晴らしいの一語に尽きる。そもそも大隅博士の言われる「細胞の貪食（オートファジー：autophagy）」とは、細胞の自食作用、つまりやさしく言えば細胞内の要らなくなったゴミのような蛋白質をリサイクルし、それを食べて再生するということである。この現象は既に一九九二年に顕微鏡下で発見され、この度はその仕組みを発見、始動装置の構築機構を今流行りの分子レベルで解明した。平たく言うと、細胞が生まれ変わる際、栄養状態が悪くなると自分の蛋白質を分解して再利用して貰うことによって、新しい細胞を生み出すという訳だ。

このことが画期的であることの意義は専門知識の無い私には勿論良くは分からないが、生物が生命を維持するために、細胞が不要となった蛋白質を分解し、栄養源としてリサイクルするのが自食という作用であるとすると、要するに貪食である。生命科学の根源的発見で、近未来において癌やパーキンソン病の治療に貢献するのだという。そうだとすると、二人に一人という癌や、これまた一〇人に四人は避けて通れない痴呆症（認知症：認痴症と書くべきである）にとっては一縷の望みでもある。

ただ一つ、素人の考え（下衆の勘繰りとも言うが）では、この「細胞が不要とした蛋白がまともな物質なら良いが、もし変なものであるために不要になったもの」だとすると、どうなるのかなぁという気もする。良いことと不都合なことはコインの裏表のようである場合もあるからである。だが浄化作用と言って、老廃物や異常な蛋白質（蓄積すると病気のもとになり得る）を分解することは生物にとっては大変重要なことで、アポトーシス（木の葉が自然に落ちるように細胞が自ら死ぬ）もその一つ、大隅先生の自浄作用と共に、生体には様々な浄化作用があるとされている。それでノーベル賞を貰った学者も何人かいる。この自浄作用によって細胞内では体に悪影響を及ぼしかねない異常な蛋白質などはオートファジーによって分解されてしまうらしい。私の懸念は「心配ご無用」という訳である。

もう一つ、食欲が衰え、後は死を待つのみという老人が延々と生きているのは、この自食作用のせいではないだろうかという疑問である。一つの細胞が死にかけて、その中の蛋白質を隣の細胞が食う。これって、谷川俊太郎の恐ろしい詩にあるように、黒んぼの子がおなかが空いてまずタコのように足を食べ、ついで手を食べ、最期は体をみんな食べて消え…である。題名は確か「ひとくいどじんのサムサム」だったか。それはそうとして、このオートファジーの基本的機能は、ある科学雑誌によると、細胞の「飢餓解消」だという。大量の蛋白質を内蔵する生物の細胞は、飢餓状態になるとオートファジーによってその蛋白質をアミノ酸に分解、必要な蛋白質を再合成して栄養を保っている。オートファジーは一日の合成量とほぼ同じ蛋白質（約一六〇〜二〇〇g）を毎日分解しており、食事摂取による蛋白質（一日約六〇〜八〇g）がアミノ酸に分解吸収され、それが蛋白質になったとしても全然足りない。その部分はオートファジーによる分で補われているのだという。だからこれは食事よりも主要な栄養供給源ということになる。へその緒を切られた赤ちゃんや山の遭難者が生き延びられるのも自食作用のお陰である。それ以上の科学的説明は私には難解過ぎる。

とにかく日本人のノーベル賞受賞の多さは近代日本における出色の出来事である。まだまだ候補者がいるというから頼もしい限り。大方の期待を裏切って村上春樹さんは文学賞を逃したが、失礼だがそれはどうでも良い。土台、ノーベル賞の本当の価値は経済学や文学ではなく、人類に貢献する自然科学的研究にあると私は思っている。ましてや他国、つまりスウェーデンの隣国ノルウェーのノーベル平和賞などは無意味に近い。数学賞がNovel博士と該当者との女性を巡る三角関係によって創設されなかったのは残念だが、こちらには三五年遅れてFields賞が制定されており、四〇歳以下の現役が対象で一層厳しい審査があり、日本でもいずれも高名な小平邦彦（一九五四）、広中平祐（一九七〇）、森重文（一九九〇）が受賞している。数学者で文筆家の藤原正彦さんはこの賞の礼賛者である。選考委員にはこれまた昔懐かしい数学教科書の高木貞治先生、その後には吉田耕作さんが当たっている。だが最近、日本人の活躍が無いのが寂しい。

それはそうと、大隅博士の言葉には面白いものがある。「他人のやらないことをやろう」という一言である。現今の学者はなんでも流行に乗って仕事をし、他人と競うのが学問だと思っている節があるが、そんなものは一瞬の花火のように、派手かも知れないが数年も経たぬうちに消えて行く。時の人にはなり得るだろうが、空しい。個人的になるが、今、私が友人とやっているエコー・ダイナモグラフィーという研究は、年に一論文以下位しか完成出来ないが、世界の誰もやっていないものである。理解され難いが、その方がより楽しみである。

注：ノーベル賞に数学賞が無いのことは前にも記したが、以下の経緯がある。ノーベルは当初その賞を設け、自分がその候補者であると思っていたようだが、自分の恋敵も候補者に上がったことから、難を逃れるためか、賞を取り消したと言われている。もしその賞があれば、また日本人の受賞数が増えることになったであろうとも言われる。数学理論はノーベル経済学賞にも時々現れる。だがこの経済学賞はスウェーデン国立銀行が創立三〇〇周年を記念して一九六九年から出しているもので、ノーベル財団とは関係が無い。

2　日本発の初の元素

科学（化学）と言えば、新たな一一三番目の元素の発見「ニホニウム」（nihonium）（理化学研究所：森田浩介）も大変興味がある。もともと元素記号はラテン語やフランス語に由来していると言い、また末尾には〝ium〟が付くことになっていて、Japanだからジャパニウムという名が考えられ、それに〝J〟で始まる元素がまだ無いというのもjapaniumという名前が提唱された理由の一つであろう。色々考えるものだ。しかしこの元素を発見した森田浩介グループは日本という国籍にこだわり、ニホニウムとしたという。ニッポニウムでも良いが、その名は明治四一年、元東北大学総長の小川正孝先生が発見した元素の名となっていた。しかし後にそれが別の元素と分かって周期律表から取り除かれた。二度は同じ名称が使えないので、結局ニホニウムとなったという。面倒な規則があるものだ。

ともかく日本発祥の元素が生まれたということは、医学とは直接関係無いとは言え、大隅先生のノーベル賞ともども、日本の科学の水準が高いということの証左である。大いに胸を張るべきである。ただ残念ながら一一三番目のこの元素、この世に存在するのはほんの束の間、出現してはすぐ消えて行くものだという。儚さとかもののあわれを好む日本人にしても、一寸ばかり侘しい。個人的なことだが、東京大学医学部の入学試験で、ある液体が与えられた時、それにいかなる元素が含まれるかをどうやって知るかという問題があった。旧制高校で科学部にいた私には赤子の手を捻るように簡単な分析化学の問題であったが、一般的には難問なのである。硫化水素を通して銀を沈めること（硫化銀の沈殿）から始まって、最後にバーナーに通して、リチウム、ナトリウム、カリウム、ルビジウムなどのアルカリ金属や、マグネシウム、カルシウム、バリウムといったアルカリ土類金属に特有の炎色反応で終わる化学分析法を思い出し、周期律表を穴のあくほど眺め、その面白い覚え方に熱中し、冬休みを返上してまで新装成った広い化学実験室に閉じ籠った若き日の姿を、今さらながら懐かしく思い起こした次第である。

振り返ると、ノーベル賞創設一二〇年ばかり、第二次世界大戦以前に日本人の受賞は皆無であった。幾つかの世界的貢献に値する業績はあったのだが、無言のうちに白人優先、有色人種忌避の機運があり、最終選考の対象にさえならなかった。唯一、後世明らかになった東大山極勝三郎病理学教授の「人工的癌作成」の業績も、一九二六年、審議の結果、「線虫という寄生虫による胃癌発生」というデンマークのフィビゲル（Fibiger）の研究に攫われてしまった。しかもこの胃癌研究はフィビゲルと山極教授死亡の直後に誤りであったことが明らかとなったのであった。ノーベル賞の誤りはほかにもある。

一九四九年、私は勿論、日本中が驚きと共に歓喜の声を上げたのは、中性子の存在を予言した湯川秀樹教授に対する日本初のノーベル物理学賞授与であった。京都大学理学部には若者が殺到した。第二のノーベル賞を目指したのであった。

その後、日本人の自然科学におけるノーベル賞獲得はどうだったのだろう。改めて調べてみると、幾つかのことを思い起こした。

一九六五年の同じく京都大学の朝永振一郎教授、量子電磁力学の研究、湯川教授と共に紙と鉛筆で得たノーベル賞だった。なんの装置が無くても、頭だけで賞が取れると私は思った。その後の先生の話には、科学に志すに至った「雨戸の節穴の話」を始め、名言が多い。のちに述べる受賞者小柴昌俊教授の先生でもある。

エサキトンネルダイオード（素子）の江崎玲於奈氏は一九七三年、その後は一九八一年福井謙一氏に続いて、初の生理学・医学賞受賞は一九八七年の利根川進氏だった。やはり京都大学理学部の出身、当時、アメリカはマサチューセッツ工科大学（ＭＩＴ）にいて、「多様性抗体を生成する遺伝的原理」という「誰もしていない」研究で、四八歳の若さで賞を勝ち取った。見るからにきかん坊といった顔付きだった。同じ年、「導電性高分子の発見」で化学賞を東京工業大学の白川英樹氏が獲得している。我々の携帯電話やパソコンに欠くことの出来ない物質である。

かくして二〇世紀には六名が賞を受けた。

だが二一世紀に入っての自然科学系ノーベル賞の日本人受賞ラッシュは脅威であるとしか言いようがない。二〇〇一年の野依良治氏（化学：不斉触媒による水素化学反応の研究と言って、同じ分子でも、言わば作用の異なった右手利きと左手利きがいるという受賞が皮切りであった（非常に残念なことに、先生は理研における例のＳＴＡＰ細胞事件で晩節を汚した）。

翌二〇〇二年にはニュートリノ観測で前述の小柴昌俊教授、私はここで初めてカミオカンデという地下一〇〇〇ｍという巨大な水槽と電池の装置を目にした。いつ来るか分からないニュートリノ、一〇〇年に一度という超新星爆発の機会に遭遇し、大量に降り注いで来たニュートリノを一、二日待っての成果だった。東大卒の先生が、東大宇宙研究所で成し遂げた快挙である。そしてスーパーカミオカンデを用い、ニュートリノの振動を発見し、二〇一五年のノーベル物理学賞を受賞した梶田隆章埼玉大教授は小柴先生の弟子であった。湯川・朝永・小柴・梶田の言わば見事な血統だが、それぞれが皆、小柴先生は怖かったと言っているのが印象的であった。

二〇〇二年、皆が驚き、急いで作業服姿のモノクロ写真を掲載した各新聞、それは島津製作所の四三歳という若きサラリーマン社員、田中耕一氏の化学賞受賞であった。寝耳に水、受賞を知らせる電話の受話器を取るべきではなかったという謙虚な言葉が印象的であった。失敗を元手とした蛋白質構造の研究で、アルツハイマー病の原因物質を見つけ出したりした。そして今でも研究に勤しんでいる。私の尊敬する受賞者である。

二〇〇八年は一挙に四名が受賞した。南部陽一郎、益川敏英、小林誠の物理学賞、米国在住の下村脩（化学）の各氏。南部氏は何も感じないとそっけなく、一方、益川さんは感情が高ぶっていて目が赤かったのを記憶している。下村氏とウミホタルイカ、それに授賞式でむしろ原爆投下などを訴えた先生を、長崎大学薬学専門部出身と聞いて納得した。

二〇一〇年の化学賞、鈴木章教授と根岸英一氏は共に化学賞だが、日本のある学会で、昼食会の席上、鈴木先生の隣に座った私は驚いた。敢えて言うと鈴木君は私と同郷の道産子（どさんこ）、歳も同じ、同じ北海道弁、そしてさらにびっくりしたことに、シカゴにはまったく同じ年（一九六二〜六四年）に留学していた。だから領事館での新年会では顔を合わせ、二人とも思い出せないが、恐らく何かを話した筈である。奇遇だ。だが現在における二人には月とスッポンの懸隔がある。同郷のノーベル賞学者を持つ喜びと、ピンとキリの差を嘆いた瞬間であった。

我々医師が一番喜んだのは、二〇一二年の生理学・医学賞の山中伸弥先生の受賞であった。ご存知、iPS細胞（人工多能性幹細胞）で、日常の報道や沢山の書物に述べられているように、その未来には洋々たるものがある。しかしいざ実用化となると商業化の問題があり、パテントの問題と相俟って、山中教授を悩ませているようである。アメリカの巨大資本に比べて、日本のそれはあまりにも貧弱だ。頑張れ、山中君、君はもう昔のような「邪魔中」君ではない。我々の希望の星、恐らく最近のノーベル賞学者としては、世界の星なのだから。

二〇一四年にはまたまた三名の受賞者。すべて物理学賞で、青色発光ダイオードの赤崎勇と天野浩、同じくアメリカにあって青色発光ダイオードに関し一悶着起こした中村修二のお三方である。

二〇一五年には線虫による感染症に対する治療法で、大村智薬学博士に生理学・医学賞が授与された。梶田隆章氏（現日本学術会議会長）のスーパーカミオカンデについては既に述べた。

二〇一六年には再び生理学・医学賞に、本稿の冒頭に述べたオートファジーの大隅良典博士がその栄誉を勝ち得ている。この賞はこれで四名になった。

二〇一八年、さらに後押しするかのように、京大の本庶佑教授が免疫チェックポイントの発見と癌治療への応用で、同じく生理学・医学賞を得た。問題になった後述のオプジーボが含まれている。彼の先生は私の同級生の橘君である。同窓会の際、隣に座った彼はやおら彼の研究室員の写真を示したが、その中に若い頃の俊秀、本庶君がいた。橘君は得意げであったが、「君が受賞した訳では無かろうに」と誰かに言われて彼は写真を引っ込めた。折角なのにと、少し可哀想であった。「君が京大に赴任しなかったらノーベル賞は無かったかもね」と慰めると、「いや、本庶は学生時代から飛び抜けた英才で、ノーベル賞位は一人でも取っていただろう」と自分で自分を慰めていた。それがまたおかしかった。

そしていよいよ我々の生活に無くてはならぬリチウムイオン二次電池の開発という吉野彰さんの化学賞が二〇一九年に決定した。田中耕一さんに続いての民間人、旭化成の会社員の受賞である。

面白いことに、何時でも笑顔を絶やさぬ吉野さんは高らかに「当然貰えると思っていましたよ」と再びにっこりした。とても印象的であった。

興に乗って、いささかノーベル賞物語になってしまったが、かくして日本人に対する自然科学関係の受賞は総計二八名となった。見事である。

徒然なるままではノーベル賞を頂戴出来ないと思い知った。

3　人工頭脳とエリザベス女王工学賞

情報技術（information technology：ＩＴ）では日本は完全に後れを取った。外国では情報通信技術（information and communication technology：ＩＣＴ）と呼ばれることが多いが、いずれにしても後手後手であった。Google始め、世界のトップ五社に大きく差をつけられているのが現状である。だがもともと日本には素晴らしい技術があった。

三年ほど前からだからまだあまり目にする機会に乏しいが、ノーベル賞に匹敵するものにエリザベス女王工学賞というものがある。この賞、ノーベル賞が年五名もいるのに、こちらは二年にたった一名の受賞者である（したがって賞金がべらぼうに多い）。第一回には「インターネット」、第二回は「ドラッグデリバリーシステム」、そして第三回は我が国の寺西信一静岡大学・兵庫県立大学の特任教授の「イメージセンサー」である。そのお話に接する機会があった。

これは既に一九八〇年に特許の申請をしているから、二〇年以上経った今現在、その特許は切れている。よく知られている埋め込み型フォトダイオードで、家電製品では画期的だとされ、内視鏡にも利用されている。誰でもどこでも写真が撮れるという触れ込みで、可視光線のみならず、赤外線、紫外線、X線まで見え、ダイナミックレンジが巨大、画像が特段に向上した。写真は一〇〇〇枚／秒、今まで見えなかったものが見え、これが日本の人工頭脳（人工知能：artificial intelligence：

ＡＩ）研究に応用されている。つまり感覚の八〇％を占める視覚がＡＩに備わるようになり、ロボットが今何をすべきかを自ら知って、行動に移せるようになる。ＩＴの中に視覚を加えるという訳だ。そんな凄いことが日本で行われている。今回のエリザベス女王工学賞はそのイメージセンサー技術に与えられたものである。

現在の医療ではＣＴやＭＲＩは診断に欠かせない手技であるが、得られたものを解読する医師の手腕には雲泥の差があるとされる。それでも人間の目視判断力には限界があり、専門家といえども一〇〇％は期待し得ないとされる。つまり見逃し、その一部は止むを得ない誤診である。しかしＡＩはごく近い将来、人間の感覚の数百倍の感度で異常を発見してくれると期待されている。

新聞などによると、ＡＩの発達で雇用が減り、失業者が増大するとネガティブなことばかり報道されているが、しかしこれまで人間が出来なかったことをＡＩがしてくれるのは有り難いことである。イギリスの産業革命で労働者の失業が激増したのは事実であるが、それで人間が生きていけなかった訳では無い。それ以上に素晴らしい英知を働かせて事態を見事に乗り切り、文明を築いて来た。近年、問題になった宅配便最大手のヤマト運輸の荷物受付量制限問題、つまり人手が足りず運転手を十分に確保出来ないため配達物の受付を大幅に制限するというようなことも、イメージセンサー技術を用いれば一〇倍の効率が期待し得るとされ、人間にはそれだけまた新しい光が齎されることだろう。実際、ある雑誌によると、深層学習（deep learning）という、脳の神経回路の働きを模した機能を持つＡＩの登場で、産業革命以来の激変の渦が世界を攪拌するのだという。かくしてＡＩが多くの職種を代行し、人はそれにより富を得、時間が余り、それだけ人生を享楽出来るという按配である。だがそれってあり得ることか。あったとしたら、私などの働き蜂は、過労死とは逆の意味で、自殺に追い込まれるであろうに。立川談志の落語「あくび指南」ではないが、私もあくびの勉強でもしてみようか。改めて人類の幸福とは何かを考えさせられる。老人の幸福についてはまた後で述べよう。

ホモ・サピエンスの後裔はＡＩであるとか、三〇年後には大量の失業者が出て、人間が群れを成して、丁度ネズミのような齧歯類の大群が海に飛び込む挙動に走る光景を想像する人もいる。(注)将来、いや今でも将棋やチェスの世界に見るように、ＡＩは確実に全人類の知能を上回ると予想され、近い将来、人がＡＩの奴隷になるかも知れないのである。

だがそういう悲観的な見方に対抗して、一方では、単に人間の行うべき作業をＡＩが忠実に代行してくれることを歓迎する人も多い。しかも危険を顧みず、また休むこと無く働き続けるのである。だが例えばイメージセンサーにより視力を頼りに人の感情にまで忍び寄り、介護される人間の表情を見てその心を読み取って、誰もいない所で自動的にロボットが動き始め、着物を脱がせ、体を抱き上げて浴槽に運んでくれたり、あるいは古いチャップリン映画の「モダン・タイムス」に出て来る食事機械（Eating Machine）もどきの真似をしてくれたらと思うと、ぞっとしてしまうのは果たして私だけであろうか。年齢的にそこまで生きることのない私でさえ真剣にそう思うのである。

ある時、東大医学部の同窓会で、工学系の大家に変身したＩ君がＡＩに関する先端的な講演をした。何から何までしてくれるＡＩは便利だが、一人の級友が言った言葉はより印象的だった。「ＡＩが私を看取った時、果たしてＡＩは泣いてくれるかなあ」。

注：タビネズミ（レミング）の集団自殺は有名だが、迷信であると言う。

4　遺伝子研究問題

最近の医学の中心課題の一つである遺伝子研究は、思わぬ方向へとその守備範囲を広めて来た。食品の問題がその一つである。既に色々な食品が遺伝子操作によって改良が加えられ、それ自体は慶賀すべきところもあるであろう。だが医学においてはそれに逆行するような規制が働き始めており、現に実行に移されている。

医学においては、かつて不明であった病因が遺伝子解析によって解明されることがある。これが医療に役立ち、治療法の開発を進め、人類の幸福に裨益する。がん研究所を母体として、患者の全遺伝情報（ゲノム）と医学情報をＡＩが解明し、癌に対する最適な治療方法を提供する未来志向型のシステムが、公益財団法人がん研究会とＩＴ企業との共同で進行しつつある。プレシジョン・メディシン（precision medicine：適格医療とか適切医療とでも呼ぶ精密治療法）という、癌の遺伝子を分析してその変異を知り、それに適した分子標的薬を抗癌剤と共に使用するという。癌治療の革命である。すべての患者に遺伝子変異が見つかる訳では無いが、今、全国的な規模で研究が進められており、今後が大いに期待される。これによって医療の適格性が分かれば、非常に高価な制癌剤を無駄に使う必要性も減少するだろう。なおこの方法は癌ばかりに用いられるのではなく、色々な疾患にも勿論適用されつつある。

ここまでは総論である。しかし、「総論賛成、各論反対」は何も政治の世界ばかりではない。治療法が見つかる可能性のある癌遺伝子なら反対も無いが、いざほかの特定の疾患の調査を始めようとすると、決まって「人権問題」が頭を持ち上げる。

自分の身内の患者の遺伝子異常となると、逆上して、一切の検査に文句を付けて停止させたお偉方役人もいた。そして医師でありながらでさえ、自分の関与しないことに関しては常に反対を唱える人がいる。だから結局は、なんと症例報告すら出来なくなってしまうのである。

このことが昨年の日本心臓病学会の社員総会（妙な呼称だが、法人組織になるとかつての評議員会がこのように呼ばれる）で問題になった。何も知らない医事評論家などには、今の医学はEBM（evidence based medicine：実証に基づく医学）と称して、大量の患者を集めて統計処理するのが本筋であり、症例報告などは医学でないと、聞きかじりで馬鹿げたことを言う者がいる。すべての症例は、古来、一つの症例の病状発見から始まり、それに呼応して個々の医師や病院からの患者数が増え、一つの疾患単位（entity）として個別の呼称が決まるのだが、くだんの評論家の言は、まるで今までの記載で病気の種類は終わり、またそのvariety（変わった形）はあり得ないと結論する暴論である。私の「心尖部肥大型心筋症」は公式に認められるまで長い年月を要し、臥薪嘗胆、苛めつける教授の反対を押し切って、こっそり論文を出したのが一九七六年、昨年漸く発見四〇周年記念の展望論文が、こともあろうにアメリカで発行された。冒頭に私の名が出て来て、最初の発見以来、六〇年もの苦闘がやっと報われたことに涙した。綾小路きみまろの名台詞、「あれから四〇年」ならご愛敬だが。

確かにすべての症例報告を昔の医学雑誌のように並べていては雑誌がそれで満杯になってしまうから、現在、多くの医学雑誌では原則的に症例報告を拒否している。沢山の例を集めて統計処理をしてから雑誌に投稿せよというのであろう。それに抗して、今のところ私のもとに送られて来る専門誌では、ベルギーの心臓病学誌Acta Cardiologica（毎号四、五編の症例報告が載っている）と日本心臓病学会の症例報告論文集（Cases）がある。この学会のJournal of Cardiology Casesは、自己宣伝的になるが、本体のJournal of Cardiologyから二〇一〇年に独立、現在は第一五巻目の専門誌電子英文版として刊行されており、そのimpact factorも二・四〇五と結構高い。

遺伝子組み換え食品は様々な健康上の問題を提起したが、遺伝子操作によって他種の遺伝子を組み合わせ、牛の筋肉の肥大を促進して売上を伸ばすとか、やたらと野菜の巨大化を図るとか、なんとなく薄気味悪い。まあシナの人工鶏卵（これは完全な偽物）より増しだろうが、このようなことがどんどん進んで行くのは、テロリストよりも怖い気がする。

しかし難病などの遺伝子研究もさることながら、色々な生物の特異な生物学的特徴を遺伝子解析し、その優れた部分を人間の遺伝子の中に組み入れる方法は、倫理的な面を考慮しながら、もっと研究すべきことではないだろうか。近年はゲノム編集によって空恐ろしいことも起こっているが、知恵を働かせて自然界の様々な仕組みを人に享受出来るようにするのは楽しいことでもあろう。しかしくれぐれもかつての優生学のようなことに走らぬよう、十分留意すべきではある。

つまり現在の遺伝子研究は、臨床が多いのでそうなるのであろうが、もっと発展的に、「健康状態の身体」をいかに変えるか、そしていかに長い健康寿命を達成するかといった研究は少ないのである。これは倫理上の問題を含むが、上記のような劣勢のものを淘汰しようとしたかつての優生学とは違う。ボディビルでもなく、ある因子を遺伝子学的に組み換えるのである。今やこのような遺伝子操作は極めて進歩し、ある遺伝子を選択的に切り取ってほかの遺伝子を組み込むことが容易になっている。例えば、生涯一つのことしかしないが、三〇年という異様な長寿を誇るハダカデバネズミの長寿遺伝子を組み込むとか、同じ太さの鋼鉄よりはるかに強靭な蜘蛛の糸の遺伝子を利用して老人の骨折を防ぐとか、途方も無いことだが、ほかに色々なものが考えられないのだろうか。やってみたけど駄目だったと臍を噛み、青菜に塩といった状態も覚悟の上のことだが。

5　karoshi

ＡＩによって仕事が奪われるより先に、仕事がきつ過ぎ、また長時間労働によって労働者が死亡する事件が起こるという。日本発の珍現象で、ついにtunami（津波）並みにkaroshi（過労死）という英語が外国の辞書に載るようになった。二〇一二年の三省堂新明解国語辞典第七版にもその言葉があるが、手元にある一九八八年の岩波国語辞典第四版には無い。同じことは海外でも稀にあるらしいが、わざわざ英語の辞書に載せられる位だから、日本初と言っても言い過ぎではあるまい。例によって、過労死などは日本政府の軟弱政策の一端である。

だが本当に純粋な過労死なるものがあるのだろうか。大方の医師の見解はどうなのだろう。数年前、三〇数歳だったと思われる男性医師が、働き過ぎたためのいわゆる過労死であるとして、家族が訴え出て、労災などで認められ、三〇〇〇万円ほどが支払われた事件があった。だが医師達の反応は誠に冷ややかで、中には「けしからん」、「死因は別だ」という声が多かった。最近の女性の事例も、死因は過労ではなく、鬱によると思われる例と言うべきであろう。働き過ぎて心不全になり死亡との朝日新聞を見たが、そのＮＨＫ勤務の若い女性はもともと心臓弁膜症で、そのための死亡である。厚生労働省も後々なんだかんだと言われるのが面倒なので、自分の懐が痛む訳でも無いから、易々と過労死認定などと言うのであろう。

もし超過勤務が過労死の直接的原因であるとすれば、恐らく毎年数百人の医師が過労死に陥っているだろう。私などは恐らく二〇回位は死んでいる勘定だ。「医師は七二時間連続勤務をすることがある」と、若い頃の入局時に医局長から言われたことがあり、実際、飲まず食わず、不眠不休で七二時間勤務して床に倒れて眠ってしまった経験がある。でも死にはしなかった。それでなくても、今に至るまでその日のうちに寝るなどということはまず無かったし、入局二年目には一年間下宿に帰る暇が無く（下宿と大学を往復する時間が惜しかった）、みんなと一緒に大きな当直室に雑魚寝して過ごした経験もある。

厚生労働省は医師の勤務時間に制約を設け（驚くべきことに、それに関する問題が国家試験に出るらしい）、時間制限を守らなければ忠告し、それが二度になれば医師免許を剥奪するとまで言った。

だが、そうすると日本の医療が成り立たなくなってしまうことを知った。
実際、日本の医師の四六％は違反者なのである。オバマ政権下、クリントン夫人は日本の優れた医療事情を見習うべく来日したが、それが医師の犠牲の上に成り立っているのを知って諦めた。

過労死を信じる医師とはどういう人なのだろう。過労が死因に繋がりかねないほかの病気を悪化させることがあっても、過労自体が死に直結することなどあり得ない。そんなことがあったら、軍人の過労死は無限大になる。絶対に過労死が起こらない人種は国会議員だけだろう。

以前にどこかに書いたが、「九時・五時医師」が五時に病院を出ようとしたら、看護婦が追いかけて来て、「受け持ちの患者が急変したので至急戻って下さい」とその若い医師を引き留めたが、振り払って帰宅してしまった。一見非常識、これは患者の命を預かる医師にあるまじきことだと言われるかも知れないが、残念ながら法律違反ではない。結局患者は死亡したが、医師に責任を問うことは出来ないのである。院長はその医師を解雇は出来ないから、出勤しても一切仕事を与えないようにし、結局その医師は辞めた。勤め人にとって仕事を取り上げられることほど辛いものは無いからである。しかしこれをパワハラと断じた愚者がいた。救いようが無い。

別な病院では手術執刀中に午後四時半となり、二人の執刀医が手を下ろしてしまった例がある。縫合不全で術後に出血したが、医師達は既に帰宅していた。責任を問うと、「四時半に終え、五時に帰宅して一杯やるのがなぜ悪い」とのことで、気の弱い院長はクビを言い渡せず、別の外科医を招聘したが、二人を派遣した大学病院が文句を付け、病院長を追放同様にしたという出来事を聞いたことがある。一方では身を犠牲にしてまでも患者に尽くす医師がいるというのに、法律を盾に患者を見殺しする医師に黙する現代医学は、果たして医療と呼べるものなのであろうか。

手術は時に突発的な出来事が発生し、時間通りに終わらないことがある。ものによっては二〇時間以上かかる手術さえある。「はいここまで」とは行かない。一度厚労省の方に患者になって貰い、時間が来たらさっさと切り上げる体験をさせてみるが良い。だがそういう役人は往々にして病院でも威張っていて、関係者を悩ませる。下手に文句を言うと予算を削られかねないから、病院側は唇を噛み締めて、黙って我儘を聞いてやるしかない。

注：二〇二〇年はシナの武漢ウイルス感染症で、医師はギリギリの労働に従事している。感染症に罹患する医師も出ており、医療崩壊も云々され始めている。しかし、政府、厚労省、マスコミその他から「過労死」に留意してという言葉はどこからも聞かれない。言うべきなのに、言えないのである。医療関係者は政府にとって例外的なものなのかも知れない。

6　自殺と平均寿命

芥川龍之介も、太宰治も、はたまた川端康成も、みんな自殺の道を選んだ。私も一度は試みた。旧制高校の入寮時、まだ年端も行かぬ先輩達に哲学的な難問をぶつけられ、カントもへーゲルも、ましてやショーペンハウエルやデカルトもよく理解していなかった自分に対し、一年先輩の生徒達があまりに偉く見えて、自信を失ったせいである。私の一年後輩で同室であった秀才も、「人生生きるに足りず」と自殺した。もっとも仲の良かった青春時代の旧友も同様に人生に絶望し、青酸カリ自殺を図ったが、服用と共に嘔吐して助かり、またその後トラック自殺では撥ねられただけで怪我で終わり、建築業界に入社してはビルの現場で飛び降り自殺を図ったが、鉄骨に引っ掛かって九死に一生を得た。世に「生きる権利があるように、死ぬ権利もある」と言う人間もいる。旧制一高生の藤村操の有名な巖頭之感は美しく、彼の後を追っての自殺が流行した。ゲーテの小説「若きウェルテルの悩み」が世に現れるや、恋する純情多感なウェルテルの自殺を追って、同じ服装を纏った若者の自殺が流行した。

自殺と言うと、マスコミや左翼系の人はすぐに貧困とか苛めとかに結び付けたがる。そういう一面は否定しないが、裕福な東大医学部の同級生にも自殺者がおり、情死もあるし、また東大第二内科での既知の医師約二〇〇名中、八名もが自殺している。東大には変人が多いが、それでも物凄く高率である。それぞれ理由があり（まったく不明のものも少数あるが）、学問的に不幸だからという例はまず無いし、貧乏だからという者はいない。

二〇一五年（平成二七年）の統計では、先進七ヶ国中、日本の自殺率は人口一〇万人比の年平均が一八・五％で断トツ一位であり、二位のフランス（一二・三％）を凌駕している（因みにアメリカ一二・一％、カナダ九・八％、ドイツ九・二％、イギリス六・二％、イタリア四・七％）。日本で統計を取り始めた平成一五年における自殺は三万四四二七人、以後漸減して平成二八年には二万一八九八人となった。政府は子供の虐めが一つの原因と言うが、私達の子供の頃も虐めはあったが、自殺は聞いたことがなかったから、虐めだけではなく、核家族化や教師の幼稚化などにむしろ本当の原因があるのだろう。自殺対策基本法がお節介にならねば良いが。

人の死に言及すると、どうしても平均寿命の問題に突き当たる。

以前にも述べたことがあるが、毎年、世界各国の平均寿命が発表される。日本はいつも上位にあり、世界一を誇ったりもしたが、上位の数ヶ国は似たりよったりで、大きな差がある訳では無い。今や一〇〇歳老人が六万人以上という日本だが、今回の統計によると日本の女性はその第一位の座を降りた。なんということはない。ただどこかの国の老人が増え過ぎたから平均寿命が高くなっただけで、お目出度いと言うほどのことではない。かえって国としては、言葉は悪いが厄介者が増加して国家財政の負担になるだけであり、若い人達はそのために高い税金を支払わなくてはならない。共に嬉しい訳が無い。殊に寝たきり老人の多さは財政の首を絞める。かつて麻生さん（現副総理）が会議の席で「俺は国の補助を受けてまで生き延びたいとは思わない」と言って物議を醸したが、正論である。現在の日本人は国頼り、空を仰いで大口を開けていれば、なんでも欲しいものが天から降ってくる、そう心から信じているのだから救いようが無い。

先日テレビで老人放棄の国を見た。ある年齢に達した女性は家を出、老婆達が集団で生活している姿に「姥捨て山」の昔を思い出した。いずれそういう問題がどこの国でも起こって来るだろう。

だが声を大にするとバッシングを受ける可能性のある今の日本である。確実なことは、それまで私は生き延びられないという事実だ。患者さんにそう話すと、「私より先に逝かないで下さい」と言われる。にっこり笑うしかない。周りの人には「おかしいと思ったらすぐ注意してくれるように」と言ってあるが、そこが私の退け時だろう。最近は「あなたを見送るまでは死ねないよ」とふざける。

だが皮肉なことに、選手交代しても、どういう訳か、私の肩を叩いてくれる筈の後継者の方が先に逝き、私の方が残ってしまう。神様のいたずら心としか思えない。代わって事務長がやって来て私の自尊心を傷つけるような様々の言辞を弄し、私の嫌気を誘うように仕向けて引退を迫る。頼って来られる患者さんとの狭間にあって日々苦悶する私ではある。

7　薬価問題と治療費カットについて

昨今、非小細胞性肺癌の治療について、特効薬としての分子標的治療薬であるオプジーボ

(Opdivo:nivolumab) が、その高価な値段故に問題になっている。元来、悪性黒色腫(メラノーマ)の治療薬だが、肺癌に有効ということで脚光を浴びた。しかしすべての患者に有効な訳では無く、一〇人中二~三人(がんセンターでは一人位と言っている)にしか有効ではないらしいが、それも投与してみてからでないとその有効性が分からないというので厄介である。その点、同じ分子標的治療薬であるイレッサ(Iressa:gefitinib)ではあらかじめ有効例を選別出来る。

問題はその治療費(三六〇〇万円)で、全国で一五万人ほどの患者の三分の一を対象としてオプジーボを使用するとすると、総計一兆八〇〇〇億円という巨額になり、勿論個人では負担出来ないから国庫に頼ることになって、医療財政を混乱させる。仮に有効で治癒したと思われる症例に対しても、再発を恐れて、治療は延々と行われる。どうかと思うが、現在オプジーボ投与例の最高年齢者は一〇〇歳という。こういう癌治療薬は何もオプジーボやイレッサに限られる訳では無く、ほかにも多数の薬品がある。そして例外無く非常に高価である。

ごく最近、国はオプジーボ発売元の小野薬品に対し、半値、つまり薬価を一八〇〇万円に値下げするようにと命じた。だがそういう措置は創薬に対しての障害になるだけである。会社側は後難を恐れて厚労省の言い分に従わざるを得ず、可哀想である。なんとか早く、有効例を抽出出来るよう、学者諸賢の努力を望みたい。ここはまさに先に述べたＡＩが威力を発揮すべき領域である。

このオプジーボに関連して、元国立がんセンターの國頭英夫医師（ペンネーム：里見清一：沢山の著書がある）は『医学の勝利が国家を滅ぼす』（新潮新書、二〇一六年）で数々の卓見を披露している。その中に、「延命治療禁止法」なる項目があり、ペンシルベニア大学副学長エゼキエル・エマニュエル医師に倣い、「七五歳以上の患者には、すべての延命治療を禁止する。（単に痛みを止めるような）対症療法はこれまでと同じように、きちんと行う。これこそが公平で、人道的で、かつ現実的な解決法だと考える」という件（くだり）がある。國頭先生はさらに続ける。七五歳以上の患者に「延命治療」を行った医師に対しては日本国医師免許剥奪の上、国外追放とし、またどうしてもその治療をという患者は外国で治療を行い、かつ国籍を取り上げ、帰国は認めない。案の定、彼は学会からは袋叩きにされた。しかしこの本は私が昨年読んだものの中では出色である。たった七六〇円だから是非手にして欲しい。

とにかく、そもそも命に値段があるのかという大問題ではある。

上記のエマニュエル博士、実はオバマ政権時代、医療保険制度改革法案成立を主導した人としても知られる。もともと腫瘍学者、生命倫理学者だが、その後、二〇一九年九月二四日、年を重ねた人間の人生の価値とは何かという質問に対し、「人は七五歳までに人生を終えて良い」と発言、論争を巻き起こした。彼は人間があまりにも長く生き過ぎると言うのである。勿論七五歳以上生きることを否定している訳では無いが、「自分は七五歳に達したら、医学的介入、抗生物質、予防接種などを拒否する」と言い、また「七五歳で積極的に人生を終わりにする積もりは無い（つまり自死する積もりは無い）」が「積極的に寿命を伸ばす積もりは無い」と言う。

寿命延長を支持しない主な理由は二つある。

一九八〇年初期、将来人間はより長く生き、より良い健康状態を保つであろうと考えられていた。つまり人は七〇歳になっても五〇歳の時のようにいられるだろうと考えたというのである。こういう虚報は今でも日本のテレビコマーシャルなどでまことしやかに流されている。しかしそのような事実も無く、逆に実際には多くの障害を抱えた老人が増えたのみである。実際、日本で言う後期高齢者（七五歳以上）を過ぎて、新しい書籍を執筆したり、新分野を開拓したり発展させたりする人は多くはない。つまり遊んでいるだけで、田原総一朗さんが言うようなモチベーション（学習意欲）を持って生活する人は多くないのだという。

彼の言う第二の理由はアメリカでは老人に予算を使い過ぎるというものである。アメリカ連邦が一八歳未満の一人に一ドル使う時、六五歳以上の人には七ドルが使われている。これは今どき、日本でも少子高齢化に伴って、若年者の何人が一人の後期高齢者を支えているかという問題にも現れている。

彼の主張には賛否こもごもであるが、先生は一九五七年九月生まれ、二〇二〇年の時点で六三歳である。七五歳まではまだかなりあるが、果たしてその年齢に達した際になんと申されるか楽しみだ。考えが変わった、世界が変わったとか言わずに矍鑠（かくしゃく）としておられるか楽しみだ。だがその頃には私はとっくにあの世行きだからどうでも良いのだが。

しかし少子高齢化の日本では、博士の言うことは確かに現実味を帯びている。先ほども少し触れたが、我が国では高齢者一人を支える現役世代の人数、つまり生産年齢人口は、過去の統計を見ると確実に減っている。一九六〇年には一一・二人で一人の高齢者を支えていたが、二〇年後の一九八〇年にはそれが七・四人に減少、二〇一四年には実に二・四人に激減した。由々しき時代で、政府は高齢化社会の将来を見通して、生産年齢人口増加、つまり出生者数の増大を計画、そのためには出生率の向上しかない。まして総人口の減少傾向にある日本では、出世率二・〇以上はどうしても必要だ。このままでは推計で一・二～一・三人、つまり生産者一人で高齢者一人を支える、いわゆる「肩車社会」になってしまう。とんでもない負担である。それに人口減少は国内市場を縮小させ、労働人口は減少、それが回り回ってさらなる人口減少を招くという悪循環を生じさせる。

私は経済のことには音痴だが、働き手人口と支えられる人口とのこのようなアンバランスは経済不活性社会を生み、イノベーションは低下するだろうし、これらがさらに悪循環を助長するだろう。生き甲斐の無い社会となり、納税額も減るから国債発行を増加することになるが、日本人はもはやその国債を購入出来る力が無いから海外に依存するしかなく、その結果、その利息返済に苦慮し、最終的には経済破綻、そして想像すらしたくないが、その頃は世界一国力の増したシナ（中国）の救済を受け、否が応でも共産圏に巻き込まれる結果となるだろう。それに逆比例してアメリカは既に衰退に向かっているに違いない。歴史的に見ても、永遠に栄華を誇った国など一つも無いのが歴史的現実だから。

考えるのが嫌になった。今は自由に徒然なる日々を送っておられようが、そうなったら雁字搦め（がんじがらめ）の中で苦難の徒然ならざる日々を送ることになるだろう。いや、その頃はもう私はいないんだ。脱兎のごとく遁走し、気色の悪いことは考えまい。

8　予防医学について

最近、予防医学について基本的なことを考える機会があった。二〇一六年、第六四回日本心臓病学会での"Sakamoto Lecture"で、国連の疾病予防委員長を勤めるイギリスのウッド（David A Wood）博士の"Prevention of cardiovascular disease-a global challenge"（心血管疾患の予防―世界的挑戦）と題する心血管疾患の予防に関するお話を戴いた。イギリスの国立衛生研究所（National Heart and Lung Institute）にも所属されていて、型のごとく、タバコ、脂質などを含めた広範な話であったが、既に日本人には広く知られている内容なので詳細は省略する。

しかし予防医学を専攻する方には申し訳無いが、予防、予防と言うけれども、その結果として人生が長くなり過ぎ、延命治療に専念する結果を招く。今や救急救命センターは老人センターとなって本来の意義を失い、健康長寿どころか不健康長寿の溜まり場となって、日本の保険制度を圧迫し、国家的問題を招いているのである。古代ローマの昔から「健全なる精神は健全なる身体に宿る」とは言うが、実際にはそうはならないことが多いが故に、「そうなれかし」と古代ローマの詩人ユウェナリウスが言ったものである。因みにプラトンの言により、生まれた子をすべて国家が引き受けて養育し、しかもそれは世に言うスパルタ教育であった。かくしてギリシャはその後、外国人の傭兵を雇うようになるまで、繁栄を保ったのであった。

医療の目的は単なる延命にあるのではない。「健康長寿」だと皆さんがそう言っている。しかしである。生物は必ず老い、病に倒れ、そして死ぬ。それ故、予防ばかりでは事の本質から外れる。短くても実のある生であれば良いと考える人もいるだろう。また自分が生き過ぎて、その結果、他人に迷惑を掛け、それを良しとしない先述の國頭先生やエマニュエル先生のような人もいることを考えるべきでもある。先に述べた麻生副総理もそうである。

ウッド先生の講演が終わって、私は思いきって質問に立った。例によって皮肉な質問である。「お話のように、広範また綿密な予防の結果、死亡率が減少するのは確かでしょうが、その結果、居住地区の少ない日本では例えば富士山のてっぺんから九十九里浜まで立錐の余地もないほどの人の集合体になったらどうするんですか」。

蛙の面に水と言うか、瞬間的に平然とした返事があった。「そうなる頃にはまた、例えばエイズのように、新しい病気が蔓延して生物（人）を淘汰してくれるでしょう」。人を食ったような馬鹿げた答え、お笑い草である。（となると現今のコロナは救世主となる）。でもそれ以来、彼とは親友になった。

だが世界的な人口爆発は目前の難題である。それに伴って地球の環境が急激に悪化、気象状況もどんどん変転して、天災が絶えない世界となった。加えて日本では地上のみならず、地下からの脅威、地震、そして津波がある。東京に住んでいると、地震を感じない日はむしろ少ない。就寝中に目覚めることもある。関東大震災から一〇〇年近く、富士山大噴火も取り沙汰されている。起これば関東は大被害、東京は二mの火山灰に覆われ、すべての機能が長期間停止するという恐ろしいニュースも見た。それに西日本に発生間近という南海トラフ大地震とそれに伴う大津波が起こったとすれば、それこそ、小松左京ではないが、日本沈没そのものになるであろう。でもその頃に私はいないのだから、「お生憎さま。お可哀そうに」と前もって言っておこう。

とにかくすべてが難しい問題である。しかし人の命について言えば、長寿が良いのだとは必ずしも言えないのも事実である。「命長ければすなわち辱（はじ）多し」（荘子）である。そういう私も、昔なら妖怪の類となった。そしてウッド先生とは月と鼈（すっぽん）、枯れ木も山の賑わいと言われる前に、早々に退散すべき私だ。

私は永年に亘り、元東大第二内科が発行する『同窓』という雑誌に、死んだ後この世に生き返って来た「ゾンビ」としての自分を想定して、毎年下らない長々とした随筆を書いている。ゾンビはゾンビであるからこそ、この世の仕来たりに束縛されず自由奔放で自在である。すっかりゾンビになりきった私は、勝手気儘な筆法で面白がられ、また一方では生真面目な方々に奇異の眼で見られ、あるいは顰蹙を買っている。これも年寄りのせいか。編集人がこのようなゾンビを見て、迷惑だとは思いながら、これも年が育てる話の種だろうし、またどうせそのうちに寄稿が途絶えるだろうと、じっと我慢されているのかも知れない。

参考：坂本二哉：ゾンビのたわごと／ゾンビの「可能性」談義／ゾンビのラメント／ゾンビ、諺にこだわる／ゾンビのウイーン紀行（奇行）／ゾンビの歯軋り／ゾンビの遺言／ゾンビ、ふるさとへ還る／ゾンビの落穂拾い／ほか。東大第二内科同窓会雑誌『同窓』。

エピローグ

健康医学に対する私の寄稿は恐らくこれが最後になるかも知れない。そう思っていたので、実は大きな構想を持って臨んだのだが、期日が過ぎ、小さな風船が針でつつかれてあっという間にしぼんでしまうように、持論が萎縮してしまった。一方、イギリスのEU離脱、私が勝利を確信して皆さんの顰蹙を買っていたトランプ・アメリカ大統領の出現（マスコミにいかに先見の明が無いかが歴然としたが、その後はなんとかしてトランプさんを悪者にしようとしている）、日韓、日中問題、プーチン・安倍会談、沖縄基地問題、小池東京都知事と豊洲問題など、多くの外交・政治的な問題があった。少なくとも明るい話ではない。だが、リオ・オリンピックでの日本選手大活躍（就中、伊調馨のレスリング四連覇：国民栄誉賞）、内村の体操三連勝、四〇〇メートルリレーの銀、その他、水泳、卓球、テニス、射撃などなど）、スケートの羽生GP四連勝、一四歳の張本・卓球優勝（二〇一七年）、東京オリンピックへの願い（観ることは叶わないだろう）などの明るい面もあった。

そのほか振り返ると多くのことがあり、その度に眉を顰めたり、あるいは目を大きく見開いて微笑んだ。そして我が阪神タイガースのＢクラスへの転落という泣くに泣けない出来事。さらに我が家の最大ニュース（椿事）は、多病息災の私が二〇一六年、一度も入院せず、除夜の鐘でみんながほっとしたことである。以来、令和の時代を迎えても、幾つかの小さな病気を新しく患い、また小手術を三度も受けながら入院生活とは無縁である。不思議だ。何か大事件がありそうだ。

新型コロナウイルスのパンデミックは予想だにしなかった。

それらはともかく、私にとって幾つかの徒然ならざることを挙げるとすれば、道産子（どさんこ）にとって抜き差しならぬ出来事がある。シナ（中国）による我が故郷の占拠である。あちこちの山林を購入しており（水も欲しい）、立派なホテルなどを作り、そこはシナ人の天国で日本人を入れない。そういう所が多数出現し、それに対して政府は規制の手を有していない。自衛隊基地に接した土地を手にした者もいる。そしてついにシナの要人がやって来て講演し、「ゆくゆくは札幌を一千万都市とし、北海道をシナの第五三省としたい」とほざいた。尖閣列島問題を云々している間に、北海道という広大な土地を実効支配したいらしい。一帯一路とかいう中国版「植民計画」である。彼等には遠い昔から国境という概念が無い。北海道には左翼が少なくないから、あえてそれに逆らう者はいないみたいなのである。三期務めた元北海道知事で後に民進党のボス（最高顧問）になった横路孝弘氏は親譲りの完全な左翼である。北海道での自衛隊の訓練を最後まで認可しなかった。ともかく媚中外交主義の政府は弱腰過ぎ、シナのことを名指しで非難することは無く、国会でも都合の悪いことは常に「近隣諸国」としか言わない。韓国、北朝鮮は名指しするが、この二ヶ国を除いての近隣諸国とはどういう国を指すのだろう。ごく最近になっても、国会での安倍首相はシナを指して、やはりやんわりと「近隣諸国」とか、「ある国…、ご承知でしょうが…」と繰り返している。戦前の近衛文麿首相のように、「吾、シナを相手とせず」と豪語出来ない日本は悲しい。そしてみすみすこちらが利用されるのを知りながら、今もって習近平氏を国賓として迎えるという態度を保ち続けているのも情けない。媚中外交は今後も変わりそうにない。

さらに周辺に目をやれば、以前にも書いた通り、功名心の余りか、論文を偽る学者は後を絶たない。徒然なるままになどと、平然と構えてはいられない事態が身近にある。残念なことに、最近またまた我が東京大学でも大々的な不祥事件が発覚した。実に嘆かわしい。実際、東大を始めとする論文の偽作（永久に無くならないと思う）、専門医制度という患者には最悪な制度問題、さらに数々の凶悪な事件もあった。インターネットで見ると、毎日のように見るに見かねる医学関係の情報がある。理想とはほど遠い暗闇の医学の世界である。患者に対する奉仕の精神が欠如し、名を挙げるため、あるいは収入を上げるための医療が目立つ。早急に事態を解決する必要のある退引（のっぴ）きならぬ事態で、残念なことである。とても徒然なるままに過ごすという訳には行かない。

「またまた」と書いたのは、このような不祥事件がとうの昔から存在していたという事実である。とても九牛の一毛と見過ごす訳には行かない。まさに「浜の真砂は尽きるとも…」と盗人の絶えることの無い世の中を詠じた石川五右衛門を彷彿とさせる。人間とは、日本国憲法第一条のような性善説では語れない代物と言って良い。真面目に研究し論文を書く、それは学者の義務であるが、一方、後世、新たな研究によって昔の論文が否定されることは数限りない。ある意味では科学というものがそれまでの説を否定することから始まるとすれば、それは止むを得ないことである。それは学問の進歩である。ノーベル賞にもそういうことが少なくとも二件あるとは既に述べた。胃癌が寄生虫によって引き起こされるというデンマークの学者の受賞などはその一例である。だが胃癌刺激発生説の横道に、同じくノーベル賞に輝いたピロリ菌発見があったということも、大きな学問的進歩であった(B Marshall,R Warren、二〇〇五年、医学・生理学賞)。彼らが当時予測した訳では無いが、胃炎、胃潰瘍を通じて、胃癌の発生に関係することが判明したからである。

だがこの二人の地道な研究に基づく偉業とはまったく逆に、あらかじめ偽りであると知っていながらそれを論文とする学者もどきがいる。つまり偽善であることを隠して医学雑誌に掲載し、それで学位を取得したり、履歴書などにも堂々と記載したりする。あるいは他人の論文を自分のものとして知らん顔をする。

これらは言ってみれば犯罪行為だが、しかし私の知っている医学の領域ではひっきりなしに起こる。一九六〇年代のことだが、ダーシー（Darsee）事件という一大スキャンダルがあって、アメリカの心臓病学界の大御所が関係し、偽論文を掲載した一流紙のNew England Journal of Medicineに取り消し掲載とその理由が述べられたショッキングな事件もあったが、第一章で詳述したのでここでは省略する。

老人の杞憂だが、医学教育も危機に瀕している。患者を診たことも無い実験医学者が堂々と臨床科目の教授に鎮座し、また臨床関係の学会理事長などを務める。勿論、分子生物学を過大視する医学は患者の診療には役立たない。しかし診療について真剣に教育する大学は数少ないし、またそのような教育熱心な医師はかえって蔑まれる。

私は特に循環器疾患に興味を持つ医師であるが、その前に内科医なのである。それ故、力不足だが内科のなんでも屋であり、また常にそうありたいと念じている。勿論いわゆる専門医（知己の医師）に依頼することも少なくはない。また時には眼科、耳鼻科、皮膚科などの患者も診る。循環器の患者でもそういう病気を持つ例が少なくないからであり、いちいち専門家に紹介していては莫大な時間と経済の浪費となり、患者の生活に支障が生じる。

私達は有志を募って、以前から循環器診断法の講習会（身体所見を主とするPhysical Examination）を開催して来た。規定の二六〇名の席はあっという間に満員となる。それだけ患者診察に興味を持つ若い医師がいるのだと思ったが、一つには大学で教えないから（教えることが出来る教官がいないから）というのも実態らしい。以前は教育法を知るために大学の古い医師も参加していた。私は毎年話題をクルクル変えて、一時間ほどの啓蒙的な教育講演を行う。そしてそれが楽しみでもある。全国から医師が集まるのだが、一〇数年間、臨床から遠いと思われる東大からは参加者が一名もいないのはどうしたことかと思う。東大出身者ではないが、現在東大に勤務している医師が一名、講師として指導に当たってはいるが、東大の教授達が学生を牽制しているのかと勘繰ったりもする。

そういう講習会の楽しみを味わっているうちに、年月はどんどん進み、一〇歳ほど年下で、この講習会の発案者で愛弟子のY君が先に亡くなった。あちこちの同窓会でも、「お次はだーれ」というところに来た。家族は「何かのミスを仕出かす前に引退せよ」とか言い、知人も歯に衣を着せず「晩節を汚すな」と迫る。「惜しまれて去るのが良い」と親友は言う。

だが働き蜂の身には「三つ子の魂 百まで」の諺が身に染み付き、そして今なお「日暮れて道遠し」の心境である。しかし「寄る年波」に抗しきれなくなるのは目に見えている。そのうちにボケ始めるだろう。いやもうボケ始めているフシがある。しかしアインシュタインの言葉が気になる。「過去から学び　今日のために生き　未来に対して希望を持つ」。そのためにはすべてにチャレンジする心構えで、モチベーションを持ち続けることが肝要であろう。卒寿を迎える私は心底そう感じている。

つい先日、桂三枝（現：桂文枝）の「ロンググッドバイ―言葉は虹の彼方に―」という創作落語を聞いた。論文並みに抄録を述べると、独り身になった親父を一人息子が引き取る。親父の土地が手に入るからと渋々ながら同居を承諾した嫁と三人の娘は、ことあるごとに文句を言ってその父親を排除し、ついに親父がボケたボケたと言い出す。息子は仕方無く親父を連れて医師に相談する。確かに少しボケてはいるが、逆に医師が親父に適当にあしらわれたりする。諸般の事情を察した親父は覚悟を決めて宝くじで一〇億円当たったと嘘を言い、わざと女達の誰かがそのくじを隠したと当たり散らす。事情を知らない息子は止むなく諦めて親父を施設に入れようと決心して連行する。親父は息子の名を忘れたふりをし、逆に息子は親父がついに己の名を忘れたと思って泣く泣く施設を去る。見送った親父は将棋相手の老人に、「息子の名を忘れることが出来ないのが一番つらい」

と嘆く。侘しくも見事なボケぶりである。
最後の最後には、このような真似をしてみたい。

これが私の二〇一六年度版「徒然なるままに」である。来年は何が待っていることだろう。蛙鳴（あめい）蝉噪（せんそう）の日々か、侃々諤々の月々か、はたまた百家争鳴の世情か、いずれにしても胡思乱想の生活から脱すること能わず、邯鄲（かんたん）の夢を偲ぶ暮らしは期待出来そうにない。

でも最後の最後まで頑張ろう、そう決心して今どき物議を醸している日本学術会議への長大な意見書をまとめ（健康医学「日本学術会議論考」、五〇巻、二〇二一年：本書第六章に掲載）、一方、これから育つ孫のような医師を相手に手引書を作り（『心音ふしぎ探検』、二〇二一年、南江堂）、そしておそらく人生最後の学術書としての研究書（田中元直先生と語る心臓生理学：仮題）を執筆中である。それを終えるまでは死ねない。いや死んではいけない。

第四章　異論な異見

プロローグ

おかしいということが端から分かっていても、日本人はその解決を先送りする名人である。いつ起こるか分からず、一〇〇年に一度、超大型なら一〇〇〇年に一度という地震は、東日本大震災があったために喧々諤々（けんけんがくがく）論じられているが、それよりはるかに高頻度の世界的大感染症（パンデミック）に対しては、ＳＡＲＳ（重症急性呼吸器症候群：二〇〇二・一一・一六～二〇〇三・七・五）やＭＥＲＳ（中東呼吸器症候群：二〇一二・五～二〇一四・一二）の侵入を防御出来たからかもしれないが、感染症対策を先送りをして、武漢ウイルス感染（COVID-19：二〇一九・一一・二九～）の惨劇を経験することになった。いち早く対処した台湾などとは大違いである。

このように結論を曖昧にするとか、結論を出しても実行しないとか、私にも気色の悪い沢山の経験がある。昔、ある勤務先病院の理事会で、小田原評定的な話にうんざりし、「会して議せず、議して決せず、決して行わず」と理事長を揶揄して窘(たしな)められたことがあるが、即断即決が苦手の国民性はそう簡単には是正されない。会議は内容よりも時間の長さの方が大切で、堂々巡りが多いから色んな意見（〝異論な異見〟）が出ることになり、しかもそれら両方が最終的には尻込みして、いつまでも経っても結論が得られない。もどかしい。時にはそれが度を越してイライラする。メッテルニッヒ主導のウィーン会議も「会議は踊る、されど進まず」と言われたが、一方、かつて昭和末期の東大医学部教授会はそれとは逆にお偉方教授の事前の打ち合わせがあるらしく、当日は午後一時丁度に開催、一時五五分かっきりに終了した。結論先にありきで、他の大半の教授はただ結論を聞かされるだけ、本を読んでいたり、居眠りしたりの者もかなりいて、議論は皆無であった。これも愚である。今はどうなっているだろうか。

世の中、一つのことについても様々な意見がある。早い話、憲法論議にしても、やれ改憲だの護憲だのと、実利と感情が入り混じるものだから実にかまびすしい。憲法第九条があるから日本は平和であるという空論・愚論はさて置き、日本の憲法学者は多くが自衛隊は違憲だと言い、世論や政府はそれを認めたがらない。でも現行憲法をそのまま素直に読むと、やはり自衛隊は一応違憲と見るべきだろう。いくら現在の憲法学者の多くが（倉山満氏によれば）宮沢俊義、丸山眞男、横田喜三郎という東京大学法学部三悪人教授、あるいは極悪人と呼ばれる宮沢教授の後継者である芦部信喜憲法学教授の門下生であろうとも、また逆に自衛隊が震災などでどのように貢献しようとも、文字を素直に、つまり字面（じづら）をなぞれば違憲は違憲である。それだからか、震災救助に身を張って働いても（一名殉職）マスコミは一切報道せず写真さえ見せない。だがそれに対して、与党も、それを「暴力装置」と称する大臣のいた野党さえ、一旦政権をとれば、世論を慮ってか、時の政府はいずれもなんらかのこじつけ解釈を行って合憲だと言い張る。だが、書かれている文章と現実とはまったく違うのだから、学者の言うことは間違っていないのだ。

しかし問題は別にある。日本の憲法学者が現実と憲法の離反を指摘することに終始し、彼等が金科玉条とする憲法を「より理想的かつ社会的現実に適合させるにはいかにすべきか」という、本質的で基本的な憲法問題をまったく閑却しているのは大変おかしい。そういうことに気付きさえすれば、学者の方から日本の安全についてあるべき姿を論じ、その上でむしろ積極的に改憲という議論が発生すべきで、それが憲法学者あるいは国際政治学者の本来の責務ではないかと考えたくなる。それは異論であり異見かも知れないが、論じ合っても良いのではないか。イギリスには何故日本のような憲法が無いのか（不文憲法）を考えると、世の中の変遷に伴う常識に従おうとしない日本の憲法学者は学問的に怠慢だと思うがいかがなものであろうか。日本学術会議に問いたい。

これを医療に例えるなら、新しい治療法が出現しても、旧来の方法はこうだからと譲らない愚行に似ている。細菌感染は免疫療法によって治療するという陋習を打破したのは抗生物質ペニシリンの発見で、それに従わなかったため、大指揮者フルトヴェングラーは肺炎で死去し、一方、大英帝国首相チャーチルは救命された。今の日本の憲法学者は、この〝免疫療法の妥当性〟にどういうお墨付きを与えるかしか考えていないらしい。戦後レジームから脱却しようとする現今、愚かしい。

私見だが、時代に合わなくなった憲法、殊に第九条は至急改正さるべきである。従来のこじつけ・ごまかしを脱することによってアメリカからの属国意識を脱せねばならぬし、一方、今や南シナ海の諸島を一方的に自治体とし、「三沙市」傘下に行政区域として「南沙区」と「西沙区」を新設しようとする空恐ろしい共産主義のシナに対峙すべきであろう。最近の尖閣諸島を巡る攻防は危険この上無い。何よりも国家としての矜持を保つこと、そしてそれよりも今までに費やされた膨大で不毛の論議に終止符を打つための改憲である。何より国家や国民の安泰を守れぬ憲法など無意味である。私学助成金のような明らかな憲法違反の是正を除くと、後は問題にするところはほとんど無いのである（お花畑と称せられる第一条に考えられない誤文はあるが）。

そういった憲法論議に対して、マスコミもまた様々な書き方をして来た。そして新聞批評も対立する。いずれが正論か異論か論戦すべきなのに、それぞれのマスコミがあたかも自分が世論を誘導出来、政府のご意見番あるいは更に忠臣であるかのように勘違いしているのが目立つ。しかもその中にあって朝日新聞のように、ある特定の首相に対する怨嗟と言うか、終始、まるで駄々っ子のような感情論を繰り返しぶちまけるものまで現れて、それに阿る夢遊病者のような愚弄な学者、評論家、右も左も区別出来ない愚民は、心ある者達の顰蹙を買っている。私淑する西部邁さんのように右も左も容赦なく批判する方は稀だが（残念ながら二〇一八年一月二一日に自裁死された）、偏向する各新聞、殊にリベラルと称する左翼新聞は自分に都合の良いところだけを切り取り（報道の自由）、また不都合なところはカット（報道しない自由）して記載するから、時として、否、往々にして、事実と異なる結果を読者に提供しており、それを憚るところが無い。新聞社を非難する本は沢山あるが、なぜか朝日新聞は袋叩きに遭って一〇冊以上もある。雑誌などでの非難はそれこそ毎号である。巷間聞くところによれば、世の中の動きの真実は、フェイクニュースを流すアメリカのCNN、「アサヒる（朝日る）」と称せられ『現代用語の基礎知識』（自由国民社刊）によれば嘘つき・

捏造・改竄(かいざん)・隠蔽主義の朝日新聞、それに朝日新聞社内に支店を持つニューヨーク・タイムズなどの記事の逆と考えれば良いという。

私の知る限り、朝日新聞記者による沖縄サンゴ礁毀損自作自演の虚報（社長辞任）や長年に亘る執拗な慰安婦問題の恐るべき虚構など、社を挙げての宣伝作戦を見れば、実際そうだなぁと思う。東大紛争時にも朝日新聞朝刊第一面に、巨大な活字で「東大医学部長、病院長辞職」というガセネタ記事が載って、当時の第二内科上田教授（現職病院長）が呵々大笑した光景を思い出す。そのほか例を挙げれば際限が無い。モリソバとカケソバが何かしたかと思ったモリカケ問題なども、結局、朝日のフェイクニュースだと聞いたが、なんの証拠も無いのに朝日やそれにまつわる野党がまるで鬼の首を取ったかのように騒ぎ立て、これで国会がいかに空転し、巨額の歳費と莫大な時間を空費したかを考えると、「それどころではないよ、日本全土を太平洋に沈めてやると公言するなど、北朝鮮の重大問題があるのに」と、多くの国民は不安に思ったのである。否、むしろ沸々たる怒りさえ感じる人が多いのだ。朝日のように首相から直々指弾される新聞などありはしないだろう。

このように事実よりも先に情念が噴出する、それが聴衆を見下すような朝日新聞の公平性の欠如ということに繋がっているみたいだ。いずれにしても朝日や毎日の両紙やその系列の朝日テレビ、TBSテレビの日本を貶めようとする反日報道は酷いものであると思う。毎日新聞の英語版は日本人の目に触れないが、頻繁に嘔気を催すような捏造反日記事があり、アメリカ人は勿論、世界の人はそれを信じるのだからまことに困ったものである。

注：断わっておくが、私は何もこれらの新聞に特別な怨恨を抱いている訳では無い。当診療所S医師の著を引用するまでもなく（＊）、アメリカ大統領ルーズベルトの計画にまんまと引っかかって始めた大東亜戦争の開戦二年後、中学校二年の勤労動員の際にクラス全員による戦争万歳の写真が（何度も取り直したので「やらせだ」とは思ったけれど）東京朝日新聞に載った。私達はそれによって「鬼畜米英」を学び、戦争に駆り立てられ、戦意を高揚した。新聞報道では「敗戦退却」は「転戦」となり、決して「我が方劣勢」とか「敗戦」とは報じられなかった。逆にいつも「勝利、勝利」であった。ミッドウェー海戦、マリアナ沖海戦の大敗北も「我が方損害軽微」などで、壊滅的敗戦も黙殺し、まともには報道されなかった。当時の大新聞が朝日と毎日（確か東京日日新聞）で、そのフェイクニュースに若者は踊らされ、私達少年は国防の重要性を叩き込まれ、軍人を志向した。「鬼畜米英」が新聞のスローガンであった。

しかし晴れて海軍経理学校に入学して、初めて「もはやお前達の乗船する軍艦は無い」と訓示されて事態ののっぴきならない緊迫化を知り、敗戦は当然のこと、むしろ戦後の日本のために貢献するかのように教育された。軍事訓練などは形ばかり、ほんのわずかしか行われず、英語教育禁止の国策にも拘らず、週三九時間の授業のうち実に一三時間が英語（数学も一三時間）であった（皮肉にもこの厳しい教育は後々非常に役立った）。悲しいことに中学校の先輩には、実に終戦の日の八月一五日朝に特攻隊で出撃し、還らぬ人となった若人がいる。

＊佐野忠弘：日本はハルノートを受諾すべきであったか。佐野忠弘、町田五枝：亀の落穂拾い。内山印刷、二〇一七、六二―六七頁

戦後、大学一年生の折、朝日新聞に連載された獅子文六の「自由学校」を読んでいた。またこの新聞のかつての社会部編集長Kさんは中学（級長）・旧制高校（同じ寮）・大学を通じて私と同窓生であり、入社後南極捕鯨の記事を連載して才覚を発揮した。久米宏に先立ってテレビ朝日ニュースステーション（報道ステーション）の司会も務めた。週刊朝日の編集長Y君は高校・大学の友人、以前の「アエラ」の編集長Tさんとも交友がある。私の処女作『大学への散歩道』は朝日新聞夕

刊に紹介され、そのお陰か、かなり売れた。大変恩義がある。それに「夕陽妄語」という、我が第二内科の一〇年ほど先輩故加藤周一さん（血液学専攻）による朝日夕刊連載は魅力的だった（それと吉田秀和氏の音楽評で私は朝日を購読していた）。だが一方、新聞投書欄が実はOBなどによる「やらせ」だということが拙宅で一夜飲み合った朝日のお偉いさんから聞かされて心底驚いてもいた。投書欄は第二の社説なんだと彼は言っていた。その直後に例の有名なサンゴ写真贋作記事が載った。また最近のNHK二時間番組（BS1スペシャル）「戦慄の記録 インパール」を見ると、大東亜戦争で戦死者三万、戦病死四万（餓死者が多い）を出すという阿鼻叫喚、最も無謀で凄惨極まる敗戦が事実なのに、朝日と毎日はそれを隠蔽し、あたかも日本軍優勢のような記事を書いて国民を裏切っていたことが分かった。当時はそうしなければならなかったのだということは言い訳にならない。もしそういう理屈が通用するならば、今でもそういうことをしているという訳である。そうすると慰安婦問題や南京大虐殺（朝日）とか百人斬り（毎日）がデマであったことも頷ける。

その毎日新聞に、昨年、海軍経理学校予科の全生徒に対して終戦時に訓示を行ったという、誰も知らない末端士官の虚偽談話が囲み記事として堂々と載せられていた。考えられぬほど極端な誇大妄想である。筆者にじかに問い質したところ、原稿を依頼されたが、つい筆が滑って出鱈目を書いたと釈明した。そういう原稿をウラ調査も推敲もせずに大々的に掲載する毎日新聞の編集部門がいかにインチキであるかが良く分かる。呆れてものが言えない。戦争中の虚偽報道となんら変わるところはないではないか。そう言えば、朝日新聞の慰安婦強制連行は新聞社自身によって取り消されたが、「従軍慰安婦」という出鱈目名称は、確か毎日新聞の某記者の作品である。

ついでだが、自衛隊が軍隊と明記されないと困ることがある。軍人は捕虜になると世界の条約によって身が保護され、死亡すれば家族に年金が与えられるが、そうでなければなんの補助も得られず、よしんば虐待を受け、殺されても訴える場所が無いのである。自衛隊員は兵士ではないから他国の兵士におけるような人権を守るオンブズマン制度は適用されないし、ましてや労働組合も持っていない。丸裸である。それに本来は警察や消防の仕事であっても、政府によって死を賭しての一方的な任務に就かされる。日本人はそれに慣れて当たり前だと思ってしまっている。日本政府はそこのところも誤魔化して、年金を与えている。私立学校に憲法違反の補助金を出しているのと同じである。まことに日本らしい。

妙な脱線プロローグとなったが、今回のエッセイはそれほど高等なことを論じようとするものではない。そうそう、医療に関するものが第一であるべきだ。例えば普段患者さんに接していて「これはこうだけどなぁ」と思ったり、通勤する病院・診療所勤務、その他諸事万端、気付いたことをそのまま書いてみようとすべきものである。かと言って藤原正彦さんのような「管見妄語」的軽妙洒脱な佳品の筆致を望むことは到底出来ず、悪く言うと世捨て人の愚痴のようなたわ言、あとは雑感である。でも往々にして「その他・雑」の方が大切なこともあるものだ。

見渡せば、異論を差し挟む余地はこの世に無数存在する。医学とて例外ではない。その上、私は根っからのひねくれ者、物事を斜交(はすか)いに見る天邪鬼(あまのじゃく)だから、正論どころか、色んな「異論」を唱え、他人と違った意見、つまり「異見」（私見、愚見、珍見、奇見などなど。卓見は少ない）を唱える癖がある。自慢ではないが、住んでいるマンションで四〇数年間、正式に理事をやっていないのはただ一人、私である。理由は「異論」を唱え、おかしな「異見」を述べ、会議を邪魔し、皆さんの意見に対して悶着を起こし、協調性に欠け、しばしば話の筋をへし折るので、危険人物、あるいは奇人として排除されているだけのことである。半世紀以上に亘り私を厳重に監督して来た家内は皆さんへの迷惑を防ぐのに苦労しているらしく、「世間知らずの学者馬鹿ですから」と、私の口を封じ、人前に出さないようにしている。私自身は己の言を「正論」と信じているのだけれど、それが家内始め御一同によって異論、時には邪論と決めつけられるとなれば、「あーあ。やはり『正論』は世に迎えられ難いのだ」と苦し紛れに諦観せざるを得なくなる。でも皆さんがお前の意見は手前味噌だとか自分勝手だと断じてくれ、排除し続けてくれれば、そのお陰で私は余計な世間的雑事から解放される。その分、暇を趣味（勉強も含む）に流用すれば良く、総体的には楽をしていられる訳だから、勿論その方が良いのであり、こうやって「健康医学」へのエッセイも執筆出来るという次第である。そして指一本でいざパソコンに向かえば、もはや私になんら揺蕩う気持ちは無い。いかなる権威に対しても、いかにも便々とした秋波を送ること無く、また右にも左にも唯々諾々として欽慕することもせず、思うところを忌憚なく述べてみたいと思う。

1　患者さんを巡って

A　患者さんの呼び方

私の口癖だが、戦後（と言ってももう七〇年以上になる）、医療で何が変わったかと言うと、その際たるものは患者と医者の呼び方だろう。いつかも述べたが、以前は「お医者さんがいらした」とか「患者が来たら」だったものが、今は「医者が来た」、「患者様がいらっしゃった」となった。これほどの主客転倒はほかの世界には見当たらない。

注：私が東大病院内科でインターンをしていた昭和二九年、当時は「おい、田中、そこへ座れ」などと患者さんを呼び捨てにした。どころか「なんだ、お前…」という医師もいた。「医師」という言葉もあまり定着しておらず、「お医者さん」か「先生」だった。患者の中には「自分より年下の者を先生とはおかしい」と言って「さん」付けで若い医師を呼ぶ患者さんがいたが、流石に呼び捨てにする患者に出会ったことは無い。昭和三〇年代ではカンファなどでは患者名は皆呼び捨てだった。そう言えば今様の代議士を「先生」と呼ぶ習慣も無かったように思う。

外来で「〇〇様」と患者さんを呼ぶのは今や常識である。だが東大病院のアンケートでは、この「様」付けに賛成する患者さんは少なかった。銀行やデパートあるいは美容院でもあるまいし、「様」は様（さま）にならない。おちょくられていると感じたり、気色悪いと言ったり、あるいは金をふんだくることへのお詫びと受け取る人もいる。大方のところ、「さん」付けが最も好評である。でも少数の患者さんは「様」が気に入っているらしい。理由は簡単、他のところで「様」と呼ばれる機会が無いからである。

私は看護婦さん（今は看護師と言う。ペテン師、詐欺師、山師なみの「師」が付く。患者さんのほとんどすべては今でも「看護婦さん」と言う）に「様」付けを禁じているが、事務方が許さないらしい。もう一つの勤務先では「さん」付けなのにと、何時も思う。

私が色んな病気で通院しているある大病院では、面倒だと言わんばかりに、「受付け番号」の紙を出して、患者さんを番号で呼ぶことにしたことがある。個人情報云々の時代だからかえってその方が良いだろうということもあって、一件落着、やれやれだったが、思わぬ事件が発生した。一寸強面（こわもて）の患者さんが「囚人番号で呼ぶな」と激しく食って掛かって来たのである。その苦情申し立ては、恐らくかつての自分の囚人番号と病院のその日の受け付け番号が偶然一致して、鬱々たる刑務所生活の思い出が頭を過ぎったのであろう。もう一つの病院では（断わっておくが、私は実に多くの病院の患者である）、番号呼び出しでは放送の度に一々番号札を見なくてはならぬと文句が出、スクリーンに番号を出し、声では一切呼ばないことにした。すると「冷たい」という投書が増えた。さらに居眠りしている患者さんは診察の順番が狂う。やはりそんな場合にはスピーカーの世話にならねばならぬ。そして結局問題の無い「〇〇さんという呼び出し」に返って行った。その方がよほど親しみがある。紆余曲折、呼び名一つでもこの有様である。住みづらい世の中だ。昔に戻り、正当に患者さんに対するのが一番当たり障りが無いのだと思う。こんなこと、正論論者から言わせれば馬鹿げた話だ。

医師や医療従事者のある懇親会で、挨拶の際、患者さんの話が出ると、そこには患者さんが一人も居ないにもかかわらず、必ず様付けにするある病院院長がいた。「そういう際、こうなさいますようにと患者様にご説明申し上げております」。列席者から、そのへりくだりように、苦笑が漏れた。

B　相変わらずの健康食品とサプリメント

患者さんがあまり医師に語らず、密かに使用しているものに、健康食品やサプリメントがある。言えば何か言われそうだと警戒しているのである。

医者は滅多に健康食品を勧めないが、巷間、その品目は目に余るほどの数である。新聞やテレビでその広告を見ない日は絶無である。これはアメリカでも同じらしいが、放送を禁じている州もある。

大分前に健康食品会社の患者さんから講演を依頼されたことがあった。私が異論を唱えていることを知っての上である。むんむんするほどの人が集まったが、私があまりにも非難の言葉を発するので、堪り兼ねたある人（某健康食品会社社長だった）が立ち上がって自分の経験談を述べた。「あれもこれもと六種類ほど試して今はこれに落ち着いた。これこそ最高健康食品だ」と言われるので、「来年は次の食品になっているでしょう」と会場を沸かせたのが気に障ったようで、かっかと怒っておられた。安定剤の処方の方が必要なお人だ。

だが私はこれまでに少なくとも三名の患者さんで、健康食品と称するものに嵌って死亡した女性を知っている。そのうちの一例は後で新聞紙上でも問題となった。実は愚妻も中毒して一ヶ月の入院を余儀なくされた。そうでなくても、頻繁に肝機能などを見ていると、理由もなく突然に肝機能障害を起こす例がある。問い質すと妙な健康食品を購入していたり、シナからの輸入品を食したりしている。止めると一、二ヶ月で自然治癒するが、時には大変危ない。

土台、自分にそういう健康食品が本当に必要なのか、ろくに見極めもせず、広告や知人の紹介で躊躇いも無く購入するのが良くないのである。今の日本では食糧危機は勿論、栄養不良などは無い。三度の普通の食事で十分間に合っている。改めて余計なものを摂る必要などさらさら無いし、ビタミンなどはどんどん小水に排出されていて体に有り余っている。

私の後輩である滝川一君(日本肝臓学会副理事長で帝京大医学部長:二〇一八年時、名誉教授)は、健康食品も医薬品も薬物性肝障害を引き起こす可能性があり、それを中止すると回復するが、時には劇症化して死に至ると警告している。医師は薬品については常にその副作用発現に注意を怠らないが、患者さんが用いている健康食品にまでは気が回らないし、土台、患者さんはそのことを言わない。それにたとえ気付いたとしても、それがどういう危害をどの程度起こすかを知っている医師はまずいない。テレビの広告でもよく見ると、小さな文字で「これは個人の経験です」と書かれている。そのそばである有名な俳優が「私には良く効くんですよ」と「個人経験」を述べている。噴飯ものと言うべきである。愚かなコマーシャルの代表だ。その言い草にいとも簡単に騙される視聴者はもっと愚かだと言うべきだろう。

ビタミン剤もよく用いられる。健康保険制度では特殊な場合以外は処方禁止だから、薬局ばかりか、コンビニでも売っている。一日必要量の何倍、特に数十倍の用量である。どうせ余ったものは小水に排出されてしまうからとでも思っているのだろう。

先だって、最近脚気が出始めているという放送があった。糖質の摂り過ぎでビタミンB1が消費されてしまうとのこと、また清涼飲料水の飲み過ぎで、B1が尿中に出てしまうというおかしな話であった。みっともないが、電車の中で、あるいは歩きながら飲料水を飲んでいる人は少なくない。そういう水分摂取が良くないのだという。ならば、後で述べるいわゆる「熱中症という状態で十分な水分摂取を」というのは脚気の誘因になるのだろうか。

テレビ放送の好い加減さは呆れるばかりだが、コマーシャルに至ってはもはや言う言葉も無い。

ＮＨＫの好評番組、志の輔の「ガッテン」（ためしてガッテン）はもう一〇〇〇回を超えたが、そもそも出だしの番組は嘘だった。今でもかなり怪しいものがある。

特定保健用食品、いわゆる「トクホ」だから安全だとは必ずしも言えない。現にトクホでのサプリメント副作用例が報告されている。国民生活センターでの調査でも沢山の事例が発表されているが、内閣府食品安全委員会が安全とは限らないとか過剰摂取に注意せよなど、安全策（実は非難に対する逃げ口、つまり己の安全策に過ぎない）を打ち出しており、また消費者庁がいくらパンフレットで健康食品利用について注意を喚起しても、肝心なことは不要なものに手を出さぬことである。政府もはっきりそう言えば良いのに、購入トラブルが毎年一万件以上起きていることには目を瞑っている。はっきり言って、国民の健康を守っていない、守る気を持っていない証拠である。国民もお金の使い道はもっと別にあることを自覚すべきだろう。少しの寄付で多数の子供達が救える時代なのである。

最近の情報によれば、健康食品被害の訴えが激増している。厚生労働省や東京都医師会などの関係機関は改めてそれに対して注意を促しているが、利用者側がどう対処すべきかの具体策は何も示していない。無責任である。真剣に対処しようとすれば、業界に混乱が起こり、代議士にも選挙の際に不利益が生じるからであろうか。とにかく実証の無いゲルマニウムで患者を失った経験を持つ私は心配なのである。

果たして世に言う健康食品は必要不可欠なものかと言えば、絶対にそうではない。通常の食品に含まれているものがほとんどであるし、第一、同じものを毎日摂取する必要なども無い。そういう食品を摂っている人が健康になったとか長寿になったとかの報告も無く、そうなると言う人はいても勿論科学的根拠は無い。そうあって欲しいとか、理屈では健康に良いのではないかという願望のみである。そして誰も責任を取らない。そんな余計なお金があったら、美味しいものを時々口にする方がもっと健康的だろう。

最近、東京都医師会は、「サプリメントや健康食品で、健康を損ねていませんか?」というキャンペーンを行っている。医師の処方する薬剤の効果を妨げたり、体調不全の原因になる場合を指摘、健康や美容に良いからと安易に信用せず、医師などに相談し(されても医師は困るのだが)、使用しているものを医師に知らせることを勧めている(おいそれとは言わない患者さんが多い:医師に叱られるかも知れないとは思っているようだ)。始めから使わないと良いのである。皮膚のかゆみ、発疹、蕁麻疹、易疲労性、胃部不快感、下痢・軟便、頭痛・吐き気、息切れ・貧血、動悸などが出たら要注意である。

C　サプリメントや健康食品の非科学性について

サプリメントの功罪については前に触れた(注)。

注:坂本二哉:『多病息災—あるお医者さんのたわごと』。第二章:ほんとのほんとは ほんとにほんと? 愛育社増補改訂版二〇一五:五一—八七頁

現在、栄養科学に関する論文は二万八〇〇〇編ほどあるという。上に述べたように、どれもこれもこれが良いだろう式のもので、これが悪いという論文はほとんど無い。

BS1チャンネルは毎日海外のドキュメントを放映している。その一つにダイエット商法のからくりについてというものがあった。The Chocolate Diet : A Scientific Hoax Goes Viralというチョコレートダイエットを巡るインチキ（悪ふざけ）を扱っていて、日本ではこういう番組ではいつも決まって奥歯にものが挟まったような歯切れの悪い構成になるか、あるいは無視されるのだが、イギリス放送（ＢＢＣ）の論議は極めて徹底しているのが面白い。

人々はいかに操られているか、それは信仰であって科学ではないというのが、「一日四〇gの板チョコで痩せる」というドイツの栄養科学論文（偽論文）である。それが一流紙に載っていた。問題は著者がチョコレート会社に買収されたことであった。チョコは売れたが、口にした人は痩せないのに論文を疑うことはなかった。チョコは美味しい、それだけで良いのである。

ココアが良いという人もいるし、それが（一寸ばかり）悪玉コレステロール（ＬＤＬ）を下げるとか、相も変わらずの論文が多数見られる。

だがもともとチョコレートと健康のテーマは日本発だった。最近の研究結果によると、日本人三四七名（四五～六九歳の男女）に高カカオチョコレート一日二五g、四週間摂取させたところ、血圧低下、善玉コレステロール（ＨＤＬ）の上昇がみられたという。さらに継続すると、活性酸素の上昇、つまり体内酸化や炎症の程度が高かった人に改善が見られ、健康への悪影響の低減が期待されるという。ただ問題はこれらの研究がチョコ製造会社明治の協賛のもとに行われていて、そこにうさん臭さが残る。こういう協賛研究には眉唾物が多いのである。一般の薬剤研究でも同じことが言われている。スポンサーに都合の悪いことは発表を差し控えるのが通例である。謝金を貰っているのだから当然である。

コーヒーは日常の摂取飲料だからよく問題にされるが、それに含まれるカフェインは眠けを覚ましたり、なんとなく活力を与えたり、確かに体に対して影響力がある。パーキンソン病予防に毎日コーヒー一杯が良いという報告もあるが、これだけコーヒーが飲まれていてパーキンソン病が減ったということは聞かないから、これも統計の魔術によるインチキ論文であろう。こういう場合の統計は如何様にも操作出来るのである。

朝はコーヒーを嗜むが、夜は眠れなくなるからと敬遠する人は多い。カフェインレスコーヒーというカフェイン抜きのものがあるが美味しくない。このカフェイン、どのくらいが適量かはいつも問題になる。かつて一日二〇杯以上が良いという極端な報告が北欧から出たが、そのうちに消えてしまった。最近ではコーヒー、紅茶、緑茶二、三杯で死亡率が下がるというものもあるが、コーヒー以外の食物摂取は千差万別だから、上述のように当てにはなるまい。一方、飲み過ぎて、明らかにカフェイン中毒により死亡した例がある。

こういう発表は、上述のように科学をお金で買い、人々を失望させるものだとされる。人間はそれが正しいダイエットだと信じると、結果がそうならないのは自分のせいだと自己を責める。高いお金を払ったのだから効いてくれなくては困ると言い張る人もいる。キリスト教の懺悔同様、信仰と同じことで、そのようなインチキ論文を背景に稼ぎまくる悪徳商法はまことに阿漕(あこぎ)である。許せない。

それにしても、科学的と言われる論文にどうしてこう嘘が多いのであろうか。統計は好きなように操ることが出来るからである。よくよく用心すべきである。殊にほぼすべての人間が関心を持つ食品に関しては、ある物質を摂りながら、他はまったく同じものを口にしているという研究は不可能なのだから、研究自体そのものが無理なのである。だから新聞などの広告はほとんどが嘘である。新聞や雑誌自体がそれを批判しないのは、その広告で新聞・雑誌が生き延びているからであり、また愚かで直情的な人を騙すコツを知っているからでもある。テレビの仰々しさには眉をしかめる。

D　ジェネリック薬品

然るべき所から、我が家にも再三に亘ってジェネリック薬品使用の勧告広告がやって来る。患者さんにも来ていると思う。それに対する患者さんの応対には三通りある。簡単に賛意を表して言われるままにジェネリックを希望する患者さん（この中には経済的な点に惹かれる人が多い）、オレオレ詐欺まがいと思って絶対反対派の方、そして先生のお考えのようにとこちら任せの謙虚な患者さんである。

医者として、私は原則としてジェネリック薬品には組しない。理由は多々あるが有効成分が同じでも、それは㎎単位のものであり、錠剤そのものはその数十倍、数百倍の重さがある。つまり有効成分を包み込む多数の他の物質（添加物とか被覆材と言う）の種類は様々で、それによって薬の溶け方（易溶解性）が変わり、服用しても溶解せずに体外に出てしまうものがあったりした（今ではジェネリックの認可には溶解試験が義務付けられている）。

同じことは例えば鎮痛剤としての貼付薬でも言える。このことは既に以前の『多病息災』で述べたが（「ほんとのほんとは ほんとにほんと？」）、貼付剤、被覆している布など、貼付後の発汗に備えていないから、しばらくすると添付した所からずれてしまい、本来入浴後にも張り付いているものが簡単に取れてしまう。

インターネットを開くと、ジェネリック薬品に対する滔々たる医師の批判が記載されている。それは容易な数ではない。極端なものでは死亡例もある（ただし死因は別にある可能性もある）。当診療所でも使用すべきでないものが公示されている。それなのに、半官半民的な大病院で、私がお世話になっている虎の門病院では、これからはジェネリック薬品を処方するとの掲示が患者待合廊下に貼られていた。官庁からの強制か？

またジェネリック薬品に変えても支払金額が変わらなかったとか、高い調剤料や指導料などによって、かえって高価になる場合もあると案内書には書かれている。また「必ずしもジェネリック医薬品に切り替えなければならないものではありません」との記載もある。

ジェネリック薬品に変えたい場合は医師や薬剤師に相談しなさいと案内書にはあるが、医師はまず説明出来ないだろう。薬によっては一種の薬品に多数のジェネリック製品があるから、薬剤師に聞いても本当のところは無理だと思う。薬剤師はその多数の製品の中から最も廉価なものを選んで一種類しか店には置いていないのだろう。例えば脂質異常症に用いるメバロチン（今は別に強力スタチンがあるためほとんど使われないが）にはかつては二六種、現在でも九種のジェネリックがあるけれども、薬局には一種のみしかないだろう。わざわざジェネリック製品を作らなくても、パテントが期限切れになったら薬価自体を大幅に下げ、版図を広げたら問題無いのではないか。

それはそうと、ジェネリック薬品を積極的に使用して下さいと公示する官庁の各診療所が、それに応じているか否かは不明である。私は某省の診療所に勤務していたことがあるが、少なくともジェネリックは使用していなかった（数としてはまだ僅かであったが）。かてて加えて、現在の状態は変わっているかも知れないが、おかしなことに外来では診療・投薬・処置すべて無料であった。しかしその場合、少なくとも薬剤はどのようにして外部から入手（購入）するのであろうか。それも予算（つまり税金）で国家に請求しているのか、当時は深く考えなかったが、人件費は国家公務員であるから国からの給料で問題無いが、その他の経費はまったく闇の中である。ついでであるが、省庁の食堂は滅法廉価であった。食堂の場所代は国有財産で無料、水道・ガス・電気などは国費、調理人は公務員で賄いの人件費はゼロ（給料のみならず、退職金や年金も我々の税金から出る）、食品材料費は恐らく格安であろう。陳列されている食品は市価の半値以下、麺類などは三分の一以下であった。それに売店も書籍は一〇％引き（本来違法である）、そして消費税も無かった。私も散々利用させて頂いたから国民に対して申し訳無い。一九九五年のオウム真理教事件以来、部外者出入禁止となってからは知らない。

E　食品について（食肉問題）

以前にも少し触れたが、一体、肉食は人体や平均寿命に影響を与えるのか否か。肉はあらゆる食品の中で最も栄養価に富んだものだというのは恐らく正しいのであろう。だが我が国の議論は結論や考え方が分かれていて、私には決断がつかない。

肉食によりコレステロール値が高くなれば虚血性心疾患に罹患し易いとはよく知られたことだが、昔、そのために「脱コレステロール食」というまずい食品がアメリカで販売された。だがその努力は報いられなかった。コレステロール値が下がらず、高コレステロール血症は外因性（食物などによるもの）の因子よりも内因性因子によるのではないかと言われ、その後、日本で発見されたHMG-CoA還元酵素阻害薬（スタチン類）の有効性が認識された。そして世界中、文字通り爆発的に頻用されている。本来はノーベル賞受賞に値する発見であると思う。

現在、世界保健機構（WHO）ではある種の肉には発癌性があると警告しており、殊にベーコンやソーセージが目の敵にされている。

ごく最近のイギリスの研究がある（NHK BS1ドキュメンタリー）。イギリス人は肉好きで、年平均なんと五四kgも摂るのだそうである。少し小さい人なら自分と同じ重さである（単純計算で月に四・五kg、毎日一五〇g）。それに反し、私などは三ヶ月に一回、一〇〇gのステーキにありつければ良い方で、あとは豚肉、鶏肉などを足してもせいぜい平均五〇g／日、いやそれ以下だろう。イギリス人には考えられないだろうが、まったく食べない日も少なくはない。

イギリスのこの研究ではまず二三〇gの肉を他の食品に換算するところから始まる。カロリーでは鶏卵七・五個分、他の摂取成分を補うとすると非常に多くの食品を摂らねば肉に匹敵出来ないと言う。その中にはホウレンソウ一袋、エビ一kg、バナナ二、三本、その他多くの食品が含まれる。しかしホウレンソウは吸収されにくいから、さらにビタミンCを別の食品から摂らねばならず、また鉄分に至っては肉以外による摂取は望み薄である。とにかく肉は他の食品にとって代わり得るものではないというのである。

かくして四〇名の参加者を得て、一ヶ月間肉食を断つという実験をした。被験者は死ぬ思いだったという。詳細な結果は省略するが、コレステロール（その主体は悪玉コレステロール）が低下した。でもその位の低下はスタチンを少量服用すれば済むことだろう。むしろ面白いのは、肉は肉でも、牛肉でも鶏肉でもカロリーは同じ、それなら高価な牛肉より鶏肉にすれば良く、また値段の差はカロリーの差にはならないのだという。
こういう研究は直ちに日本人には適用出来ない。肉の摂取量に大差があるし、その間の食事にも量的、質的な差が大きいからである。少なくともその結論をそのまま我々に適用出来るものではないと思う。食習慣の是非問題は人類共通の認識ではなかなか解決困難である。

だから肉が良い、野菜が良い、言いたい人には言わせておけば良い。私は自分に合った好みの食事を適量に摂れば十分だと思っている。この診療所で私は他の方と昼食を共にしない。誰も誘ってくれる方がいない。なぜなら私の昼食は考えられないほど少量でまた偏っているということを皆さんが知っているからであり（毎日まったく同じ）、それにどこの食堂の昼食も私には多過ぎるからである。家内がアメリカに行っていた一ヶ月間、うどん、そば、餅だけで過ごした経験もある。今でも口に出来るものは戦前の耐乏生活のそれ、フランス料理など駄目、野菜駄目、チーズ、酢、ソース、辛いもの全部駄目、匂うもの駄目、などなど、土光敏夫さんのめざし料理並み、とにかく他人様がこれは美味と言うものの多くは駄目なのである。仙台の高名な懐石料理屋では始めから終わりまで箸が付けられず、また広島の牡蠣料亭でも同じで共に接待者を困らせた。だが糖尿病になると脅かされていても、お菓子と果物には目が無い。

それでも九〇歳超えとは確かに私は生き過ぎている（四回も医師から見放されたのだが）。

F　まやかし健康本

私の本が書店のどこにも陳列されないのは、私が無名な上、出版社がまったくと言っていいほど宣伝もしないからである。今昔の比には例えようも無いが、それでも毎日出版される書籍の数は夥しい。それが東販などを通じて書店に配布されると、店長と販売部はその中から売れそうなものを選び、他は返送される。つまり私の本は常に返送組である。

それに対してまあ無数に並ぶ健康本、紀伊國屋書店に行くとその多さに呆れる。どれもこれも科学的根拠も無く、ただただその著者の経験と思い入れだけで書かれたもの、これだけは絶対に正しく参考になるという代物は無い。勿論例外はあるのだが、そのようなものは部分的なものに限定されて一般受けしないので、よほど有名な出版社のものでなければ書店に出ない。

万一絶対なものがあるとすれば、そもそも他の本は要らないから一冊で済む。それがそうならない「絶対」とは何か。そういう言わば好い加減な本に人が群がること、つまり明き盲とも言うべき人が多いという「絶対」である。タダで配られる読み捨て雑誌のごときはそういう人のためにある。

人間は動物の一種だが、最近は植物人間が増えたという。動くというとまず歩行だが、歯切れが良いためか一万歩が一つの目標とされる。ある健康本では、普通の歩きは駄目で腕を曲げて駆けるような姿で歩けと説く。だが別の本ではそれは無意味とある。恐らくどちらも推測だけなのである。ジョギングを提唱した医師は走行中に死亡したが、アメリカでの年一万人の死亡、八〇〇〇人の怪我については既に述べた(それ故現在は下火である)。ノーベル賞の山中博士はジョギング好きだが、それは清涼感が得られるからだという。一方、免疫能を保つには一五分の筋肉運動で足りると言っている。いずれにしても筋肉が少なくて動けないナマケモノにならぬ程度の運動は必須である。ただし若い人達においてである。もう枯れ切った年寄りには無縁だ。無理すれば大腿骨骨折ということになる。現に私の友人も最近骨折して正月は病院で迎えた。私も数年間で三度転んでいるし、最近は前傾姿勢のまま転倒して眼鏡を壊し(後一、二年の寿命だから眼鏡は新調しない)、額に傷を負った。断わっておくが、この見解はスポーツを「競技」として捉えることとは関係が無い。

専門書や教科書というものにもそういうまやかしが混じっていると言えば叱られそうだが、著者そのものが常に天上天下唯我独尊とは言えないのだから、これも致し方無いのかも知れない。自分が教科書作りに参画してみると、それが良く分かる。また過日、あるテキストに対し大きな間違いを指摘したら、礼も言わず「再版の際訂正します」という返事を戴いたことがあるが、それは無いだろう。すぐに訂正表を差し込むべきだと思うのだが。またある時、五万円という巨大なテキスト出版に対して酷評とも言うべき書評をしたら、まったく売れなくなった。どころか予約キャンセル、返本が相次ぎ、以来私はその編者の逆鱗に触れたままである。いやそれどころか、度々発信者不明の嫌がらせファックスを頂戴した。「この本は出版に値しないと感じたら書評依頼を謝絶しなさい」と先輩に窘められた次第である。

G　少子高齢化社会・人口減少という魔物

厚労省の平成二八年度簡易生命表を見ると、日本人の平均寿命（〇歳平均余命）は男性八〇・九八歳、女性八七・一四歳で、男女共に世界二位である（第一位は香港：なぜシナから香港だけを切り離すのか理由は分からぬが）。ともかく人生一〇〇年時代は目前にある。男性、女性の八〇％はそれぞれ七〇歳、八〇歳までは生きる。六〇歳まで生きた人はそれ以上生きる。だから今や六〇歳の還暦を祝う人も稀になり、七〇歳の古希でさえお祝いしない人もいる。どこに行っても年寄りばかりだ。先だって懐かしい歌を歌う男性・女性コーラスForestaの演奏会に出かけたが、二〇〇〇名ほどの会場の九九％はものの見事に私達夫婦のような年寄りばかり、歌唱の美しさにばかりでなく、前後左右、見渡す限りの爺さん・婆さん姿を見て、こちらの老夫婦にも別の溜息が出た。
本当に杖を頼りの人が増え、また寝たきり老人もまた多い。だが健康長寿はなかなか望めない。明らかに生き過ぎだという人も多い。殊に若い人は寝たきり老人を憎む。だから看護師による老人殺傷事件が起きる。生きていても無意味だと彼は言っていて、恬（てん）として恥じるところは無い。恐ろしいことだが、それを非難しない若者がいるのもまた事実なのである。

二〇一七年の衆議院総選挙に当たって、安倍首相は二つの「国難」を問題提起した。その一つが「少子高齢化」である（もう一つは北朝鮮問題だが、選挙期間中、段々論じられなくなったのは意気地無しのせいか）。増え続ける高齢者に対し、少子化は高齢者を支える人口の減少という点で危険である。実際私の孫達はその将来を嘆いている。自分達の税金が悪く言うと「役立たず」の年寄りに食われてしまい、自分達が高齢化した時にはその支えを失って年金支給制度は消滅、したがって働く意欲を失うと言うのだ。もっともだ。だからという訳では無いが、今後新しい政党が政権をとって妙な制度を打ち出すことが気掛かりで（現にかつての民主党がその好例であった）、逆に年金などで安定した現政治体制を支持したい若者が多くなるのである。

私の少年時代、毎年の出生数は優に二〇〇万人を超えていた。それが今や一〇〇万人以下、子供無しや一人っ子の家庭が増えた。出生率は世界二〇四ヶ国中一八六位、実に一・四五人に過ぎない。夫婦二組で三人以下である（ちなみに第一位はアフリカ某国の七・二九人、人が溢れる訳である）。

人口問題研究所の将来推定人口は二〇六五年には八八〇〇万人まで減少、このまま減り続けるのは子育てを家庭に担わせて来たことにあるという。私の弟子K君の計算では二一〇〇年の日本人口は二桁（たった七〇人ほど）になるという。生まれる数よりも年寄りが死んで行く数の方が多いからである。人口減少の原因は老人の死である。

しかし昔は「貧乏人の子沢山」と言って、沢山の子供を家で育てていた。貧乏ではなかったが、私は姉と兄、弟の七人兄弟、家内は一〇人兄弟である。二一人兄弟という例が評判になった。兄・

姉は弟・妹を子守し、三人でも五人でも大して変わりはなかった。幼稚園は上流家庭の子が通う所であった。しかし学校の級長（今で言えば学級委員）には裕福な家の子は少なかった。小学生で微分学を考案し、またデカンショ（＊）の哲学を論じる貧乏な級友もいた。私の故郷では五歳で尋常高等小学校（六年制）に入学、その五年から飛び級して五年制中学を四年で済ませ、一高、東大を二〇歳で卒業した秀才がいたが、家は裕福ではなかった。三年制の女学校を一学期一年生、二学期二年生、三学期三年生で卒業した才女もいた。私も教科だけは中学四年生までを一年生のうちに終えた。だが三年生の年からは軍隊である。＊（デカルト、カント、ショーペンハウエルの略）

要はやる気である。だから学校無償化などはそのやる気を減退させ、他に頼って生きようとする甘えの心を助長するだけだと私は思っている。碌なことは無い。芯のある生徒は育たない。本当に社会に役立つ青年は刻苦勉励、学問に一身を投げ打つ人材であり、残念ながら富裕層よりもむしろ貧しい環境に打ち克った人間である。近代日本の歴史を翻ってみるが良い。学費の無償化をするより、向学心に燃える人材を抽出し、それに対して十分な勉強の環境を与えるべきだろう。

ついでだが「飛び級」制度を復活すべきだ。ある討論会で高校教師が「それでは年齢の低い者が上級生となり、年上の者の上に立つことになって「部活動」に障害が出る」と言って反対し、私を呆れさせた。部活動が先か勉学が先か、教育とはなんだろうか。かつて私は「手は知識を書き出すためにあり、足はその頭脳を運ぶためにある。頭脳の鍛練を閑却して体育を強調するとは…」と書いて教養学部の体育学部教授を批判し、物議を醸した。体育は教育の一環であると主張されたが、それならわざわざ東大に来なくても、体育大学へ行けば良い。体育とは自分が好きでやる遊びだと反論したが、それでは体育学部教授の地位から追い払われることになるから可哀想でもある。アントニオ猪木議員（二〇一八年引退）にノックアウトされるかも知れないが、過去を眺め、また将来を見据えると、体育に特化した人間が国を左右した例は無いと思う。所詮、オリンピックは良くも悪くも獣に還る遊びなのである。

それにしても一九六六年の「体育の日」が二〇二〇年から「体育」という言葉を「スポーツ」に変更し、「スポーツの日」に改称された。案の定「体育というと学校の授業というイメージがある」

からという屁理屈である。世界的にはスポーツと言うからであるとも述べられているが、愚の骨頂、それなら野球や水泳を始め、すべてを横文字にするが良いだろう。

最近つくづく馬鹿々々しく思うのは高校野球でのピッチャーの投球数制限である。アメリカメジャー野球を真似てのことだろうが、一年間を通じてチームの勝利数を問題にする場合ならともかく、甲子園出場を賭けて数少ない試合、しかも一度も負けられない高校野球の場合、ピッチャーの投球数を規制するなど、愚の骨頂だろう。肩を壊すからと言っても、高校選手のほとんどはプロ野球などを目指さずもっと堅実な人生を送ろうとしていて、甲子園に出場することには、青春の血を高らかに燃やすことに意義を感じるからだと私は思う。血潮は涸れ肩が潰れようと、力を尽くして勝利するということが彼らの生き甲斐なのではないか。観客が熱狂するのもそれ故にではないのか。それはすべてのスポーツに通じることであり、今日は負け試合でもしようがないと勝負を捨てる年中興行スポーツのプロ野球とは基本的に違う。例えば甲子園に出るための地方予選では六勝〇敗で一度も負けられず、その間主戦投手は休む暇も無いが、プロ野球では一四三試合で六〇試合も負けていても、八〇勝もすれば悠々優勝、三回に一回敗戦投手でも、一六勝八敗なら立派なエースで、上手く行けば沢村賞という最高栄誉賞を贈られる。つまり高校野球とプロ野球とは同質ではないのである。因みに二〇二〇年の沢村賞・中日の大野は一一勝六敗である。

二〇二〇年は武漢ウイルスによる感染症パンデミックのため、ほとんどすべての観客付き競技が中止され、非常事態宣言が出されてからそれが益々厳格になって、東京オリンピック・パラリンピックの中止も叫ばれている（政府は決行予定）。二〇二〇年四月二六日全国高校総合体育大会（インターハイ）が中止決定となり、何故かそれと反りが合わない（合わせようとしない）全国高等学校野球連盟（日本高野連）もかなり遅れてようやく五月二〇日に夏の甲子園中止を発表した。なぜこんな三週間もの時間差が出るのか、みんなはうすうす知っている。一つは主催者が新聞社であり(甲子園使用料のみならず、選手の移動・宿泊費など一切を後援すべきだろうが、斜陽のA、M新聞二社にそんな余力はあるまい。中止発表は高野連ではなく、大会会長の朝日新聞社社長によってなされている)、もう一つは群がる高野連が言わば人買い団体だからである。中止されると選手の売値に付ける基準が無くなって困るのである。高校総体は売買の対象にならないが、高野連は儲けの対象である。まったく同じ趣旨、つまり共に体育は教育の一環だと言うのだが、高校総体と高野連とは実はまったく異なる趣旨のもの、つまり高野連にはある種の大人の事情が絡んでおり、何かと苦しい理屈をつけての中止発表だが、そこが大きな違い、つまり欺瞞である。テレビでもお偉方は表面上、高校野球は教育の一環であるから中止は残念だと報じていた。自分の楽しみが減るからだろう。朝日新聞に至っては、社説を含め、この件で実に八面を使ってあれこれ述べ立て、大きな活字で「教育の一環　大会の原点」などと、仰々しく欺瞞を糊塗している有様である。自己宣伝以外の何物でもなく、見苦しい。

私は古い人間だから、学校は知的教育の場であり、体育が必須だとは思わないが、同好の士が集まって部活動をしたり、対抗試合をしたりすることを否定はしない。だがそれが目的化するのをすべて是認する気にはなれない。その理由の一つとして、テレビでは高校野球の話の中で、今年甲子園の試合が無かったら、ドラフト会議の際、上述のように、何を以って選手の選択を行うかということが報じられた。つまりその言葉からして、大人達は部活を馬場における競走馬の調教のように捉え、その中からちょうど調整具合から見て競走馬を買い求めるように、生徒を大人達が商売としていかに儲けるかの商品として見ているだけだということが明々白々であった。必ずしも上手く行く訳では無いが、いわゆるスカウトはその品定めに対する目利きの役である。アメリカでのスカウトの報酬はかなりのものだし、日本ではそれほどでもないようだが、金の卵を育てた高校の監督の実利は少なくはないだろう。私はそういう大人たちの黒い手が嫌なのである。

一方、プロ野球も例外とはならずにひとまず中止、しかしこちらは興行で止める訳には行かないのだから延期ということになった。だが、今もっていつ開始かいまだに決着がつかない。残念至極である。しかしこの校正をしている頃は復活しつつあり、仕事の邪魔になりつつある。

プロ野球発祥の年から八〇年以上、その創設以来、私が熱烈なファンであり続けたことも事実であり、兄は巨人ジャイアンツ、私は翌年発足した大阪タイガース（現阪神タイガース）のファンであった。大学時代のある年は帰郷せず、春休みを利用して大阪タイガースのオープン戦に同道したりするくらいのトラキチであった。だからこのチームの膨大な三冊の歴史本ほか幾つかの本も持っており、優勝記念の限定ブロンズ版画やトラの彫刻、その他、あるいは優勝した年のすべての記念新聞・スポーツ誌を所有したりしているのである（本は後輩M君に譲り、版画も親友N君に渡してある）。

余談だが、プロ野球を昭和一〇年から知っている私の記憶では、勝率五割台の優勝という例がある一方、（贔屓チームだから言うのではないが：いや贔屓だから知っているのである）阪神タイガース若林忠志のように三一試合で二二勝四敗、必ず勝つという勝率八・四六割（二二勝四敗）の例がある。彼は年間二五勝以上二回、二〇勝以上四回、一五勝以上三回と「七色の魔球」を欲しいままにして激投し、毎日オリオンズに移籍しても四五歳まで二〇年ほど投手を務めた（通算二四〇勝一四一敗）。また村山実は天覧試合に巨人の長嶋にサヨナラホームランを打たれたが、戦後ただ一人の年間防御率〇点台（〇・九八）（しかも監督兼業）のザトペック投法、投球回数当たりの出塁率も日本一の〇点台（〇・九五四）、通算防御率二・〇九は世界一、沢村賞三回、出れば勝つの勝率八・二四割。その神様に当時阪神を共に背負って立っていて村山に嫉妬された小山正明は、針の穴をも通すという絶妙な制球力で常に毎年二〇勝前後（最高三〇勝）を上げていたが、やはり今のピッチャーのような休息は取っていなかった。だが投手としては長生きした。

江夏豊も村山から疎まれていたのだが、近年の藤波晋太郎投手どころか、初年度から年間完投実に二六試合(打てない阪神にあっても完封八試合)で二五勝を挙げ(年間勝率六・七六割)、ダブルヘッダー二試合一八インニングを完投したり、中一日の登板もあり、またオールスターで一番から九番まで並み居る強豪バッターから九連続三振、その年三試合に出場して計一五連続三振、こういう観客の心を揺さぶるような試合がこれからは無くなる。彼から最も多くのホームランを奪った巨人の王に対し、年間最多に並ぶ三五三個目の三振を取り、後は九人をわざと三振を取らず（ピッチャーに打たせるのが大変だった模様）、一回りして意識的に三五四個目の年間日本記録を宿敵王選手から奪ったり（その年は年間四〇一個、年間世界三振奪取記録も凄い）、延長戦でも完封、しかも最終回の自らのサヨナラホームラン、そんなこともあった。

同じく阪神の西村一孔は入団した一九六五年の開幕戦に初登板し（その後こういう例を聞かない）、いきなり二二勝、その年、全試合の半数近く（六〇試合）に登板（これは後に榎田大樹の六二試合がある）、新人王となり、翌年も力投、二〇勝して燃え尽きた（それでも三年目は七勝三敗である）。

こういう例は高校野球以前の「中等野球」の名残りかも知れない。中等野球は文字通り中学一年生（一二歳、時に一一歳）から五年生（一六歳）まで、つまり今の高校二年生止まりの年齢層で、若かった。往年の名選手の巨人川上、阪神藤村（共にピッチャーだった）の大活躍は四年、五年生、つまり今の高校一、二年生相当なのである。現今のアナウンサーは高校二年生でもよくやるなどと言うが、かつては今の中学一年生相当でも活躍する生徒がいた。

野球殿堂入りした中日の権藤博投手、「権藤、権藤、雨、権藤」と謳われたように、来る日も来る日も権藤、一日に二勝したり、そして二五勝、三〇勝、獅子奮迅の二年で燃え尽きた（それでも三年目に一〇勝、今なら十分通用する）。西鉄の稲毛和久投手、鉄腕の名の通り剛腕を振っての力投、しかし巨人相手の日本選手権試合では稲尾は一敗、そしてチームは三連敗。そこから「神様、仏様、稲尾様」の四試合連続投球四連勝で優勝を飾った。しかし彼も短命だった。燃焼し尽くしたのである。これらの選手は当然野球殿堂入りである。

逆に大洋松竹（現ＤｅＮＡ）・東映・阪神と渡り歩いた同じく権藤（権藤正利）のように、三年間を通じて二八連敗という記録を持つピッチャーもいた。ダービーのハルウララの一〇九連敗顔負けである。しかし共に懸命に努力して人気を博した。入団一年目は一五勝を挙げ新人王を得たし、翌年も一一勝を挙げ、キリキリと音を立てて落ちる懸河のごときドロップ（今で言うカーブ）を投げ抜き、翌年からは三勝（二一敗：それでも防禦率三・七三は立派、打線に恵まれず）、翌々年は〇勝一三敗、そして三年目まで丸々二年間、続けて二八連敗という珍記録を樹立した（でもその後勝ち星を上げ、その年は一二勝一七敗だった）。連敗脱出勝利の時は大騒ぎだった。

今どきの若者はここまで頑張れるか。また燃焼出来るか。そういう意地を持ち、そして感激に浸れるか、生きていることの充足感を味わい、また味わおうとするか。それとも大人達の興行の踊り子になるか、プロに徹し切れず、あるいは思ったような成績を上げられず解雇され、廃業した夥しいプロ野球選手の行く末を考えたことがあるか。

ことはそれで終わりとはならなかった。ただでさえ授業も無く学力低下が叫ばれている現実に背を向け、君達は試合がしたいだろうと、密かに大会を企画する者がいる。プロのスカウト達はそこにやって来るのだろう。観客を入れないで行うのであれば、スカウト連中も入れるべきではない。しかしまた、観客無しとすれば、球場借用費などを含め、運用資金は一体どこから来るのだろう。やはりプロ野球側が密かに用立てするとしか思えない（その代わりスカウトは入れてくれ、という次第である）。本当に嫌な話ではある。

閑話休題。今の若者達は言う。役立たずの老人を一掃するために、彼等・彼女等に定年後の仕事を与え（老人でなければ出来ない仕事は沢山ある）、一方、年金支給年齢をグンと上げろと。例えば六〇歳から七五歳へだ。典型的な「嫌老社会」的発想だが、間違いでもない。またそれによる支給余剰金で第三子以上出産した家庭の税を減免したら良いだろうとも言う。

あるいは逆に祖父母同居で孫子の世話をすれば税金の納付を緩和するとかすれば良い。そうすると若い夫婦は仕事が出来、富山県のように生活保護者が激減するだろう。一挙両得である。いや、保育士不足も解消出来て、一挙三得になる。孫はおじいちゃんやおばあちゃんの話を聞いて日本の伝統文化を知って行くことだろうし、礼儀正しくもなろうというものだ。そう、サザエさん一家のようなものだ。孫の世話は祖父母の寿命を縮めると言われていたが、寝たきり老人になるよりは増しだろう。あるいは逆に老人に活力を与えることにもなるという。

それにしても、今の政府が危惧するところは少子化よりも「将来がどうなるか」という老人対策であり、過保護としか思えない金銭のバラマキばかりで、現状打開のために「どうやって直ちにこれからの少子化を防ぐか」ということにはあまり関心が無い。これは問題解決にとって順序が逆だろう。それを考えると上に述べたような対策が喫緊の問題だし、また大学や大きな企業での保育所設立の法制化なども必要ではないか。また増田寛也前岩手県知事（東京都知事選挙で敗退）がその著に述べているように東京一極集中は非常に大きな問題で、そのためこの東京都が我が国で一番出生率が低いということも考えてみる必要があろう。リベラルという左翼主義者は格差是正策を声高に主張するが、それならそういう人達だけで集まり、富を平等に分配して生活するようにしてみてはどうか。左翼系議員の中には弁護士として巨万の富を得ている人もいるのだが、自分の収入のことは棚上げである（もっともその金で海外出張し、有ること無いこと、日本の悪口を喧伝している国賊のような代議士もいるが）。

私が東大第二内科時代、同じ研究室にいた私立大出身のある富豪の子息は、社長の兄の死によって大きな店を継がなければならなくなり退職、次のように店を改革した。初代のビルの一つに診療所（一般内科と歯科）と託児所、休憩室を設置、女性社員がほとんどであったから、華道、茶道、裁縫教室も開いた。給料袋は一人一人に個人別の短い手紙を同封し、面接して直接手渡していた。最も画期的だったのは、結婚後、主人を見送ってから片付けをして出勤出来るよう、出社時間を一時間遅らせ（給料は据え置き）、妊娠が進むと退社時間も一時間早くした（六時間勤務となるが給料据え置き）。産後休暇も与えた。その結果、仕事の総量（出来高）が減ったかと言うと、変わらなかったばかりでなく、逆になった。退職者が激減して熟練社員が増え、良く働くようになって、時短は業績に影響せず、二つの店はやがて近隣一三軒のビル卸総合店にまで拡大、往来の激しい出張顧客のホテルまで作り、一大財閥となった。一方、テレビの宣伝は気付かぬくらい極めて上品かつささやかであったし、以前からパリの凱旋門に目立たぬような広告があり、フランス政府からの勲章も授けられている。見事な女性雇用と育児問題解決策であり、また企業の振興に繋がるものだった。

そうは言っても、それが今直ちにすべての会社にという訳には行くまい。まず第一に、親子を分離するという個人人権偏重の戦後の風潮はそう簡単には変えられないだろう。私が結婚した昭和三三年には、婚姻届けを区役所に提出に行くと、新しい戸籍、つまり本籍を作るように言われた。

そして「寅さん」のセリフを借りれば「生まれも育ちも北海道の道産子（どさんこ）」なのに、無理矢理、東京が本籍となった。おかしな話である。

戸籍の問題はフランスでの少子化の歯止めになった。母子家庭の増加がそれである。日本では無理かも知れないが、同性結婚などという愚かで奇妙な制度作りに狂奔するよりは、フランスを見習ったらどうだろう。今の政府のおかしなことは、既に生まれた子供に対する手厚い補助（前述のように、これで子供達に依存心が芽生え、ひ弱な大人になって行く！）に狂奔し、これからいかにして子供を増やすかについての上述のような考慮がほとんどまったく無いということである。「産めよ増やせよ地に満てよ」と聖書にある。その方が福祉より喫緊の問題であろう。

それはそうと、今後の少子化は労働力の不足を齎す意味で確かに大変な問題でもあるが、これはひょっとするとＩＴの驚異的発展で、機械的な部門が解消されるかも知れない。チェスや将棋の世界ではＩＴが人間に勝る活躍をしている。近く、ロボットは老人の心境まで把握するようになるという。言葉を発しない寝たきり老人が何を望んでいるかを、目を見て察することが出来るのだそうだ。怖いようでまた喜ばしくもある。ＩＴの出現によって、現在の会社員は大幅に人員整理されるだろう。そうなると少子化でも十分である。人口減少に対し、移民を大量に迎えて解決するということには、西洋と違って日本のような特殊な国柄が変質しかねないので賛成しにくいと思う。相撲の世界で外人は一部屋一人に制限されているのもその現れだろう。

だが古くはイギリスの産業革命では大量の人員処理を招き、それによって労働者が貧困に追い込まれたかと言うと、そうではなかった。大量生産や輸送力の飛躍的増大によって物資は速やかに流通し、輸出は伸び、何よりも物価が大幅に下落し、それによって労働者の給料の減少がカバーされたのである。結果として産業革命によって得をしたのは一部の資本家だけではなく、一般の労働者だったのであった。ＩＴ革命もそうなる公算がある。

一方、現在既に人口の二七％を超えているという超高齢化の将来展望も、一言で言えばやはり暗い。団塊の世代における二〇二五年問題も喫緊の課題だ。七五歳以上が二一七九万人になると言い、働き手の人口を超えるのだそうである。つまり勤労者一人が一人以上の老人の生活を負担させられる。不可能だろうし、ひょっとすると若者の反乱が起きる。それを制圧する人も嫌老社会の若人だ。恐らく助けては貰えない。ビートたけしではないが、八〇歳以上は死刑と言われるかも知れない。

だが私には異論がある。今現在、超高齢者と言えば、私を含め、戦前・前後の「食うや食わずの時代」を乗り切って来た言わば戦士である。現代の人、殊にいわゆる団塊世代の人には実感が無いだろうが、それはそれは酷い食糧事情であった。食えぬから糖尿病も消滅、飢えに耐えられぬ者は死亡し、飢えに強い遺伝子を持つ者が生き延びた。抗生物質も制癌剤も無い時代にである。しかし今の初期の人達は豊穣の時代に育ち、そんな体験が無いから、食生活が良くてもかえって長生きしないのではないか。そうだとすると将来の長寿問題に少しは希望が持てる。団塊世代の人達が老後問題をわざわざ唱えるのは、今までのように裕福かつ平安に過ごせなくなるのではないかということ、つまり甘えを意味している。「老後をどう過ごせば良いか」という問いに対して、天才ビートたけしの答えがまた振るっている。「死ぬのを待てば良い」。けだし正論である。「生きる権利」を主張する人達に対して、「権利と義務は一対である」という原則を適用し、「死ぬ義務」を課すべきだという西部邁さんのような人もいた。

いずれにせよ、政府や各マスコミの少子高齢化の意見に対して、上述のように私は異論を唱えたいと思う。そして平均寿命を過ぎたお年寄りが人生の終わりを迎えそうになったら、医師はご老体が十分に生きて来た人生を家族と話し合い、酷い目に遭う可能性のある蘇生術などの悲惨さを聞かせ、共に静かで綺麗な終焉を祈ろうと語り掛けたら良い。

私は若い頃から東京女子医大小児科の故高尾篤良教授のご意見に倣い、医学部に「死生科：Division of Thanatology」の必要性を力説して来たが、生かすことを至上命令とする医師達からは常に気違い扱いされて来た。そしてどこの世界でもチンピラの意見は無視される。今現在、色々な問題に直面して、もう少し頑張れたらなぁと、感慨しきりである。

私の友人は年賀状に、あと三年、つまり一〇〇〇日をいかに過ごそうかと思っていると書いて来た。それは懐具合を考えながら紅灯緑酒の巷を放浪するのだという。「それも好し」と私は思う。誰にも邪魔されず、お金も使わず、集積された過去を静かに振り返るのも良いだろう。いずれはすべてが無に帰し、わずかな記憶のみが留まる。凡人だから業績と言えるものはそれほど無いが、私の家系図には随分昔五〇歳代まで「長生きした」婆さんの記録があり、いまだに世話好きの「通称ニコニコ婆さん」という愛称が書き残されている。私はさしずめ「悪たれ爺さん」か。それで良い。

2　お医者さんを巡って

A　患者さんを「診ない」お医者さん

近年、患者さんの最も大きな訴え、と言うよりも究極の不満は「医者が患者をみない」ということである。「みない」という言葉の中は「診ない」ばかりでなく、文字通り「見ない」の方にも同じ比重が掛かっている。医師の目は常時パソコンに向かっていて、患者から九〇度、時にそれ以上ずれている。だから視野が広い馬などと違って、患者の顔を真面(まとも)に認識出来ない。顔はその人の代名詞である。和辻哲郎の名著『面とペルソナ』にあるように、人の名を聞いて、あるいはある人を思い出すのに、まず頭に浮かぶのはその人の顔である。背の高さでも、ましてや臍の形でもない。かてて加えてそういう医師は満足に挨拶もしない。患者さんが勝手に診察室に入って来たかのような態度である。「どこがお悪いのですか」とか「何かお変わりございませんでしたか」の一言が言えない。診察を終えて、「お大事に」とか「風邪をひかないようにね」との挨拶も出来ない。老人なら「転ばないようにね」とも言うべきだろう。

何をおいても、まず"eye contact"(アイ・コンタクト)。目を見ないのはその者に邪心があるか、引け目があるか、面倒くさい、つまりどうでも良いといった心があるからで、これは患者診察では甚だ礼を失した医師の態度で許せない。それに外来の度にアイ・コンタクトがあれば、一寸した異変に気付く筈である。最近の自験例を挙げれば、一寸頬がこけた感じから発見した胃癌（手術に至る）、本人は気にしていなかったが、唇の小さな出来物から気付いた口唇癌（手術に至る）、血の気の引いた顔（下血：マロリー・ワイスMallory・Weiss症候群の発見）、口角に一寸した緩みがあってよだれが滲む（垂れるほどではない）ことに気付いた小さな脳梗塞、そして入室時の数歩の歩きから気付いたパーキンソン病、粘液水腫の特有な顔付き、私の患者メモ帳の一年を見直しただけでも、見逃されるかも知れない疾患がこれだけあった。私自身が気付かなかった例はもっと多いのかも知れない。

私はずっと以前から手掌大で厚めのメモ帳を持っていて、診察日毎にすべての外来患者の名前、年齢、主な診断名（私流の略語で）、今回の特筆事項を一行ずつ書いている。既に数十冊溜まっているが、統計にも利用出来るし、去年のノートを見て長い間来院の無い方（殊に重要な疾患例）には電話することもある。残念ながらほかの病気や怪我で亡くなっていたり（自殺もあった）、引っ越し、歩行困難など、それ相応の来られない理由がある。しかし決して再来院を勧めたりはしない。

来たくない患者もいるだろうし。

先だってなんとなく浮かない顔の後期高齢「入門者」が見えた。七五歳。長年通っている方だから、顔付きの僅かの変化も気になる。それとなく「何か変わったことでも…」と声を掛けると、やはりそれとなく予期したように、奥さんがボケ出したと話し始めたのであった（いわゆる認痴症である：認知症という妙な名もある）。一日中目が離せなくなった。それまで細君がやっていた家事もしなくてはならず（それ自体が問題なのではない）、買物も一人で出かける訳にいかなくなったし、テレビも二人で見ていている間、色々話しかけないとすぐ寝てしまうというのであった。帰り道を忘れる可能性があるので、一人で外出させられないのも悩みの種だ。旦那さんを認識出来なくなったりする女性老人もいる。亭主が女房殿からしょっちゅう「あんた誰？」と言われて往生している友人もいるし、アメリカの畏友の一人は細君からよそ者として家から追放され弱っていた。ごく最近も細君のボケで医院を閉鎖した親友がいる。診察中も目が離せないという。同級生の一人は痴呆の細君を連れて通院していた。暗い部屋で細君を側に置き、レントゲン診断をするので傍に迷惑は掛からない。しかしその細君の亡くなった後、今度は彼自身が痴呆になった。胸が痛む。「よく物忘れをする」というご婦人に「何時頃からですか」と聞くと、「なんの話ですか」と逆に質問されるのには閉口してしまったが、決して投げ出したりしてはいけないのである。

こういう患者さんはどんどん増えて来ている。「物忘れ外来」が繁盛するのももっともである。そのため、これはと思うご老人には家族の同伴を勧めるようにしているのだが、事務員のお嬢さん達と相談して今後のことを考えなくてはならず、一寸大変である。家族の方も心配なので放っては置けない。最近は家族同伴のご老人が増えた。私もいずれそうなるのだろう。その兆候が出たら家内を連れて国外に出、それきり帰国しないつもりである。誰も知らない所で死を迎えたい。

忙しい現代の医師に患者のこういう私事まで心配する義務は無いかも知れないし、だから「そうしろ」とは言わない。でも、一寸した心遣いを何時も持っていて欲しいと思うことが少なくはない。

私は現在、多くの年寄り同様、幾つかの病院外来に通っているが、ある時、私の入院を引き継いだ外来医師が終始パソコンを見ているだけで、患者である私を一顧だにしないまま診療（パソコン上の成績報告のみ）を終了、「次は○月○日午○時で良いですか」とパソコンを見ながら申し渡したので、私は問いかけた。「先生は診療なさったのですか？　もしそれだけでしたら診療を事務員に任せても出来るのではないですか？」。

担当医師は非常に驚いてこちらを初めて見つめ、ニコニコしている私を見て少し安心したのか、「申し訳ございません」と詫びた。次回からどう変わったかは推察に任せよう。

私の患者さんの奥さんが入院した。受持医がやって来て入院時の身体的所見を採った。それを見ていた私の患者さんは、「先生は胸部の聴診を雀がちょんちょんするようにしかしませんでしたが、それで所見が採れたのですか。私の主治医の先生は少なくとも毎回一分間位は聴診器を当てていますが…」と述べたそうである。結果をきちんと記録するには雀聴診では出来ない。その先生は丁重に頭を下げて謝り、聴診し直したそうである。見どころのある医師だと私は思う。

しかしことほど左様に、いたずらに検査所見ばかりに頼り、診察をないがしろにする医師が非常に増えている。これは患者さんの最も大きな嘆きとなっている。殊に痛みを訴える箇所に手を当てもしないというのは、診療の基本を完全に閑却するものである。診療は「手当て」である。

かつての医師は、患者に触れる手を常に温め、聴診器のチェストピースも冷たくならぬよう気配りしていた。一高・東京帝大卒の俊秀、後の東北大学内科の大教授で抗酸菌病研究所を創設された故熊谷岱蔵先生は、常に右手を白衣のポケットに入れて温めておられたことでも有名である。そういう気配りが今の医師には無いのが残念である。

貝原益軒は「養生訓」で有名だが、健康法の一つに、両手を合わせ、十分にこすって温め、目を中心に両手を顔に当てることを勧めている。益軒夫婦は当時としては大変長生きしているが（八五歳！）、実はこれが体の悪い所に「手を当てる」となって、病を治すことを「手当する」と言うようになったと言われている。とても大切なものだから、給金（サラリー）のことも「お手当」と言うようになった。

お腹が痛いというだけで消化器内科を受診、MRI検査に廻された私の患者さんがいた。廊下にいた彼がそう言うので、お腹を触ってみた。右季肋部正中線近くに指先位の圧痛点がある。昨日、卵料理を沢山食したと言う。言うまでもなく胆石発作である。ブスコパン注射ですぐに緩解した。勿論、MRI検査はキャンセルした。後で腹部エコーを撮って確認出来たのは小さな胆石だが、胆管に引っ掛かると疼痛発作を起こす。ブスコパン錠の携帯が必須である。

腰背部の痛みは年寄りには日常茶飯だが、そのために鎮痛剤のテープや温湿布剤が頻用される。ファイテンテープというチタン剤もよく効く例がある。共に私は愛用している。

ある患者さん、腰痛のため整形外科を受診、診察無しでCT検査を受け、異常無し。刺すような痛みは強まるばかりなので翌日も受診、鎮痛剤を処方されたのみで、局部の視診も触診もされなかった。つまり患者さんも医師も、背中で起こっているものが何か、知らないのであった！　休日を挟んで三、四日後、別の病院の皮膚科を訪れ、帯状疱疹と診断された。治療は遅れた。そのせいか、後々まで痛みは残った。

少し痛みを伴う眼瞼の発疹で、眼科医は何かの軟膏を与えたが、腑に落ちず、翌日皮膚科を訪れ、帯状疱疹と診断され、危うく失明を免れた。皮膚科医は激怒した。

私の友人も同じく帯状疱疹に罹患した。庭いじりの後に外科医を訪れ、左上腿の「虫刺され」と診断されて軟膏を貰ったが、勿論治癒せず、一ヶ月以上後に初めて正しく診断されたが後の祭り。一年後にも足底の感覚は戻らず、杖を頼りのヨチヨチ歩行という惨めな姿になった。

他に帯状疱疹の問題は沢山ある。年寄りは若い時の水痘など覚えていないから、こちらがそういう目で見なくてはならないのである。

以上のようなことは氷山の一角である。患者をよく診ない医師はそれに気付かないだけである。他人のことは言えないが、視診、触診、聴診がなおざりにされることは許されない。痛い所に手を当てるのは医師の常識なのである。

聴診してすぐに弁膜症とその内容を診断したら、びっくりした若い医師がいた。弁膜症は心エコー図でないと分からないのではないかと思っていたと言う。情けない。私は高齢者の下背部をよく聴診するが、肺音の異常が時々見つかる。抗生剤で「掃除」すると消える。放っておくと肺炎になる例がある。

自慢話のようで恐縮だが、医師国家試験の面接で、「お乳をやっても泣き止まない乳児では何を考えるか」と聞かれた。①「衣類に髪の毛が刺さっている」、それが無ければ②「耳介を上に引っ張ってさらに泣けば涙による外耳道炎」、そうでなければ③「お腹、殊に回盲部近くを押すと酷く泣くなら、イレウスを疑って腹部を打診・ガス貯留と腹部膨満を発見する」。一〇〇点満点で褒められた。実は小児科の入り口の話である。でもそれすらしない医師がいる。

B　病院の診療休日が多すぎるのでは？

我が国の休日は、日曜は勿論だが、祭日・祝日・記念日などの休日が多いばかりでなく、旗日が日曜に重なる場合、月曜日も休日となる。平成三〇年にはその振替休日が実に一〇日（実質八日）もある。土曜・日曜も加え、またゴールデンウィークの中日二日を加えると、我々は年二六〇日一寸しか働かないことになる（日雇いだと有給の年休も無い）。だが後の一〇〇数日に病院を訪れる必要が生じたらどうするか。救急病院があるとは言っても、近くのかかりつけ医院は休診しているだろうから、ことは簡単ではない。自分の経験でも大変だった。それに最近の救急病院は老人の救急患者がそのまま何日も居座って退院しないので、本当の救急患者は短期入院すら出来ない。

アメリカ留学時、土曜日を無断欠席したことがあった。翌月曜日、Ｌ教授に大層叱られた。あまつさえ、最低の最低のフェロー（worstest fellow：worst という最上級にさらに最上級のｅｓｔを付けた形である：救いようがないとでも言うか）というお目玉だった。「病気は曜日を選ばない」というのが理由であった。日曜日は教会に行くが、病院に寄って患者の状態を把握してからであった。東大第二内科時代、Ｕ教授は日曜も出勤されていた。さらに札幌の学会の際、夜帰京し、翌日の総回診をされてまた札幌に戻っておられた。「回診は臨床教授の最大の義務です」と私に言われた。飛行中に患者の急変を伝えられ、外地の空港から直ちに引き返したＡ外科教授もおられた。

真似は出来ないが、共に頭が下がる。

かてて加えて金曜日を半ドン（午後休み）にしようとする案がある。危険を感じて私は月・金の日雇い勤務を別の曜日に変えた。半ドンはかつては土曜の半日勤務のことだった。だが大学時代、留学時に倣い、私はその土曜の丸一日を研究室のカンファに当てた。これは心臓病学全般に亘る極めて激しい論戦で、その患者のすべてを俯瞰する徹底したものだったことから評判を呼び、かえって参加者が増え、見学者も現れた。激論につぐ激論で夕方にはさすがに疲れ、車の運転が出来なくなったこともあった。

診療の無い日が多いと何が困るか。それは別の職業でも同じだろうが、固定給の正規社員、殊に公務員に対し、極めて多くの日雇い職員（私もそうだが）はそれだけ日当が減るので生活に差し支える月が出る。毎週一日だけのパート医師は下手をすると月給が半減する。由々しき問題である。

政府は仕事改革という極めておかしな根拠の無い政策を打ち出し、何が貧困救済なのかと首を傾げたくなる。正規社員、非正規社員などを論じる前に考えて頂きたい。パートタイマーにゴルフを楽しむゆとりは持てない。ゴルフを楽しむ首相に一考を願いたい。

C　専門医という医師は本当に「専門医」と言えるのか

これはとても重要な問題である。私は専門医制度発足時にそれに関係した医師であるが、初めからどうもうさん臭く、どうしても気乗りがしなかった。金銭的な問題、点数制度の不均衡がそれに拍車をかけた。思っていた通り、良い医師を育てるという初心の名目は瓦解、学会のご都合主義が横行し、迷惑を蒙るのは若手医師、それに右往左往しなくてはならない患者さんであった。だから私は同志と共に創設した日本心臓病学会に専門医制度を導入せず、学会の方からこれはと思う十分に練達した医師を選抜し、Fellow of the Japanese College of Cardiology（FJCC）という国際称号を与えることとした。学会参加費免除など、数々の恩典も与えている。

現行の専門医制度で誰が一番得をするか。言うまでもなく集金組織に堕した学会である。詳しくは前に触れたが（注）、今回の新しい「専攻医」には期待している。学会のエゴから離れるだけでも良い。制度の門外漢である私に言うことは無いが、専門医となる前に、アメリカのように七年くらい広範な経験を積ませ、その上で専門医試験をすべきだと思う。そうでないと、専門医でない方に却って希少価値があるという非常事態になるかも知れない。

注：臨床医学の成立ち：三本の矢と第四の矢。『多病息災―あるお医者さんのたわごと』第八章、愛育社二〇一五、三七〇―四五六頁

幅広い経験と言えば、例えば循環器専門医なら、高血圧は勿論、小血管病としての糖尿病やその他の代謝疾患、膠原病なども対象にすべきだし、何よりもありきたりの疾患は治療出来ねばならない。特に高齢者では多くの疾患を持つ方が少なくはないので、大学病院のように沢山の専門科を遍歴することは大変なのである。殊に循環器系は後述するように分野が広いが、脂質異常症を始めと

するメタボリックシンドローム、脳梗塞、前立腺肥大、高尿酸血症、慢性腎疾患も対象にすべきだし、そのほか慢性胃炎、腰痛症、それに季節により花粉症、この位のことは一人で診療すべきである。高齢者ではせいぜい「年寄りは風邪をひかない」くらいが助けというものかと思う。インシュリン注射は糖尿病専門医にというのは納得が行かない。

喉の痛みを訴える心疾患患者がいた。見ると咽頭発赤が酷く、唾を呑み込めない。すぐにルゴールを塗布しようとしたが（これが一番手っ取り早く速効的である）、それには耳鼻科でないと駄目だと看護婦さんが遮る。仕方無く耳鼻科の受け付けをしたが、予約が無いので最後の診察となり、二時間ほど痛みをこらえていた。馬鹿げた話である。現今は抗生物質投与で心配は無いが、かつてはここから急性腎炎、さらに慢性腎炎となって死を迎えたのである。一体、専門医制度は何を考えているのだろうか。

そういった意味で、専門医を目指したがる現今の研修医制度は良くないと思う。また初期研修医が責任を取れないのは無論だが、後期研修医がまださほどの経験も無いのに一人前扱いされるのはおかしいと思うのである。卒後三年くらいで初期研修医の指導をなどと言うこと自体、間違っているのではないか。研修医を戦力に加えてはいけない。

今はどうか良く知らないが、私が留学していた一九六〇年初期、アメリカでの心臓専門医資格は七年の内科フェローを終えてからであった。セシルの内科書をベラベラ暗唱しているチーフフェローには脱帽した。

勤務時間のことだが、土台、医師に連続八時間労働を限度とすると強制したり、週四〇時間を最長勤務時間とするなどもおかしい。帰国した後輩に聞くと、アメリカでは最長勤務時間が当直を含めて週八〇時間、連続勤務時間二四時間だと聞いたが、日本で全国の医師を見れば、恐らく過半数の医師は日本での労働基準法違反者になるだろう。もし政府が医師にこの厚労省基準を強制したとすれば、日本の医療は完全に崩壊する。それで患者さんに不幸が訪れても良いのなら構わないが(それでなくても実働医師数が足りない)、現実には労働基準を無視して加療してさえ裁判沙汰に追い込まれる。因果な職業である。私の入局時には特別な規約は無かったが、連続七二時間は勤務出来るようにと言われ、その間に抄読会、症例検討なども行わねばならなかった。今は時間が過ぎると帰ることを命じられたりするというが、かってはその逆で、「もう帰るのか」と言われ、電車が無くなって、広い当直室は雑魚寝の医師でいつも一杯であった。今では「時間です」と引き留める看護婦を振り払い、患者が死亡してしまった例がある(責任は無い。引き留めても死亡した公算は大だが)。かつての医局のように、一人が駄目でも代わりが沢山いるようなら問題は起きないのだが、今はそれを言うのも空しい。それに当直明けが休みだなどと言っても、その間カンファや抄読会などがあれば、他人に後れを取ってしまう。それがかえってストレスになる。

「日本の医療は医師の犠牲の上に成り立っている」とは、先述したように、視察後のクリントン元大統領夫人の言である。当時の彼女は日本の一見優れた健康保険制度を見習うのを諦めた。

代わって現在の日本の専門医とはと言うと、これも物寂しい。第一、知識の幅が極端に狭い。私も例外ではない。日本循環器学会の記載を見ると、私の最も好きな二つの疾患群が抜け落ちている。理由は一部はっきりしているが、一部は理由不明である。しかしいずれも内科の外来にやって来る。一つは先天性心疾患だが、これは小児循環器学会に任されていることになっている。だが馬鹿げたことに、動脈管開存の八二歳の老婆が小児科に通っていた。私は四歳の心室中隔欠損を一六歳で心雑音が消失するまで外来診療していたし、六二歳の立派なエプステイン奇形とか七〇歳の心室中隔欠損（かなりの左右短絡があった）も診ていた（現在は老人ホーム）。女性に多い心房中隔欠損などは閉経期頃に発見される例もあり、これを小児循環器科に送るのは躊躇される。もう一つは心筋症で、沢山の症例がおり、私の外来は日によっては心筋症外来の感がある。こういう片寄った診療体制は専門医が非常に狭い領域に自らを閉じ込めることによるが、その最大の理由は制度そのものの分割や矮小化による。自分で自分の首を絞めている結果である。

ほかの専門分野には言及しないが、循環器の専門医と言っても実際の診療は虚血性心疾患、高血圧、心不全、弁膜症、心筋症、肺高血圧症、不整脈疾患、脳血管疾患、大動脈および末梢血管疾患、心臓・血管における感染症や膠原病、免疫疾患、心臓移植、その他に細分されていて、お互いに交流の無い循環器内科もある。それに血を見る観血的（侵襲的）検査や治療の専門、場所によってはペースメーカー専門、また一般的なカテーテル検査とか、不整脈（心房細動）の侵襲的治療ばかりの専門家もいる。だから循環器内科全体としてのカンファではほとんど議論がなされない。と言うより意思が通じない。胸痛の検査である心電図、レントゲン、心エコーなども他人の結果報告の鵜呑みで、さらに心エコー自体の判読も出来ないのは勿論、検査そのものが出来ない。悪い言葉だが片輪医師である。そもそも専門医の資格は持つが、遺伝子研究とか生体力学的研究に興味を持つ医師は上述の臨床的な事項に興味を持たない。だがそういう医師も外来診療をしているのだから、患者もうかうか出来ないのが実態である。床屋に行くのに美容室を訪ねるのならまだしも、同じ髪だからと鬘（かつら）屋に行っても始まるまい。

だがそういう私も、もはやカテーテル検査は出来なくなっているし、新しくなったペースメーカー植え込み方法は知らない。やはり偏った片輪医師だ。だが昔取った杵束(きねづか)で、曲がりなりにも多くのものを理解は出来る。勿論勉強もする。

学会出席が義務付けられている今の専門医は、実際にはその狭いセッションにしか顔を出さないので、広い知見を得るチャンスに乏しい。専門学会出席の義務付けは学会の会計に資するだけで無意味である（抜け道はある）。医学会総会なるものが四年に一度大々的に開かれるが、会長を巡る裏工作が盛んで、要するに名誉が欲しいのである。そして会場はあちこちに分散しており、個々の講演は優れているのだが、会場巡りが実に大変で、事実上、三日間で三、四講演しか聴けない。そこへ持って来て司会の役を仰せつかった私は、結局一つの講演しか聴けなかった。会費は三万円であった。馬鹿らしく、以後一度も参加していない。紅白歌合戦の裏番組同様、同じ日に「反医学会総会」というものがあって、その方が面白そうだった。

こんなことよりも広範な知識の得られる講演会を頻繁に行い、あるいは深い知識を求めて各種の研究会への出席を義務化して見識を広めるべきである。私は日本心臓病学会を創立した頃、一つの疾患あるいは疾患群に対して、内科的・小児科的（各種の診断・治療法）、外科的、放射線科での特殊な検査法（ＣＴやＭＲＩなど）の知見の総合的研究発表を一堂に会して行うことを一つの目標にした。大変好評で、廊下をうろうろする医師の姿が消えた。だがそのためには儀礼的な座長制度では追いつけず、多くの努力が必要になるので、段々と敬遠されるようになったのは残念なことである。それはとりもなおさず、患者のために貢献することにはならない。

形の上だけでかかりつけ医だとか専門医などを唱えても砂上の楼閣である。まともなかかりつけ医になるには、本当は容易ではない筈である。狭い専門では勤まる筈もない。

最近、心電図専門医、認知症専門医という方に会った。ご本人が認知症ではないか、頭の中がどうなっているのか知りたいものである。

このように学会や医学・医療・専門医制度が歪んだものとなって来た一因は、医師としての業績を実験中心にし恬として恥じなかった指導者層の驕りと怠慢、あるいは医療に対する先見性の欠如である。例えばもう三〇年近く以前になるが、役職（例えば教授・助教授など）を推挙する場合、発表論文のインパクト・ファクター（ＩＦ）が過大に重視され始めた。このＩＦとはその論文が過去二年間にどれだけの雑誌に引用されたかによって算定される。有名雑誌に載れば引用される回数が増えるのは理解出来るが（有名雑誌に載ったから重要性が高いとは必ずしも言えず、後で取り消しになったり、間違いが指摘されることも多々ある）、競争相手の多い研究、つまり一年に数論文完成出来る実験的研究が過大に評価される一方、数年に一つしか完成出来ない臨床的研究の評価は、追試するのに数年掛かることもあって引用回数が減り（今では教科書にも載っている私の心尖部肥大型心筋症が初めて引用されたのは七年後、我が国ではさらに一〇年以上後である）、ＩＦは大変低くなる。ということは、論文数がもともと少なくＩＦも低いという臨床家は昇進の審査に際して非常に不利で、臨床の出来ないあるいはそれに興味を持たない学者が「臨床」教室の教授になるという事態を発生させる。実際、東大でも手術すればまず死ぬという外科教授がいて、よく裁判沙汰になり、私も証人などでしばしば地裁に引っ張り出された経験がある。東大出身者には、私などを除けば、優れた人材が豊富なので、定年までには大教授に「成長」する方が多いのだが、それでは教室員や学生の教育に間に合わない。かつては着任されたその日から動物実験を開始した第二内科のＫ教授もおられたが、その方は教育にも力を入れ、本邦の内科医必携の「内科書」全三巻をＳ助教授とお二人だけの分担で書かれてもいる。知識や経験が深かった証拠である。

だが、そういう方はほぼ根絶した。専門分化が進んだとは言え、現今の教科書は夥しい人数の執筆者により書かれ、医学哲学的統一性もまったく無く、縁もゆかりもない寸断された書き物の集積と化してしまった。そして臨床よりも実験的記述が主体となり、臨床に役立たなくなった。部分的には正反対のことが書かれていたりする例もある。

危機感を持ち、考えられないような既設学会からの七年間にもわたる迫害に耐え、私や同志が臨床主体の「日本心臓病学会」を創設した理由はそこにあり、その結果、まことに小さい私の研究室ではあったが、主任教授とはほぼ無関係に、一二名もの教授を内外に送り出し、心臓病学に関してのみだが、臨床の重要性を強調することが出来た。日本医学会からは諸手を挙げて参加を認められたが、直後に既設学会が裏手から手を廻し、強引にそれを取り消させた。だからますます私は日本の旧態依然たる悪しき制度に反発を感じ続けるようになったのである。私は日本医学会、日本医師会、東京都医師会、千代田区医師会などに所属せず、専門医資格も拒否し、あらゆる学会を退会、自分で創設した二つの国内学会と、これも創設に関与した二、三の国際学会のみが研究発表の場となっている。そしてそれが楽しい生き甲斐となっている。

しかしまた一方では、権威ある大教授が自分の系列の弟子を各大学や自分の大学の各科教授に推薦して、その内科出身でなければという、平安時代の藤原一族や、「平家にあらずんば人にあらず」という弊害もあった。しかし未だにそのような傾向があり、また実験至上主義の教授が支配層にいるというのが現実で、これから伸びて行く医師達は可哀想だと思う。

医療の威信を貶めるような話だが、赴任した臨床教授が臨床に興味を持たずにボイコットされた愛媛大学事件、東大病院でも在任期間一四年中、回診一回（実は一〇名程度で中止）、講義一回、外来も何もしなかった教授が二名おり（一名は日本学術会議会員、文化功労者）、別にまた専門科のカンファァを恐れてやはり一四年間、最初の一回だけで後はオール欠席という教授もいた（後に日本学術会議会員）。その間、助教授、講師が代理を務めたという。これが地方大学なら大問題になったであろうが、国立大学では国家公務員としての身分が保証されているので、バッシングを受けることも無く、業績らしいものは何一つ無く、しかも名誉教授の称号まで頂戴し、定年後、大病院の院長に就職している。医局員は彼の定年退官を待つしか無かったのである。まったくもって酷い話である。

私はアメリカの某大学に臨時講師として招聘されたことがあるが、学生の実地教育は大学に残って開業している退職教授（これは日本では出来ない）と名誉教授によって行われており、個人指導には長年診ている自分の患者を利用出来るからとても能率的であった。学生は一人で朝八時から患者の問診、診察、心電図、レントゲン、心音図、心エコーを撮り（私はその間の介助）、一一時から一時間、教授と一対一の討論をする。疾患は揃えてあって、主要疾患は事前にすべて個々の学生にきちんと割り当てられていた。その日は大動脈逆流を有するマルファン症候群であった。学生は教科書よりも綺麗な頸動脈波と心音図を見て感嘆したが、W教授はThat's why, I invited Dr. Sakamotoと言って下さった。

そのような教授達には大学内に秘書付きの立派な総合居室があり、またあらかじめその日に予定された実習患者の診察・検査は無料であった。また私の留学先の大学での内科系教授主任は最年少の教授が司ることになっていた。L老教授が呼びつけられ、業績のことを注意されて苦い顔をしておられた。

D　誤診と医療過誤

人間の行うことに一〇〇%は無い。あからさまにそれを告白する医師もいる。なかなか出来ないことだが正直である。アメリカ留学時、複雑心奇形の新生児のカテーテル検査で大腿静脈と大腿神経を見誤り、神経を切断した留学中の医師がいた。彼は黙って病院を辞めた。

それについて何時も不思議に思うことがある。裁判所には家庭裁判所や簡易裁判所を除けば、地方裁判所（地裁）、高等裁判所（高裁）、最高裁判所（最高裁）があるが、例えば地裁で有罪、高裁で無罪となれば、なぜ地裁が「誤審」したと言われないのだろう。これが診療であれば、下手すると最初の医師は有罪となり、賠償金を取られたり、失職したり、極端な場合は監獄行きとなる。これを裁判官に当て嵌めれば最初の地裁裁判官は誤審したことになり、減俸とか謹慎とか、下手をすれば罷免されたりしてもおかしくはないのに、そんなことは聞いたことが無い。「御免なさい」との謝罪も聞いたことが無い。クレージー・キャッツ並みに言えば「裁判官は気楽なもんと来たもんだ」である。

医師は人の命を扱うのだから裁判官とは違うのだとは必ずしも言えない。それどころか、絞首刑にされた罪人がその後無罪になったとしたら、その裁判官は殺人犯に相当し、懲役刑を免れないのではないか。もし「人間のすることだから間違いもある」と言うなら、医師の誤診はすべて無罪である。何故裁判官の誤審は閑却されて医師の誤診は有罪になり得るのか。

某新聞によると、オランダの国際機関の発表では昨年の航空機事故は全世界で一〇件、死亡者は僅かに四四名という驚異的な少なさだという。ジェット機に限ればゼロである。年間延べ四〇〇〇万機の民間機が四〇億人近い客を運んだというのだから、確かに言われる通りかも知れない（軍用機なら危険と同居しているから被害は増える：だが沖縄のアメリカ軍は怠慢だ）。それほど安全とは言えなかった昭和の中頃までは空港に簡易保険の簡単な設備があって、ほとんどの乗客が数百円でそれを利用していたが、今はそんな機械は置かれていない。それだけ安全になり、意味が無くなったということであろう。

だが最近、気が緩んだせいか、事故が多発し始めている。

一方、二〇一三年のアメリカ医学論文によると、医療過誤による年間死亡は約四〇万人と算出されている。死亡に至らない事故はその十倍以上になるだろうし、ヒヤリ・ハットの事故はそれこそ無数に上るだろう。

航空事故はブラックボックスによって徹底的に検証されるが、医療事故の解明はしばしば困難とされている。医療側の秘匿が主な原因である。殊に重大な医療事故の解明は至難なことが少なくはない。ある程度の事故はテレビでもインターネットでも日常茶飯事として報じられている。また意図的に目論んだ虚偽の医学論文も巷に散乱している。それでなくても、正当な検討から導かれた論文でさえ、統計的には正しいのだが、実地にまったく役立たないものが多過ぎる。最近の医学研究論文を見るとつくづくそう思う。作成するのも発表するのも論文化するのも読む方も、経済的、時間的に重大な損失を被っている。殊にやってみてからでないと結果が（＋）と出るか（－）と出るか見当もつかない事象では、結果だけを見て有効だとか無効だとか言われてみても、実地にはまるで関係が無いから、無益だろう。いや有害だ。

　最近では功を焦るためか、超一流の雑誌でもインチキがばれる（一流雑誌だから問題視されるのだが）、二流、三流の雑誌では恐らくもっとあるであろう。大変残念なことだが、我が東京大学でも多くのインチキ論文発表が露見した。それに「ブルータスお前もか」を地で行くように、ノーベル賞受賞者の山中博士の研究室においても偽作論文が露見し、我々を落胆させた。上手の手から水が漏れるではないが、生え抜きではなく、研究室に寄生するだけの研究者の論文には殊のほか気を配らねばならない。私もそれで随分と苦杯をなめた。実に巧妙に嘘をつく（学者とは言えない）人者がいるのである。まったく酷いことに教授立候補者が発表されてもいない論文を履歴に幾つも載せていた怪事件にも遭遇した。油断も隙もあったものではない。それにそのような偽作論文を引用して自分の論文を作成する学者も結構いるのだから、その迷惑は夥しく（学位審査に同席して、可哀想だが、泣く泣くそういう論文を却下させざるを得なかった苦い経験がある）、偽作者は罪万死に値すると思う。

先にも述べたが、殊に医学統計論文ほど怪しいものは無い。ご用心、ご用心!! それに極めて多数の症例が全体としてどの方向を向いているかということと、個々の患者がどちらを向いているのか、反対方向を向いているのではないかということは、別次元の話である。だから自分が診ている患者をいきなり統計の上に位置付けるのは難しいのである。薬などの場合は、極端に言うと、使ってみての結果から判断出来る問題なので、自分の症例に何を最初に使うかはまた別問題なのである。

医療を事故無く、薬は副作用無しに、食べ物は安全に、最近は原発を安全に(安全でないからと言って反対者が出る)、なんでも「お気を付け下さい」の時代、お節介極まりない。政治自体が必ずしも安全ではないこともかつての民主党政権で嫌というほど知った筈である。

世の中に絶対というものは無い。原発推進者や東電などは絶対安全だと絵空事を言う。逆に反対者は絶対安全ではないと息巻く。平行線だが、どちらも間違っている。そして危険が何時、どのようにしてやって来るかということは誰にも分からない。東北の三・一一大地震や大津波も予期されていなかった。逆に当時、しばらくは地震は無い、少なくともその年は安全だと報じられていた筈であった。また神戸の大地震は誰一人想定さえしていなかった。普賢岳、御嶽山など、火山の噴火も同じである。

一方、なんの規制も無い交通機関である車には、事実と異なって、初めから人身事故を起こすという想定が無い。年間数千人ほどが死亡し（実際は二四時間以内の統計だから、それを過ぎて亡くなった人を加えるとさらに多数になる）、身体障碍を生じた人数はその何倍にもなるだろう（私も未だにその障害に悩んでいて通院を余儀なくされており、それに対しなんの補償も無い）。そういう危ない「機械」を原発反対者も運転している。原発は自分の体内の子供にも影響するという議論を聞いたが、彼女等は自分が原発でどれだけの人が恩恵を被るかの認識を一〇〇％欠如する完全な個人主義者であるかを露呈しているだけではないか？　狭い日本では広範な太陽光発電は無理、うるさい風力発電でも同じ、両者共大幅に環境を破壊し、景観を損なう。

世界は脱炭素社会化で揺れ、菅義偉総理は二〇五〇年までに温室効果ガスの排出を全体としてゼ口にすると述べた。原発なしで一体どのようにしようとするのだろう。今のままでは絵空事のようにみえる。政府の唱える「グリーン成長」は虚構だとする論も出ている。

漱石ではないが、「知に働けば角が立つ。情に棹させば流される。意地を通せば窮屈だ。とかくこの世は住みにくい」。だが医師はそれにもめげず、自己の仕事に誇りを持って立ち向かうべきだが、常に危険と背中合わせでいることを自覚し、また知に働いて患者の人間的な誇りを傷つけないよう、情に流されて板を踏み外さないよう、細心の注意を払わねばならない。それで初めて尊敬され、親しまれる医師であり続けられるのだと思う。

3　日本の二大奇病—大和民族を襲った人災

日本には世界的に珍しい病気があるが、英語になったtsunami、tofu、natto、judo、kabuki、最近ではshogi、manga、cospure、hibakusha、ianfu、bonsaiなどと並んで、同じく英語表記され始めた珍しい疾患名に、本邦特有のkaroshiとかnechushoなどがある。英語の辞典に横文字で出るのだから、これらはあちらの国には無い病気だと分かる。

A　過労死

一部、厚労省に同調する医師はいるが、恐らく医師のほとんどは過労死を認めないと思う。動物は過労そのものでは死なない。マウスを糸車に似た回転車（トレッドミル）に入れて自力でくるくる回させ、疲れて停まるとつついてまた走らせ、それを繰り返しているとマウスは結局眠ってしまって動かなくなる。しかし死んではいない。そういう実験を何度も繰り返した後、解剖してみると胃潰瘍が発生しており、それよりも副腎皮質の腫大が見られることが特徴であった。いわゆる昔ゆかしい「ストレス学説」の誕生である。これはカナダのモントリオール大学部医教授ハンス・セリエが主唱したもので、「外部環境からの刺激によって惹起される歪（ストレイン）に対する非特異的反応」がその定義である。この説の面白いところは、元来物理学的な歪を生体にも適用した点で、それを引き起こすストレス（ストレッサーと言う）は「外部環境からの刺激」である。ストレッサーには物理的、化学的なもの、生物的なもの（炎症とか感染も含む）のほか、心理的（緊張とか不安など）なものなど、色々ある。

私事に亘るが、一九五五年の暮れ近くと記憶するが、セリエ教授の講演が東大医学部大講堂であった。超満員、席が無くて冷たい石の階段に一時間座ってストレス学説を拝聴したのがストレスになって肛門周囲炎を起こし、私はお尻（ストレス痔？）の手術を受けることになった。

因みにストレスという術語は、始めに仮想した内分泌説が破綻してから、現今の医学書にはほとんど出て来なくなった。代わってマスコミや一般社会の日常語となってしまい、色々な意味に使われている。会社などでの過重な仕事は、ある人にとってはいわゆるストレス（正しくはストレッサー）となり得るが、一方、他の人にとってはまったくストレスとはならず、気持ち良い疲れと受け取る人もいるだろうし、逆に極限までやったという爽快感を感ずる人もいるだろう。私は後者である。とにかく一概には言えないのである。

騒がれたＮＨＫ女子記者の心不全による死亡のように、過労が個人の有する既存の疾患に悪影響を及ぼすことは容易に理解されるが、それによって落ち込んだり、鬱になったり鬱が助長されたり、疲労が重なって十分働けなくなったりすることは勿論ある。しかし全員がそうなる訳では無い。最近「働き方改革」といった甘ったれたことが提唱されているが、要するに楽をしたいための表現だと私は思う。

お断りしておくが、厚労省や裁判所の発表を見てみると、過労で死んだとは直截に言ってはいない。ここに一寸した逃げがある。過労が原因で鬱になってとか、初めからあった鬱が原因となって自殺したとか、あるいはもともと心不全があってそれが悪化して死亡したとかいうのである。死因は明らかに別にある。最近に至っては、徹夜勤務明けにバイクで帰宅中、居眠り運転で事故死したのも過労事故死と認定されて高額な金額を会社が支払う判定（示談）がなされたという。会社がバイク通勤を勧めていたとか、会社の安全配慮に問題があったとか、まったく本人の自己責任感を欠くことにびっくりした。飲酒したら運転しないのが常識だが、徹夜勤務したら運転が無理だと考えるのもそれと同じで、本人の浅はかさの方が問題だろう。しかも最近一ヶ月の残業がたった九一時間だと言い、我々医師の残業時間とは比較にもならない。

国会の中継を見ていると、安倍首相を始めとして、超過勤務が過労死を招くという「空想」ばかりである。医師である知人の代議士に話したら、医学的なことにはまったく無知な人ばかりだからと言って笑っていた。もし厚労省の言い分が通るなら、医師の半数近くがお墓に入らねばならない計算になる。戦争中なら弾に当たって死ぬ前に全員過労死である。野党の攻撃も、人を一本化して、時間が過ぎたら全員死ぬような馬鹿げた空論を吐露している。それが元厚労省大臣だというから笑うに笑えない。死亡する本人にはもともと基礎疾患があるのだから、それならむしろ例えば当診療所に来て頂いて、入社時に厳密な身体および精神検査をし、少しでも疑いのある者は篩い落とせば良いということになろうが、そうすればそうしたで、今度は偏見だ、差別だと大騒ぎするだろう。

だが私はそれを黙認して羽田沖の旅客機不時着が起きた事件を知っている。会社の願い（一人の操縦士を育成するには莫大な費用が掛かる）を医師が忖度した結果とみて良い。その後、操縦席に担当医師を搭乗させる会社サービス飛行が行われるようになった（現在は廃止）。

いずれにせよ、ことをなんでも他人に擦り付けようとするのは人の品格の問題であろう。認めさせようとした上に、多額の賠償金（交通災害に出会った私の経験では、弁護士がそれで潤う）を得るなどという、私から見ればはしたない行為を平気で行うに至っては、もう言葉が無い。泣いて世間の同情を得ようとするのは止した方が良い。

私の患者に、小学校時代から診ていた本邦第一例の高度な肥大閉塞性心筋症で、これは明らかに極端な超過勤務後に死亡した例があった。重症心不全、心室頻拍など、何時突然死してもおかしくないという何回かの危機を乗り越え、大会社の優秀な社員となって課長まで上り詰めた。ゴールデンウィークを挟んで長期の家族旅行を計画し、それに先んじて一週間ばかり、会社に閉じ籠って不眠不休の事務整理をし、出発前夜の夜半に帰宅、翌朝、家族が起こしに行った時はベッドの中で死亡していた。すぐに電話を受けたが、落涙する以外どうしようもなかった。これこそ過労死だが、当時はそういう概念が無く、また「基礎疾患が常に急死と隣り合わせ」だから、以って瞑すべきだった。過労そのものが死と直結したのではなく、原因疾患が直結したのである。

ビートたけしは若い頃警察に尾行され、踏み込まれた。ほとんど寝ずの番で働き続けていたので、クスリ（麻薬）をやっていると疑われたのだと彼は言っていた。捜査は頓挫し、一方、たけしは死ななかったし、ますます活発に働いた。そしてその後、瀕死のバイク事故を起こしたが、後遺症らしきものを抱えて、今でも内外に知名人として大活躍している。彼に保護は不要である。数十億の全財産をポンと差し出して一文無しとなっても平気でいる。

それにしても、日本はどうしようもない過保護社会だ。骨の髄まで他人様頼りのクラゲのような世代がやって来ている。盲人用の歩道も良いが、そのボコボコに足を取られる私のような老人も増えている。遠慮して誰も声にしないが、危ないとは感じているのである。幸い目は見えるので、そのボコボコ・ガタガタ道を避けて歩くのである。

「天は自ら助くる者を助く」か「運は天に任せる」か。因みに「天は自ら…」は英語の格言の日本語訳である（Heaven helps those who help themselves）。

B　熱中症（nechusho）

これまた我が国特有の奇妙な〝ビョウキ〟である。

私はインドでの学会に数回呼ばれたが、高地のカシミールはラダックというかつての王侯貴族の高級避暑地における国際心音学会（九月）を除き、学会はいつも二月のボンベイ（今はムンバイと言う）だった。と言うのはそれ以外の月は暑くて国際学会は開けないのだそうだ。年中、インドは日本の真夏どころではないのである。だからもし日本の熱中症というものがインドにもあったとしたら、大半の人はそのために死んでいることだろう。ほかの熱帯地方でも同じことが言えるし、そうでなくても日本より暑い夏の都市は数多い。

なぜ日本だけに「熱中症」というものがあるのだろう。そして昔からあった「日射病（heat stroke）」はどこに行ったのだろう。日射病は発汗が著しいために体熱が奪われ、冷たくなって意識を失うものだが、熱中症は発汗が不十分、体温が上がるが、恐らくそのどちらもクエン酸回路がおかしくなっている状態だろう。日射病も熱中症も一緒くたにして熱中症と定義するものもあるが、本質は別種のもので治療法も違うのだから、まことに好い加減、ずさんな定義である。

私は少し前、熱中症に関する随筆でクーラー病に言及した（注）。例えばこの霞が関ビルは夏も冬もほとんど同じ温度に保たれている。私が東京大学第二内科の心音図研究室に全学の先頭を切って当時としては最新式の大型クーラーを設置したのは昭和三四年（一九五九年）、これには特別の理由があり、前述の大財閥の寄付によるものだったが（当時の助手給料の二〇ヶ月分、三〇万円余であった）、学内で大評判になった。しかし一般家庭への普及はまだまだであったし、カークーラーなどはその一〇年近く後であった。当時、気候温暖化などは無かった。

注：坂本二哉：ヒトはいかにしてミミズとなりしか。日本医事新報　二〇一六年、四八一九号七一―七三頁

だがクーラー普及は急速に人の「汗腺の退化」を齎した。汗腺を欠き恒温でしか住めないミミズのように、暑さのために汗腺を開いて汗を流して放熱したり、寒さのために汗腺を閉じて体温の放散を防いだりという機能が消失しかかっているのである。既に半世紀、こういう適応は非常に早くやって来るものだ。冬は寒さに耐え切れず、夏は暑さを防げない。体温が上昇して体内循環の障害を起こし倒れる。今は冬でも熱中症の危険があるという。本当に馬鹿げた話である。

水分の十分な補給が必須だというが、日射病ではそうだが、熱中症では汗腺が開かず汗が出ないのになぜ水分補給が叫ばれるのか、むしろ頭から冷水をかけるとか、アルコールの清拭をすべきではないか。それに水（殊に糖分を含む清涼飲用水）を摂り過ぎるとビタミンB_1が尿に大量に排出され脚気の引き金になると警告する学者もいる。現に日本では脚気が増えつつあるともいう。現在の若手医師は私などと違って脚気を診たことが無いから、見逃されている場合があるかも知れない。

熱中症対策の基本はクーラー使用の制限だろう。私は家ではクーラーをなるべく使用しない。暑ければ裸になれば良いし、それにイギリス式にむしろ扇風機が良い（かつてイギリスでは扇風機のみで、クーラーは使用禁止であった）。冬は寒ければ着込めば良い。だから診療所ではいつもクーラーにケチをつけて嫌がられている。

こんな天邪鬼な私は時代錯誤と言われるかも知れない。またクーラー生産が減れば電機業界は打撃を蒙るし（イギリスへの扇風機輸出は増えるか？）、家電販売業界からは総スカンを食うかも知れない。しかし都会で冷たい筈の朝の道路が既にかなり高温なのは、夜のクーラー使用が原因である。だから日中の温度もそれだけ上昇する。悪循環である。

ところで最近の気温上昇は世界的な問題だが、地球温暖化が炭酸ガスCO_2排出に関係するとして、昔、京都議定書が作られた。だが一番排出量の多いアメリカや、「発展途上国だから」と偽称するシナが排出制限に積極性を欠いたため、日本などの良心的な国は割を食った感じがしていた。今はCOP21のパリ協定が存在するが、お金でCO_2を売り買いするのが目的化しているようで、規制の本気度が疑われる。何しろアメリカやシナのような多量の炭酸ガス排出国が真剣にならぬことにはどうしようもない。

第一次大戦中、ドイツは肥料の欠乏に悩み、学者を動員して空中に無限に存在する遊離窒素を捕獲し、いわゆる「空中窒素の固定」を実用化してアンモニアや石灰窒素などの窒素化合物を製造した。肥料は勿論、消毒にも用いた。今度はそれに倣って、空気中の炭酸ガスを固定し、ドライアイスを量産してはどうだろうか。窒素と違って空気中の炭酸ガス濃度は非常に低いから採算性に問題がありそうだが、大量発生源にそういう装置を併設してはどんなものだろう。もし出来ればノーベル賞を貰えるかも知れない。大量発生の一因とされる牛のゲップを防ぐため、鼻先にCO_2吸収用のこの小型装置装着を義務付けるべきだろう（現にそうしている牛を見た）。

だが養老孟司君は地球温暖化や気象状況の激変は自然現象で、CO_2が主因ではないと言う。これまで氷河期や温暖化が繰り返していて、その一現象に過ぎないとする。それに相応するように、太陽の黒点変化を主因だとする気象学者もいるが（この方が科学的のように見える）、多勢に無勢、炭酸ガス勢力派に押し切られ、体を小さくしている。学者にも大勢に乗っかる人が多いことの反映である（注）。一度、議員会館で代議士相手に心臓移植について講演した私は、賛成派のお偉いさんに盾突いて以後はお呼び無し、薬に関しては何時も反省庁側に立つものだからお払い箱になった。見ていると省庁側に立つ学者は腰が低く、意見を言うというよりは、己を殺して意見を他人に合わせることしかしない。公聴会は弁当代と交通費だけを頂く無意味な会議である。正論が通ることはない。曽野綾子さんもそのように申されている。

注：エネルギー基本計画の一環として、菅義偉総理は二〇五〇年CO_2排出量実質ゼロを宣言した。だがこれには幾つかの難題があるようだ。エネルギー獲得のために新しい原発の開発は当然だが、太陽光発電、風力発電など、今流行りの地球温暖化すなわちCO_2増大ということの真実性には、先の養老先生の言を俟つまでもなく、疑問視する学者も少なくはない。最近の気象状況の変化はCO_2問題の無かった半世紀前と本質的に変わっていないからとも言い、もはやこの問題は科学ではなく、新興宗教の世界になってしまったと言うのである。そしてCO_2をゼロにするという急進的な環

境運動は、人種差別撤廃、貧困撲滅、LGBT、マイノリティの擁護同様、新たなポリティカル・コレクトネスになってしまった。ちょっとでもそれらに批判的であれば激しいバッシングに遭う。そしてCO_2ゼロという極端な目標は経済の破綻につながり、資源的に優位で覇権主義のシナの発展を逆に助長するのみであると言う。現にイギリスなどの例を見るまでも無く、シナが電源スイッチを切れば世界は闇となる時代がやって来る。その意味で、地球温暖化に関するフェイク情報の点検は必須であるように思える。太陽光発電の心臓部である多結晶シリコンの八割、風力発電や電気自動車使用に必需である希少金属のレアアースも七割がシナ依存である。最近はバイデン・アメリカ大統領もCO_2問題では批判されている。

ちなみに植物のエサはCO_2である。ハウス栽培でCO_2を補給すれば沢山の食品が得られることが分かっている。そしてその植物は我々に酸素を供給してくれている。

むしろ半世紀前と違う差し迫った危険性は、大量の地下水の汲み上げや巨大な建築物のための地盤沈下による生活領域減少の方にあるのではないだろうか。

4　くつろぎ——雀との戯れ

これまで述べたように、沢山の内外の難事、私事の難題、様々なことが渦巻いた一年ではあった。だが私にはもうそれほどの先行きは無い。それは良く自覚している。

ふとベランダに目をやると、たまに近くの木々から飛来する雀が柵に停まり、あるいはちょんちょんと遊んでいることがある。平成二九年の春まだき、なんとなく余ったご飯粒をベランダに置いてみた。痩せこけた雀がやって来るかと待っていたが、始めは一向に現れなかった。

都会の雀は子供の頃田舎で見た雀に比べて明らかに体が細い。つまり痩せ細っている。仕方無いことだ。田舎には無数の昆虫が舞い（雀は蝶々まで捕食する）、地には幾らでも虫やミミズがいて、食に欠けることは無い。そして厳寒の冬は膨らませた身を互いに寄せ合い、私達を見下していたものだ。それを私はよく空気銃の標的にした。そしてかなり撃ち落とした。御免なさい。その死骸は翌日には無くなっていた。高い空から鋭くそれ見つけ得るトンビが攫って行くのである。今では考えられないだろうが、小学生・中学生の頃の私は空気銃を持ってよく街中をほっつき歩いていたものである。一丁は中空○玉（当たっても死なない）、もう一丁は三角▲玉で鳥などの殺傷用である。私は射撃の名手だった。

シナの毛沢東主席はハエの害を注意されて、全国的に徹底した駆除を行った。すると雀は餌が無くなって稲を啄むようになった。その被害を過大申告して、採れた米の量を誤魔化す人が出て来て毛沢東を騙し、今度は全国的に雀の徹底的捕獲が命じられた。雀の飛翔距離は短い。追い駆けられて何かに止まろうとする。さらに追い駆けると、遂に疲労した雀は落ちる。それを捕らえた。ハエも雀もいなくなると、今度は害虫が大量発生して畑がやられ、対策として、メタミドホスのような強力な殺虫剤が使用された。害虫は減少したが、大量の農薬は土深く染み込んで、どこでも農薬まみれの野菜となった。今、シナにはあちこちに癌の村がある。しかしそこはシナ人、採れた野菜はどこかに転売し、自分達は安全な品を買って食べている。他人がどうなろうとそれは構わないというのが彼等の本心である。騙される者が馬鹿なのだと彼等は言う。

それはそうとして、小半時してベランダに戻ってみると、米粒が無い‼ いつの間にか雀達が食べてしまったに違いない。家族、殊に家内はこの雀の餌付けには猛反対した。ベランダが汚れるとか、おばあちゃんファンの孫に至っては病原菌を運んで来るとか、お隣さんは鳴き声が五月蝿くなるとか文句を言う。

私は誰もがご存知の天邪鬼、そう言われるとかえって逆の方に向かう。毎日餌を与えていると、雀の数が少しずつ増え始めた。家族はそのうちに諦めたのか誰も反対しなくなって、連日餌を与えることになった。ご飯は勤務先の残飯少々、一回にせいぜい親指の先ほどの量である。

しばらくすると、飛来する雀が一羽ずつではなく二、三羽一緒にお米を啄んでいる光景が見られた。多い時は一〇羽以上が一時に集まる。だがどうも何かの順序があるらしく，一羽ずつ順番にというように見える。一mくらい幅広くお米を播いていても、最初は両端で二羽が別々にという訳でもないのである。

このことをある人に話すと、生き物の順序というものを教えられた。人間だって老若の順があるのだが（今は〝あった〟と言うべきか）、動物には力関係というものがあるというのである。確かに猿などではボスがおり、餌は偉い方が優先的に食べる。テレビでライオンが捕獲した獲物の食べる姿を見ると、まず親分の鬣（たてがみ）姿の雄ライオンが食い付く。小さいライオンはじっと自分の番を待っているか、宛行扶持（あてがいぶち）を貰う。だが、多数でたむろする鳥はどうなのだろう。

ところが鳥にも同じことがあるというのである。田舎の庭で遊んでいる鶏（にわとり）に餌を与えると、食べる順序が決まっていて、偉い（強い、または鶏冠や図体が大きい）順序に従って餌をつつき、二番、三番と順を待つのだ。脳味噌が鶏よりもさらに小さい雀もそうなのか。じっと見ていると、それほどでも無さそうだ。因みに朝のコケコッコーはこの一番偉い鶏（オンドリ）、つまり清水次郎長親分の役目と決まっている。ついで大政、小政の順で鳴く。

それにしても、小さな雀が柵の上に止まり、大きな雀が口移しにお米を与えている姿は微笑ましい。ものの本によると、雀の親子が一緒にいるのを見かけることは無いと言うが、私の見たものは間違いなく親子なのだ。それとは別にとても太ったのが柵に止まり、別の雀が餌を運んでいるのもあった。よく見るとこのデブッチョは妊婦ならぬ〝妊雀〟らしい。おなかがとても膨れている。降りて来て啄んだって悪くないのに餌を運んで貰うとは、ひょっとすると彼等の関係は「かかあ天下」のメス雀と女房孝行な亭主雀か。

それにもまして驚いたことがあった。朝方、最初にやって来る一羽はすぐには餌に近寄らないのである。柵に留まったり近くを飛んだりして、そのまま居なくなる。

どうしてだろう。分かった。これは斥候兵ならぬ〝斥候雀〟だ。何故ならその後しばらくして、何羽もの雀がやって来るからだ。烏（カラス）はチンパンジーより賢いという研究者の話を聞いたことがあるが、鳥の知恵も馬鹿にはならない。

とても興味ある事件があった。残飯に細かい鶏卵が混ぜてあったものを播いたら、米粒は綺麗に無くなったが、黄色い卵黄部分が手付かずに残されていた。ははぁ、相手が違う鳥でも、やっぱり共食いはしないんだなぁ！　大発見だった。

それにしても、半年以上経った今、雀達はどれも丸々と太って幸せそうである。毎朝、なんの苦労も無く餌にあり付ける。ヒトだって雀だってこんな幸福があろうか。だが先にも述べたように天邪鬼の私はこの雀達に名前を付けようと思うようになった。子供の頃やったように、半分に折った割箸に六〇度近く傾いた笊（ざる）の端を懸け、その下に米粒を置く。雀がその下に入った瞬間、割箸に付けた紐を遠くから引く。笊の下敷きになって掴えられた雀はまた放してやるのだが、一寸考えた。五色ほどのペンキを用意し、頭、羽、それに尾に別々の色を塗れば、五の三乗（5^3）、つまり一二五羽の雀に名前を付け識別出来ることになる。だが孫は反対した。おじいちゃんの考えはすべての雀がやって来るという前提に立っており、そんなことは野鳥に保証出来ないから、結局意味は無いと言う。それよりもっと慣らせば、おじいちゃんの掌にご飯を置いて待っていれば、そこにやって来るようになるんだなどと、そうかなぁと首を傾げるようなことを言う。そんな話を聞きながら、家内は私の能天気ぶりにすっかり呆れ、もはや諦め気味である。

それにしても雀、いや鳥類はどうやって広い空から小さな小さな餌を見つけることが出来るのだろう。雀はそんなに長くは飛べない。地上をぴょんぴょん飛んで歩くように、歩くこともままならない。一説によるとその視覚は人間のそれと違って中脳から出て視床に達するのだという。トンビなどは三〇〇ｍの高さからでも地上のネズミ、それも死んで動かぬものを捉えて急降下する。恐るべき視力である。そして餌を啄んでいる姿を見ようと、私が室内で立ち上がる位で、音は聞こえないのに雀は一斉に飛び去る。本能的に外敵に対する警戒心が強いのか、それはやはり視力に依存しているらしい。その点、人間にすり寄ったりする鳩とはまったく違うのだ。ベランダに現れることがある別種の鳥も非常に図々しい。窓を開けるまでは悠々としていて憎らしい。

年の瀬も迫ったある日、一寸した異変が起きた。沢山播いた餌があっという間に消えた事件である。おかしいなと思ってもう一度ご飯粒を播き陰から観察していると、北朝鮮やシナ（日本だけは中国と呼ぶ：中国とは日本の山陽・山陰を言うのではなかったか！）のようにコワーイ鳥がいた。同じスズメ目ツグミ科の鶫だ。私の名と紛らわしいこの鳥、冬になると越冬のため日本にやって来る。平地に住むから、我がマンションの目の前にある一寸した林に住むようになったらしい。雀より二回りも三回りも大きく、彼等が餌を採りに来ると、それまでいた雀達は驚いたのか一旦一斉に逃げる。同じ場所にある餌だから仕方が無い。餌の採り方を比べるとはっきり言って雀が可哀想だ。鶫の食欲は雀の数倍だ。世界の制止を無視して止めど無くミサイルを発射し続ける北朝鮮のように、あるいは幾らでも領土を広めようとする傍若無人のシナのように、あっという間にすべての餌を啄んでしまう。安全保障条約を強化して彼ら鶫達を牽制しなくてはなるまい。

ところで尾籠な話だが、雀の糞は液状で真っ白、洗い易いが、鶫のそれは真っ黒で大きく固形状である。土台、動物のフンの色は肝臓からの胆汁に含まれるビリルビンなどによるもの、それだから癌などで胆道が閉塞すると便は白色となる。ではなぜ雀のそれは白色なのか。診療所の消化器病学の大家N君にお尋ねしたが、小首を傾げて微笑されるだけで、明確なご返事は得られなかった。そうすると好奇心旺盛な私は何か大変なことが起こったような気がして、かえって落ち着かなくなるのである。因業な私である。

何時どこで読んだか失念していたが、「腸肝循環」を思い出した。先ほど述べたように、胆汁の色はビリルビンに由来する。これが糞便の色である。だが胆汁の大部分は回腸の末端までにほとんど再吸収され、また胆汁成分に戻る。雀の小腸はこの再吸収が一〇〇%で(普通は九五%位らしい)、それで便に色が着かないのではないか。人間の灰白色便では黄疸を伴う胆道閉塞(多くは胆道癌)を疑わねばならないが、まさか雀君達(そう言えば鳩も同じ)がすべて病気だとは考えられない。雀など鳥では黄疸も分からないが。同じスズメ目の鶫のフンはしかし真っ黒で、その理由は分からない。

こんな話を同じスズメ目の可愛らしい文鳥を愛玩しているというある製薬会社の美人MR嬢に話したら、相槌を打ちながらとても面白そうに聞き入っていた。

雀を見ていて、養老先生の言う「感覚所与」という言葉を想起した。動物は皆これによって生きている。つまり、目に光が、耳に音が、鼻に匂いが入るという、言わば生物の感覚で捉える第一次の印象である。しかし物を見る、音を聞く、匂いを嗅ぐという所作は脳の発達によって様々な方向に向かう。人知の優れている点はそれに二次的な意味付けが出来るという点にある。

雀の餌の採り方を見て、彼等が喜んでいるか否かを推量するのも人知である。彼等にその知恵は無い。さらにその後を考えるのも人が獲得した能力だ。だから人は詩を書いたり、それを歌ったり出来るが、雀は一定の周波数を感じ取るだけである。人間のそのような認識をカントは彼の著書「純粋理性批判」で引っくり返した。よく知られているように、「認識が対象に依存する」のではなくて、「対象が認識に依存する」という、いわゆるコペルニクス的転回だ。今で言えばパラダイムシフトか。

雀を見て「小さい」とか「飛ぶ」と思うのは、雀そのものにそういう性質が備わっているからではない。我々が何時かどこかで覚えた「小さい」とか「飛ぶ」という知識を、ただ雀に当て嵌めているに過ぎないのだという概念である。

最近体力のめっきり衰えた私がそんなことをそこはかとなく考えているうちに、自分が雀に戻って行くようにも思え、雀がカントを想起させてくれたことに感謝し、そしてまた人に戻って、徒然なるままに書き綴って来たエッセイが既に紙数を遥かに超えていることに気付いて驚き呆れる。まったく救いようの無い私である。

「我と来て　遊べや　親のない雀」は生涯雀や蛙のような小動物を愛した俳人小林一茶の有名な句である。彼は既にコペルニクス的転回を感じていたか。そしてその対象は果たしてどんな雀達であったのだろうか。

「我と来て　小腹満たせよ　痩せ雀」（二哉）

孫が言う。今の日本では、野鳥の捕獲が禁じられているのだそうだ。ありふれた雀もその例外ではない。それに最近我がマンションの改造があって（一〇年に一度、大掛かりな改修が慣例となっている）、ベランダなどの外装が新しく塗り替えられ、そして悲しいことに鳥の餌付けが改めて禁止された。谷村新司の「さらば昴（スバル）よ」ではないが、「さらばスズメよ」、行け、である。

エピローグ

振り返るとあっという間の一年であったが、実に様々な出来事があった。「坂の上の雲」の無頼版をひた走って行くような北朝鮮、口から出まかせに「息を吐くように嘘をつく」無礼極まる韓国、近未来の世界制覇を公言する傲慢で空恐ろしいシナが三羽の猛禽だが、一方、「アメリカ・ファースト」を掲げるトランプ大統領の様々な言行（しかしどこに「我が国・セカンド」などと唱える国があるのだろうか、無い）、愚かしい日本の国会（殊に野党）、敬愛する天皇の退位問題（園遊会でお声を掛けられたビートたけしは「もう俺はここで死んでも良いと思った」と言っていた）、将棋の天才児・藤井君（五〇勝した際、「一つの〝ふしもく〟（節目（ふしめ）のもともとの仮名送り）に達した」と言って無学な記者達を戸惑わせたのは印象的だった。その他もろもろである。もうすぐ冬季オリンピックが始まれば、また我々に血沸き肉躍らせるヒーローが現れるかも知れない。

だが逆に私にとって最大の痛恨事は、連続して掲載していた超音波研究の最終結論（第七報）の投稿が、無残にも却下されたことであった。難し過ぎて査読者が良く理解出来ないこともあってか、従来の常識に反する斬新な研究結果のためか（そう書いて来た査読者がいた）、英語が下手か、論文スタイルが今様でないのか、そして驚くべきことに、「二度と投稿するな」という、考えられないような失礼極まる通知まで受け取った。私が自ら苦心惨憺して創刊した英文誌、しかも一七年もの間、専任編集長を務めた私の分身のような雑誌からである。慙愧極まりなく、悲嘆この上もない。いくら幸福ホルモンと言われるオキシトシン分泌が多いらしい楽天家の私も、流石に一時は落ち込んだ。共同研究者のM博士も落胆した。そして発表の方法を変えようということになったが、いまだに試行錯誤の状態である（注）。

注：(Tanaka M, Sakamoto T, Saito Y, et al : Role of intra-ventricular vortex in left ventricular ejection elucidated by echo-cardiography. Journal of Medical Ultrasonics 2019; 46(4):413-423）幸いこの論文は他の学会誌に載り、そしてあろうことか、その年の最優秀論文賞を得た。もって瞑すべきである。

アインシュタインの相対性原理は誰にも理解されず、あまつさえ散々批判され（彼は相対性理論ではなく光量子仮説に基づく〝光電効果〟でノーベル賞を与えられた）、随分後になって初めて$E=mc^2$が理解されたのであった。孜々として築き上げて来た我々の研究をアインシュタインのそれと同列視するつもりはさらさら無いが、ことほど左様に、新しい発見に対する旧態依然たる学者の批判は根強い。私は諦めて、東大第二内科の同窓会雑誌「同窓」に長い解説文を書いた（注）。だが理解されるとは思っていない。従来の心臓生理学を覆すような「異見」だからである。恐れ多くも哲学者カントにあやかってまたまた「心臓生理学におけるコペルニクス的転回」と銘打った。身は悄然としていても心は「雄大剛健」なのである。

注：ゾンビの遺言：心臓生理学におけるコペルニクス的転回を目指して。『同窓』二〇一七・一九巻一三―三一頁

評者に対する恨み言は「異見」とは言わない。しかし「異見」だから許容しないという査読者の狭量さには恨みを感じる。膺懲の銃と剣を振って斬り掛かりたいが、残念ながら既に土方歳三のような力も技も失った。だから忘れよう。私は落ち込んでもすぐ復活、そういう意味ではオプティミスト（楽観主義者）だ。だから東大在勤中、永年に亘って教授から凄まじく打たれても蔑まれても、また罵詈雑言、謂われなき愚弄を受けようとも、こうやって長い生涯を生きて来られた。むしろ教授無視の姿勢であった。

　これからどこまで生きるか、どれだけ勤務を続けられるか、予測は出来ない。どんなに有能な預言者でも、高名な安倍晴明のごとき陰陽師でも、怪僧ラスプーチンでも、自分の死を予測出来た者はいない。それで良いのである。

　悲しい現実が一つある。誠にもっともなことなのだが、沢山の患者さんの中に三、四人、あと一年ほどで満九〇歳近い老化した私を見捨てる方がおられた。ご自分の今後を考えてのことで、その心情は十分理解出来るのだが、面と向かってそれを言われると侘しい。老人の患者さんの多い昨今だが、足腰の老化などで通院が難しくなる方がおられるのは止むを得ないし、実に二〇年以上に亘って診て来た実弟でさえそうなった。だが自分より先に万が一のことが起こり得る受持医に不安を抱く方がいるのは致し方無いことだし、この際もっと良い病院へと焦る気持ちも十分理解し得る。空しくとも、黙って診療情報提供書を書き、転院先へと持たせる。

僅かな愉悦はそういう患者さんがまた戻って来られることである。理由は決まって紹介先の診察が粗雑過ぎるというのである。パソコン相手の診療だとか、訴えに耳を傾けないとか、責任転嫁のたらい回しの診療だとか、やたらと検査漬けだとかである。私の診療とはまるで違うからである。その中の一人の言い分では、「私はパソコンと話す医者の言葉を漏れ聞くだけです」。また今すぐにでも「ペースメーカー植え込みを」と言われて驚き、戻って来てそれが誤診であったことを知り憤慨した友人の顔が忘れられない。それに二ヶ月毎の外来を一ヶ月毎にして欲しいという高齢男性患者が現れた。共に老境、ならば顔を合わせる機会を少しでも多くしたいと言う。それにはこちらの方が驚いた。「患者さんではなくて信者さんなんですよ」と側の人が言った。最長の外来患者さんは実に六一年である。

他人のことをとやかく言える身ではないが、何時までも慕われる医師でありたいと願うばかりである。佐藤愛子さんの『九十歳。何がめでたい』ではないが、年を取ったら病気の方が近付いて来なくなった。一つ歳をとると、私のお墓は霧の中に一歩遠ざかって行くようにも思える。あるいは逆に私が一歩霧の中に消えて行くのだろうか。だけどフランスの詩人マラルメは「生は死への行進曲である」と詠じている。生きとし生けるもの、すべてはいずれ死なねばならない。ガンジーも「明日死ぬかのように生きなさい。そして永遠に生きるかのように学びなさい」と言っている。これは私のモットーでもある。

年齢のことをよく話される五木寛之さんは「生は借りもの、死こそ常態」とか言っていた。

討論講演会などで拝見し、畏敬する西部邁さんはおおよそ次のように言っていた。「生が他のものに対して貢献するよりも、他のものに迷惑を掛けることの方が大となれば、その時は生と決別すべき時である」。かくして西部さんは「自裁死」の道を選んだ。直接的には頸椎の病気や腱鞘炎で手が使えなくなり、最後の著作は娘さんへの口述によるものになったのが原因という。私は毎週の西部ゼミナール（MXテレヴィ：西部さんは「テレビ」という言葉が嫌い）で、近年、常に手袋を嵌めている西部さんが気になってもいた。でもチョークは使っていたし、そのうちに和温療法でもお勧めしようかと考えていたが遅かった。一月二七日、MXテレビでの最後のゼミナールでは「これで終わり」ときっぱり言われていた。この放送は一月一〇日収録とあったから、もう覚悟の自殺は眼前に迫っていたのである。前にも書いたが、私と同年配の患者さんも同じく迷惑の方が先行するという間際になって覚悟の自殺をした。西行法師のように「願わくは花の下にて春死なん　その如月の望月の頃」というような死に方に比すれば、見事、決して綺麗にとは言えないのだけれど。私も若い頃に自殺を希求したことがあったが、死後の姿を想起してためらい、踏み切れなかった。

誰にでもそういう時期があるのだと思う。決してそれは不自然ではないのだ。

土台、一般の生物はその生殖年齢を過ぎたら死ぬことになっている。鮭などはその典型だろう。小鳥などもそうである。ヒトはその年齢の倍近く生きることが出来る果報者である。そしてどんどんその傾向を高めつつあるが、もうそろそろ感謝しつつ己の死について考えるべき時である。人生も中年を過ぎれば後は落ちるだけ、すべての動きが鈍くなり、それに反して心の中のアクセルを一杯に踏み続けようとするものだから、どこかでダウンする。さらなる飛翔をなどと言っても、普通の老人にとって実情は絵空事だ。余力が無いのだから、あれしろ、これしろと言われても、出来る訳がない。頑張れば大腿骨骨折が待っている。

数年前から読書量が俄然増えた。クラシック音楽はいつも響いており、何も音がしない時でも頭の中では必ず何かの音楽が奏でられている。過ぎし日の反芻で、静かという時はまったく一時も無い。もう病気である。ただし一人無聊（ぶりょう）をかこっていては筋肉が衰えナマケモノ同様になる。そして最後は介護される身となる。そこまでには自身で身を処したい。

私は先人のようにとても立派な生涯を終えることは出来ないが、今、卒寿を迎えて、そろそろ最期を迎える時期だなぁと思う。平均寿命を超えているから何時でも構わないとも思う。諦めが肝心である。だが長い長い間の診療所や病院の恩顧に対し、自分勝手に急にという訳には行かない。その気になって恐る恐る申し出ても、我が敬愛する理事長はおいそれと「はいそうですか」とは仰らない。いつものように莞爾として微笑んでおられるだけである。だから彼は皆に好かれる。理事長は滅多に自説を強制しない。こちらからその心情を付度するしかない。

一方の病院からは「とんでもない」と一蹴された。ならば死ぬまで聴診器を離さなかった敬愛する亡き父のようでありたいと願う。だが後ろ指を指されるような老醜を晒すまでは無論無い。しかし自分の方から退職した。二七年間勤めたが、「人間疲れ」が目に付いて来たせいである。

毎年思うのだが、来年の執筆はどうなることだろうか。自分でも分からない。それ故、これを最後と心して筆を措くことにしよう。

第五章　ん?!

プロローグ

確か昨年、これでもう「健康医学」への駄文寄稿は終わりにしようと書いた筈である。「ん、どうなんだ」と自分に言い聞かせると、「ん、そだね」という北海道弁訛りの答えが戻って来る。とにかく診察室を出て行く患者さんに、こちらから言うよりも早く「先生、お大事に」と言われてしまう年齢だ。そして二〇二一年の夏七月、満九二歳となる。歩く姿が蹌踉（そうろう）として哀れだと他人から蔑まれる前に、既に自ら哀れを感じる。だが口だけは達者である。「憎まれっ子世に憚る」とは真実だが、それを通り越して、昔流に言えばいよいよ妖怪変化、亡者の年齢に差し掛かりつつある。背骨が真っ直ぐで、やや速足で歩ける今、早々に最後のエッセイを書いておこう。

さて今回の駄文エッセイで、この題名「ん?!」を目にされた瞬間、多くの方は一様に心の中で思わず「ん？　なんじゃこれ？」と目を見開き、訝るに違いない。だがそれが実は私の方が言いたいこと、多種多様の意味を秘めた「ん」である。

それにしても、昔からの七五調、「いろは歌」。今の私の心境にピッタリ。

いろはにほへと　ちりぬるを　わかよたれそ
つねならむ　うゐのおくやま　けふこえて
あさきゆめみし　ゑひもせす
(色は匂へど　散りぬるを　我が世誰そ
常ならむ　有為の奥山　今日越えて
浅き夢見じ　酔ひもせず)

このひらがな四七文字の誦文（ずもん）には、濁音が無いことはともかく、撥音（はつおん）である「ん」が無い。「ん」は後年の「あいうえお」には「わ」行の後に取って付けられたように置かれていて、なんの抵抗も無く受け入れられ、教科書にも載っている。この「ん」は「あいうえお」の最後のもの、そして余りもののオマケで、人間で言えば私のようなものだ。だけれども、私が無くても世の中は成り立つが、この「ん」が無ければ日本語はたちまち行き詰まってしまう。「そんなことありません」と反発しても、その言葉にも既に二つも「ん」が入る始末である。

ローマ字綴り方表を見ると、ローマ式でもヘボン式でも「ん」は〝n〟で、外人さんも「ん」の存在を無視出来なかったことが分かる。ただしヘボン式では「ん」の次がb、m、pの場合だけは〝n〟ではなく、英語流に〝m〟となる。新橋＝shimbashi、感銘＝kammei、論評＝rompyoのようにである。

さて子供たちはどうやって「ん」を知るのであろうか。これはゼロの発見にも匹敵する大きな問題だ。発音は母親を意味する「おかあさん」や「おかあちゃん」、「おっかさん」で身に付いているのだけれど。そして幼児が最も好きな単語は自分の分身と捕らえる「ンコ」、つまり、「うんこ」、「うんち」だというのである。とにかく小さい子は「んこ」を大切にする。ますます「ん」を考えざるを得ない訳だ。

以下は平成最後の「ん」医者の思い付き考である。

ことほど左様に現代の日本語では「ん」が無ければ会話どころか文章も成り立たないほど困るが、「ん」の字に相当する私が居なくなっても霞が関ビル診療所が消えてしまう訳では無い。「無いことで困ることは無い」という点で、無くては困る「ん」と、無くても良い「私」とは決定的に異なっている。だが今もって「健康医学」の原稿を書けとの命令がある。「ん～ん、どうしようか」。面倒だが、でも書こうか？　だが「何を書くの？」という段階で、卒寿を過ぎてセミの抜け殻のようになった私は、はたと行き詰まってしまう。誰か助けて!!

花も散り葉も落ち、枯れ枝のみ残る我がノウミソだが、そうだ、今までのように長い文章でなく、「ん」をネタに数行程度の話を重箱式に積み重ねてみようか。そうすれば「長すぎる、くどすぎる」と、原稿査読を何時も途中で投げ出してしまう愚妻も、休み休み最後までチェックしてくれるかも知れない。それがいい。だが上手く行くか？　それは書き出してみないと分からない。恐らく思い通りにはなるまいが。

1　悠久の日本歴史と「ん」の字

我が国の国語教科書（かつてはすべて国定）がこの「ん」をどう扱ったかを振り返ってみるのも面白い。

記憶は不確かだが、五歳年上の姉が昭和五年に小学校へ入学した時は、「ハナ　ハト　マメ　マス　ミノカサ　カラカサ　スズメガイマス…」と大正時代を引きずっており、三歳年上の兄になると「サ

イタ サイタ サクラガ サイタ」、これは私も三歳年下の弟もみな同じ、次頁は「コイコイ シロ コイ」だったと思う。さらに二歳年下の弟の教科書では一変し、冒頭から「ん」が入る「コマイヌサン ア コマイヌサン ウン」に変わった。小学一年生には難しいと思われるが、まさか「阿吽の呼吸」を教えるつもりだった訳でもあるまい。また今とは逆だが、以前、まず一年生は片仮名、平仮名は二年生になってから習うものだった。因みに五〇数年前、私の娘の時代にはまた「さいた さいた さくらが さいた」と古い昔に戻っているが、戦後のことだから勿論平仮名である。その昔、道産子の私には小学校一年生の時、別に「郷土読本」という国語教科書があって、その出始めは「にしんや にしん」で「ん」の連続であった。何しろ小学校入学の四月、外ではまだ雪が降りしきっていて、そこでは軒並みの道路端で、ニシン売りの婆さん達がバケツ一杯五銭の「ん」の字が付くニシンを売っていた。まさに季節ピッタリであった。

とにかく小学校一年生にはその謂れや解釈の難しい「ん」の字が初めから出て来る。ニシンの「ん」、二匹の狛犬さんの声は「ア」とウ「ン」という阿吽の呼吸だが、果たして先生はこの「ん」をどう教えていたのだろうか。妙に引っ掛かるものを感じる。恐らく大方の先生は「ん」ではなく、ただ「うん」と言って逃げていたのではないか。そうに違いない。

しかし「ん」を単独に取り出してなんと読むかと問うても、どう発音して良いのか誰にも分からない。もし小学校一年生の子が先生にそれを質問したらどう答えるだろう。教師には指導書なるものが配布されている筈だが、そこには何か書かれていたのであろうか。

そう言えば子供の頃暗唱した前掲の「いろは歌」には、最近無理やり最後に「ん」が付いていたが、冒頭に引用したように、本当はそんなものは無いのである。古い文献、例えばよく知られた百人一首にも「ん」という字は見当たらない。「…しづ心なく花の散るらむ」とか「…をとめの姿しばしとどめむ」のように、現代では明らかに「ん」の発音なのだが、すべて「む」と書かれている。子供の頃暗記させられたこの百人一首のうち、実に九首が「む」で終わっているが、現代での発音はすべて「ん」である。和歌の場合、この「む≒ん」は想像とか仮定を表すが、なんとなくそれが叶わぬ詠嘆のようにも感じるし、あるいはまた意思表示のようにも取れる。とにかく「む」に代わってこの「ん」という仮名文字を誰が記載したのであろう。お経では「南無妙法蓮華経」の「無」は本来「む」で、確かに「なむ、なむ、なむ、…」と「南無」だけしか唱えないお経を葬式で聞いたことはあるが、大抵は「ん」と唱えているから、「ん」はお経が出所か。私の外来に通われているお坊さんに尋ねても確たる返答は無い。平安時代には「ん」の字が無かったという考えもあるが。

物識りさんに聞いたら、果たしてそれは真言宗の開祖・空海（弘法大師）（七七四－八三五年）だという。それなら平安前期である。紀友則などと一緒に古今和歌集を選集した紀貫之（八七二？－九四五？年）より前だが、古今和歌集に「ん」は無い。下って鎌倉前期の歌人で新古今和歌集や百人一首の選者藤原定家（一一六二－一二四一年）も「ん」を使っていない。。そうそう、平安後期のかの西行法師（一一一八－一一九〇年）の有名な和歌でも、「ねがはくは花のもとにて春死なむ　その如月の望月のころ」と、「ん」はやはり「む」と書かれているではないか。今から八〇〇年以上も前のことである。このように伝統とでも言うか、その後も「ん」はすべて「む」であった。どうして「む」が「ん」と書かれるようになったのか。とても気になる。今評判のＮＨＫテレビのなんでも知っている「チコちゃん」にでも聞いてみようか。

さらにいにしえへと遡ると、神道（しんとう）における祝詞（のりと）がある。神道はほかの宗教と違って教義も経典も無く、孔子とかキリストとか仏陀などという開祖も教祖もいない（神道では祖神とも言う）。森羅万象に神が宿るという自然信仰で、本来の宗教とは言えない。ただ現今の神道は神代からの萬物礼拝の姿とは異なって、主唱者が唱える一三教があり（因みにキリスト教の会派の数は枚挙に遑が無い）、私の家の神道は小集団の禊教（みそぎきょう）であるが、いずれにしても神道をそれぞれ解釈した主として明治維新以後の比較的新しい教義で、上述したように世界的な意味での宗教ではない。

古事記（七一二年）や日本書紀（七二〇年）に現れる天照大神も、その意味では宗教の開祖とは違う。それはそうとして、どの教えでも祝詞の最初の方で述べられる「…の御前（おんまえ）にかしこみかしこみもうさん」という行に「ん」が出て来る。だが禊教ではそれを「かしこみかしこみもうさく」と、「ん」ではなく「く」を読点として使っている。それはともかく「ん」の無いと思われていた時代だから「ん」ではなく、すべて「む」ではなかったかと思う。その時代、文字が無かったのだから立証の仕様が無い。ともかく大国主命を祀る大国教と日本の皇室の祖神を祀る神道とは、同じ神道と言っても大きな違いがある。そして代々の天皇は後者の神主の筆頭である。この違い、あるいは男性と女性に対する「モノモウス」表現の違いによるのかも知れない（私の親友である故二宮陸雄医師は歴史家として出雲大社はインドの影響を受けていると述べている）。

そう言えば、何も祝詞を引き合いに出さなくても、伝説の神代に「ん」は確かにあった。今の「天皇」という称号は隣国「隋」（今のシナと同じ土地だが違った民族である）の「天子」に対し、聖徳太子が三度目の遣隋使を遣わした際に用いた称号である（それまでは大王）。だが神世時代と称せられる以前の大王に対する諡である○○天皇には無数の「ん」の発音例がある。初代の神武天皇、比較的知られている第一〇代崇神（神武と同一人？）、第一五代応神天皇、有名な第一六代仁徳天皇などなど、まさか「む＝ん」として「じむむてむのう」などとは古事記（漢字のみである）や日本書記でも言うまい。だから当時も絶対に「ん」と言ったに違いないのである。

この「ん」、このようにその出自は混沌としているが、そもそも「ん」は「あいうえお」の継子扱いで良いのか。なぜ小学校の国語教科書の真っ先に撥音の「ん」のつく短文がわざわざ選ばれたのか。しりとり遊びでは「ん」が付けば負けである。後が続かないからである。先行する母音が無ければ発音出来ない。だがそれも本当にそうか。

ところがよくよく調べてみると、広い世界に「ン」で始まる言葉を見つけた。キリマンジャロ山の麓、大クレーターに広がる「ンゴロンゴロ」（Ngorongoro）という自然公園である。まだ東大在職時代、そこに心エコー図の講演に呼ばれたことがあったのだが、意地の悪い教授が出張許可に難色を示したりして、残念ながら行けなかった。出向いたアメリカの友人に聞くと、それはそれは実に壮大、ライオンが大地に「ゴロンゴロン」しているのも良い。いつか必ず行ってみたらと言われたのだが、それからもう四〇年近い日が経ってしまった。酢っぱくて甘い安キリマンジャロコーヒーで我慢するしかない。

とにかく「ん」の字は奥深く問題が多い。その出所は上述のように漠然としているが、前述のように「ん」無くして現代の日本の言葉は成り立たない。そして日本の色々な言葉を見ていると、この「ん」はどうやら都から遠い地方から出て来たのではないかと思われる節がある。実際、方言になるとこの「ん」の使用は滅法多くなり、また重要となるからだ。

二〇一八年のNHK 大河ドラマ「西郷(せご)どん」では、テロップに頻回出て来る「んじゃ=それでは」とか「んにゃ=そうだな」、「んにゃもう」などなど、会話に「ん」がやたらと出て来る。「すんもはん」、「ほんのこて」、「どげんして」、「そげんこと」、それに有名な「おいどん」、「おはん」、「じゃっどん」、「ばってん」、「よかばってん」、「…してばってん」。南が南なら、北は北で、今年の正月に再放送された名作の誉れ高い朝ドラマ「おしん」でも、「んだば=それなら」、「んでも=それでも」、「んだども＝そうだとしても」、「んだから＝それだから」など、「ん」の字が無かったらそもそも台詞が書けないほどだ。

最近、方言の復活が云々されているが、そもそも言葉に制約がある方がおかしい。イギリスでの学会で（半分はジョークだろうが）、講演冒頭、ユーモアたっぷりに「私はAmerican、したがってEnglishは話せません。御免なさい」と言った若いアメリカ人学者がいて、会場の皆さんの拍手を戴いた。鹿児島や青森の先生が同じことをやったら日本のつまらない学会も面白くなるのではないか。いや実際、スライドの中に出る○×の×（バツ）を関西の先生は「ペケ」と言うのである。「パスモ」と「イコカ」は「どないなっとんねん」。関西では討論中、そういう言葉が出て来ることがあるが、違和感はまったく無い。学会で関西に数日いると、帰京した際、家内に「なんだか言葉が変だ」と言われることがある。「さよか」と答える。殊に大阪の知人（家内の友人）が二、三日我が家に逗留すると、家内までもアクセントが一寸おかしくなる。

2　日常生活と「ん」の持つ意味

方言でなくとも、「ん」は重要な意味を持っている。「んーんと」（考える）、「ん？　そうかなあ」（やむなく肯定、待てよ）、「ん、そうですか」（調子合わせ、つまり相槌）、「ん、違う」（否定）（大阪の人は「ん、ちゃう」と言う）。先ほど見たテレビでは「んーん」という字幕があった。長考一番か、下手の考え休むに似たりか。

「うん」を口ごもって言うのが「ん」だと言う人がいるが、そんな簡単なものではなさそうである。世の中、「その他」や「余りもの」にはえてして大切なものがあるのだ。現に「残り物には福がある」とも言うではないか。

これらは何？　そう、上記のように、考える、疑問、首肯し難い、肯定の場合など、各種の「ん」である。日常生活ではなんとなく、人はものを考える時、「んーん」と言ってトーンアップしながら顔を前に出す。何かを尋ねられると「んーと」、「んーんと」と顎を斜め上に突き出し（多くは左へである)、目が上を向く。説明を受けて納得すると顎を引いてトーンダウンしながら「ん」とつぶやく。そしてそうじゃないよと言う時は顎を左右に振って「ん」を首肯し難いね、違うんじゃないかという意味に「ん、違う」という言葉を発する。このように「ん」一つにも色んな意味に伴って、会話ではそれに対する肉体的あるいは顔色に表れがちな精神的表現を伴う。欧米人の大袈裟なジェスチャーと異なって、これは殊に繊細な日本人に持って生まれた特有な感情表現のようだ。それが極端になったのがいわゆる腹芸というものだろう。「ん」の一時の思い入れ、言葉も動作も無しに自分の気持ちを表すのである。床しい(注)。

NHKの長寿番組「ためしてガッテン」(現在は「ガッテン!」)ではないが、上述のような疑問の「ん」に対し、「ん」は肯定を表すこともある。まさしく「がってん」、「合点がいく」場合である。「ん」一つにも深淵な模様がある。不思議なことだ。

注:本稿の「ん」に疑問符の「?」と感嘆符の「!」が付けられているのには訳がある。投獄されてしまったヴィクトル・ユーゴーが、不朽の名作『レ・ミゼラブル』の売れ行きを監獄から出版社の社長宛に「?」の一字(売れて

いるか？）でこっそりと尋ねたところ、「飛ぶように売れているぞ」と「！」の返事が届いたという話がその元である。

Ａ　パソコンと「ん」

パソコンで「ｎ」と打って漢字変換すると「ン」になる。普通の「いろは」だと「あいうえお」以外は二文字、例えばｋとａを計二度打たなければ「か」とならないが、「ん」はわざわざ「ｎｎ」と二回打たなくても「ｎ」で「ン」か「ん」が出て来るのだから別格である。

それはそうと、パソコンで一番困るのは漢字変換だと思う。毎日少なくとも必ず何がしかの字を書く私にはそうだ。しょっちゅう「ん？」という場面に出会う。

あまりにも有名だが、「今日から海外に住んでいます」が「今日から貝が胃に住んでいます」のように、長い文章を打ち終わって漢字変換すると、このような面白い文が出ることもあるが（そういう面白い変換を集めた本もある）、多くはまったく何を言っているのか分からず、初めから打ち直した方が早い。「ん、こん畜生！」である。また同じ仮名で変換される漢字が多すぎるのも「ん？」

の原因になる。「漢字」のつもりで「かんじ」と打っても「感じ」「幹事」「莞爾」、「監事」、医者なら大切な述語の「患児」、ほかにもっとあるかも知れない。「初めて」のつもりで「はじめて」と打っても「始めて」となった変換ミスに気付かず、大失敗したこともある。挨拶状で「…をお慶び申し上げます」と書くべきところが「お喜び」と印刷された案内状にニンマリしたこともある。

患者さんの診察は「見る」でも「観る」でもなく「診る」である。その他に患者さんの容態を「看る」とか喉を「視る」もある。日本語には発音がまったく、あるいはほとんどまったく同じで漢字が異なるものが極めて多いから、本当に面倒だ。パソコンに向かう時は、だから何時もそれでいいかという疑問の「ん」を念頭に置くことにしている。今もメールの文で「パソコン」が「ぱそ婚」となっているのに気付いた。手書きの場合はそんな間違いが起きないとは、脳の働きは実に素晴らしい。

同じように、長さを「はかる」は「測る」だろうが、それが「計る」とか「量る」はまだ良いとして、「図る」、「謀る」、「諮る」とか、今流行りの忖度の「付る」となると、どうしようもない。それに同じ「計る」にしても幾つもの意味がある。「騙す、欺く」の意味もあるからだ。またパソコンにはその人の使用回数、頻度ごとに出て来る漢字を選別する機能があるが、それはまともな文章が前後にある場合で、途中にミスタイプが入ったりすると、思いもかけぬ字が出て来て文脈が滅茶苦茶、またまた「ん?」となり、「圭子の夢は夜ひらく」の歌詞のもじりではないが、「どう咲きゃいいのさ、この私」ということになる。ただでさえ指一本の遅いタイプなのにと、イライラするのだ。因みに私はその昔、大坪修理事長の案内で、糖尿病で左眼失明し、ろうそくの光に導かれて登場したこの曲の作詞家 石坂まさを自身が歌う「圭子の夢は夜ひらく」を聴いたことがある。その際の彼の話には鬼気迫るものがあった。六年ほど前、闘病中の彼は亡くなったが、その後、後を追うかのように、この歌で大ヒットした藤圭子は高層マンションから投身自殺している。共に哀れな、でもなんとなく納得出来る「ん」で終わった。まだ「戻り」があり得るのに、彼女はしりとりの「ん」をあえて踏んだのである。

B 「ん」と日本語

閑話休題。「ん」で終わる日本の言葉は非常に多い。先に述べたドラマ「おしん」の「しん」もそうだが、「しん」だけ取っても、心、真、信、身、臣、申、神、診、震、辛、針、深、新、清、進、浸、紳、薪、箴、森、疹、辰、寝、親、進、審、振、慎、伸、唇、宸、娠、蓁、鍼、請、辰、これだけでも三六文字、スカスカ頭で知っているだけでもこの調子、知らない「しん」の字はもっとある筈だ。もう勘弁して下さいな。だが「し」だけでもこの調子。「いろは」のすべてに、恐らく「ぬ」を除けば、「ん」の付く言葉が多数ある筈だから、日本語にはとんでもない数の「ん」があるとは、ぼんくら頭の私にも了解出来る。「ん」に似た「む」にさえも「むんむんする」などの言葉がある。それに上記の漢字のすべてにはまた心（しん、こころ）、森（しん、もり）あるいは神（しん、じん、かみ、それに神無月のように「かん」：恐らく「む」を「ん」と発音することに由来しているのだろう）のように、漢字読みのほかに訓読みもあるから、外国人にとって日本語をマスターするのはまさに至難なことだ。それに「時」は（とき）か（じ）なのに、時計はなぜ（とけい）と読まねばならぬのか、また懐中時計（どけい）、潮時で「ど」と読むのはどうしてなのか。借字になるとさらに面倒、時が「し」となる（時雨＝しぐれ、時化＝しけ、など）。「このような読みは何故？」、と外人さんに訊かれても答えようがない。赤穂浪士を見ていると浅野内匠頭の「刃傷」によって吉良上野介が「刃傷」を負う。同じ漢字が読み方を変え、能動態になったり受動態になったりする。日本人だって大変だ。

日本語はとても繊細で外国人には考えられないような表現がある。漢字制限の無かった昔の中学校の入試で、「雨」の表現や読み方の問題が出たことを思い出す。確か六〇語以上あるのだが、知れるだけ書けという、今様なら難題であった。

雨は「あめ」（大雨、長雨、糠雨、俄か雨、天気雨、涙雨、血の雨、通り雨、篠突く雨、遣らずの雨、恵みの雨、など多数、戦後には放射能雨などもある）が大変多いが、「う」もかなり多く（梅雨、雷雨、集中豪雨、風雨、降雨、暴風雨、猛雨、沛雨、戦後には酸性雨、など。またどういう訳か夏雨は「かう」という）、それに「さめ」もあるし（村雨、小雨、春雨、秋雨、氷雨、霧雨、など）、「れ」（上記の時雨など）もある。また梅雨（ばいう）を和的表現では「つゆ」と読む。

ついでだが、この雨が上に付くと、どういう訳か「あま」となる。雨模様は「あめ」でも「あま」でも通じるが、雨傘、雨具、雨垂れ、雨乞い、雨曝し、雨漏り、雨戸、雨水、雨脚、などなど、圧倒的に「あま」なのである。

詩的表現ではさらに沢山の雨文字や読み方がある。五月雨（さみだれ）などはそうだ。これは「つゆ」のみやびな表現、雅語（がご）である。「五月雨を 集めて早し 最上川」（芭蕉）、「五月雨や 大河を前に家二軒」（蕪村）などは皆が知っている名句である。かように多彩な読み方となると、幾ら宮沢賢治のように「アメニモマケズ、カゼニモマケズ」と頑張っても、その日本人でさえお手上げの人が多いだろう。

かてて加えて、アクセントが決まっている外国語の単語に比べ、日本語は同じ単語でもアクセントが色々で、その単語のニュアンスが異なって来るので大変だ。抑揚の違いを「お母さん」に例にとっても、「おかあさん」という一般的な呼びかけに対して、「おかあさん」と親に向かって注意を促すのと、「おかあさん」とおねだりするのとではニュアンスが全然違う。

長々言葉のことを述べたが、私の言いたいことは、要はこういうニュアンスが意のままにならない最近のＡＩの言葉は、患者さんを相手とする仕事にはとても無理だということなのである。人間でも、ネイティブでない外国人が他人の心の機微に亘ってここまで言葉に慣れるには、その国の言葉にどっぷり浸かって生活せねば無理なので、だから学校などで日本語を懸命に学んできた外国人よりも、日本に溶け込んで朝から晩までその言葉になじんだ関取の話す日本語などは驚くべきほど流暢なのだ。

これに対して、非常に高邁な日本研究家で日本に帰化したDonald Keene先生の日本語はもう少しという感じである。コロンビア大学のキーン日本文化研究所で次女の先生でもあった尊敬するキーンさんとは、一〇数年前、法哲学者故碧海純一東大教授宅で半日以上ご一緒し、ＬＰを聴きながらオペラや歌曲を中心にクラシック音楽論について歓談したことがある。先生の日本語は戦中戦後、日本兵の捕虜の通訳をしていた位で大変流暢だけれど、アクセントが少しおかしく、一寸たどたどしいところがあった。だからかも知れないが、先生の出される日本語の本はすべて、例えば大著『明治天皇』も原文は英語で、出版は訳者角地幸男氏によって完璧な日本語訳に仕上げられている。それにしても、当夜、三人とも、完璧でまったく非の打ちどころの無いバリトン歌手のフィッシャー・ディースカウよりも、もう少しというテノール歌手のヘフリガーや、内的なバリトン歌手のホッターに共感出来たのは嬉しかった。

翻訳という点では私にも一寸した小さな誇りがある。師匠のAldo A Luisada教授による鑑別診断学の本を翻訳したら、序文を戴いた上田教授から「どこにも翻訳という感じが出ていないが…」というお言葉を戴いたことがある。お叱りかお褒めか、でもともかく嬉しかった。頭の中に訳文を置き、それを日本語として書き出すと翻訳語は消える。だがそれにしても現代っ子の日本語は無教養丸出し、どうしようもないほどお粗末極まりないが…。医学論文や本でもそういうものがある。ある学会のガイドライン出版記念会で挨拶した際、あまりの拙文に驚いた私は、「執筆を中学一年の息子さんに頼んでいるのでは…」と言って顰蹙を買ったことがあるが（その後専門のライターに書き直して貰った由である）、大学教授連にして然りである。以前、国語が苦手だから医学部を選んだという学生に遭ってびっくりした経験があるが、やはりそうか。

3　患者さんと「ん」

患者さんには「ん」がつきものである。いや、年中「ん？」の連続といった方が良いかも知れない。扉を開けて診察室に入ってくる患者さん、目ざとくその全貌を一瞥する私、歩きっぷり、顔色、何かを訴えたい面持ち、痩せ方または肥り方、すべては「ん」である。ともかく、一目見るだけでもかなりの情報が手に入る。普段通院されている患者さんならなおのこと、一瞥して異変に気付く。「あっ、髪が乱れてる」、「ちょっと年取ったかな、何かある」といった程度のこともある。「どこも悪くはなさそうなのに、どうしてわざわざ病院に来るの？」とふざけることもある。患者さんがニッコリして緊張がすっと消える。

・なんだか年取った感じの患者さん。腰を痛めて入院していたって、「ん、分かった、やっぱりね。ステッキ使いなさいって、この前あんなに注意したのに…」。

・その歩きっぷり、パーキンソン病じゃないか？「ん、やはりそうだ。早速、神経内科に送らなきゃ。何か良い新薬が見つかったようだったけれど…」。

・ちょっと顔色が悪いね。それに息せき切っている。「ん、そう。大事があったかな」。「何か変わったことあったの？」と聞く。「ええ、実は初孫が…、生まれつきの心臓病、すぐ手術と言われて誕生翌日手術、先生、大丈夫でしょうか…」。青ざめた顔。Fontan手術に違いない。一年後、可愛い写真を見せて貰い、私も嬉しくなって一寸した子供用の甚兵衛を贈って喜ばれた。

・大学の大先輩：孫に心雑音！「ん、大丈夫、ＶＳＤ（心室中隔欠損）です。様子を見ましょう。自然治癒する可能性がありますからね」。その後一二年、年次経過で雑音消失。その間に家族の皆さんが私の患者さんになった。
・何時も一人で来院する彼が、今日は珍しく奥さんを連れて来た。「ん？ 何かあるな？」。やはりそうだった。集団検診で胃癌が発見されたというのだ。まだ早期だからと慰め、転院・手術を勧める。無事を祈る。
・検診、さらにＰＥＴで小さな肺癌、そして手術。退院翌日、無理して外来にやって来た。会った瞬間、異変が分かる。説明を受けているうちに、私は責任を感じてうなだれ、患者から逆に慰められた。次の日、「御免なさい」の手紙を書く。高齢者が多く、二人に一人が罹るという癌のことは何時も頭の片隅に置いておかねばならぬと十分心得ていたつもりだが。「んーん」と考え込んで、二度も癌手術を受けた自分のことを顧みる。

語れば際限が無いが、診察での「ん」は無限。だがこれは私専用の疑問の「ん」。少しだけ敷衍（ふえん）すれば、医師は患者のすべては把握し得ないということだ。ある一つを掴んだように見えても、それは本来一つか、複数か、何に関係するのか関係しないのか、思考過程は無限に広がる。多種の経験と成功・失敗を積み重ね、一つの結論が得られる。医師は一〇〇%を目指すが、なんでも一〇〇%ではあり得ない。患者さんはそのことを知っておかねばならない。重ねて言うが、医師に一〇〇%を期待するのは酷なのである。

私は医師だが、それ以上に患者でもある。かつて百数十種という実に多くの病気を患い、医者に何度も匙を投げられ、そしてどういう訳かその都度生き返った。今現在も幾つかの病気を持ち、通院したり自己裁量の投薬もしている。毎月の医療費は馬鹿にならず一万円をはるかに超え、小遣いの大半はそれに消える。

A　外来診療待ち時間

私に限らず、患者さんを困らせるものには後で述べるように幾つもあるが、その一つは診察の待ち時間だろう。その昔「三時間待って三分」という文句が流行ったが、長い間待たされて診察はあっという間だという意味である。現今はさすがにそんなことはないが（でもある所にはあるらしい）、医師は故意にそうしている訳では無い。

土台、人に会うには二通りあって、一つは予約を取り、時間通りに会う場合、もう一つは予約無しに相手の都合を待つという例である。ところが病院では予約しているのにその予約時間が守られないという非常識がある。病院慣れしていない患者さんはその辺が理解出来なくて、血圧が上がったり、受付嬢に文句を付けたりすることがよくある。だが医師を無理に急かせると診察がおろそかになり、ミスのもとになる。医師の方も痛し痒しなのである。すべて生き物を扱う仕事だから、汽車や電車の時間のようには、順序通り、時間通りにはいかない。新患が挟まると往々にしてかなり時間が取られ（ご自分の状態や訴えを書状の形で持って来られると助かるが、嫌う医師もいるようだ）、重症例がやって来るとそれ以上に遅れる。

だから真面目な医師は往々にして定時にお昼ご飯にあり付けない。大学時代には餡パンを齧りながらという経験もあった。いや大半がそうであった。優雅な昼食を、といった経験は無い。

B　受持医交代と勤務時間制

患者さんにとって、せっかく顔見知りになった受持の医師が突然見知らぬ医師と交代してしまうのは心許ないことである。そのために転院してしまった患者さんがいた。

受持医交代には様々な理由がある。

教育的意義：大学などのように教育を重視する施設では、なるべく多種類の疾患を経験させる必要上、ベッド受持を交代する。これはまた患者を診る目が医師によって異なることから、新しい発見につながる端緒にもなる。

医師が留学したり、転勤または開業する時：因みに開業に際してそれまでの病院の患者さんを開業先に呼び寄せる医師が、殊に近くに開業した方に多い。だがそのように出来るとは限らない。それはかつての病院の背景と医師の人格による。一人も来なかったと嘆いた有名医師もいた。開業は病院を継ぐためのこともある。
辞任：何らかの都合で辞職する医師がいる。病院とのトラブルもある。
人事交代：派遣医師はある年限、例えば一年で交代させられることがよくある。
患者さんに一番嫌がられる場合：毎回診察医が変わる病院がある。大病院では外来当番制で医師がくるくる変わることがあり、また比較的小さな病院では何名かで一つの外来日を適宜交代制で受け持つ例がある。当然無責任になりやすく、そのためのトラブルは多い。

また今問題になっている勤務時間制限が実行されると、診療体制が崩れる場合が起きるかも知れない。医療事情や殊に臨床医学の実態を知らない教授達や厚労省、素人の有識者が医師をサラリーマンと勘違いし、空論を弄しているので、医師からの反論が夥しい。医師は外来以外に多くの仕事をしており、当直しても翌日休みを取ることが出来るとは限らない、いや実際には出来ない。医師は普通のサラリーマンと違って学徒であり、学問的な遅れを恐れる。そういう知的修練は勤務時間に入るのか否か。入らないと言っても、それでは勉強しないで良いのかと言えば、そうはならない。大学や大病院ではたとえ超過勤務の翌日であっても、カンファレンスとか総回診とか、あるいは雑誌や本の輪読会があって、それを休むことは、すなわち他の医師に後れをとることになるのである。大学でのカンファや輪読会はその日の勤務が終わってから、夕方以後に行われる。あるいはお昼休みを潰して行う。これらは勤務時間に入るのか。かくして真面目で勉強熱心な医師ほど、休みを返上しがちである。年間、あるいは月間の勤務時間が超過するからと言って、患者を見捨てて帰宅することが出来ますか？　出来ません。でも見捨てた医師は実際にいた。しかし彼は立派に法律を守った訳で、譴責も処罰も受けませんでした。これは実話です。恐ろしいことだと思うのですが。

土台、働き過ぎそのもので動物は死亡するのですか。いえ、死にません。ＮＨＫ番組「チコちゃんに叱られる」ではないが、今こそ全国の医師に聞いて下さい。疲れれば眠ってしまうだけです。そんなことは昔から分かっていて、死亡するのはほかに原因があるからでしょう。そしてそれをネタに賠償金を取ろうとするその心情が卑しい。いつの間にか日本人が駄目になった。責任転嫁時代、自己責任放棄時代、言ってみれば「甘えの時代」になった。それに大体これだけ個人差がある世界に、一律の時間制限を設けようなどという、そういう人の脳みそこそなんとかしなくては。

C　健康食品とサプリメントの弊害

以上のことよりも日常の診療で患者さんが医師を迷わせ困らせるもの、それは健康食品とサプリメント、これは今まで再三述べてきた通りである（坂本二哉：『多病息災』第二章、愛育社、二〇一四）。なぜなら私自身、過去に二名の方をサプリメントで失っているからである。一人はゲルマニウム中毒死で週刊誌にも採り上げられた。

健康食品にせよ、サプリメントにせよ、問題は薬剤におけるような客観的な効果は望めない。あるいはわざわざ口にしなくてもごく普通の日常食で十分に足りており、また食事などは数日間口にしなくても、初めは空腹を感じるが、実質的な被害は生じない。五〇日間絶食収容施設がある位である。因みに俳優で画家の榎木孝明さんもかつて入所し、かつ同時に槍の教練もしていた。ある程度飢餓状態が続けば、人が動物として本来持っていた飢餓遺伝子が蘇り、空腹感を感ぜず、またある程度痩せもしないらしい。

一方、サプリメントや健康食品の効果を検証すること、さらに問題なのは健康増進効果を検証することは、実は不可能に近い。検証は同じような多人数の人を年齢別、性別、生活条件その他を整えて、ある程度長い年月に亘り、その物質服用の有無による成果を比較検討することで可能になる。しかし、新聞、テレビなどでの広告ではそのような比較研究は一つも無い。酷いのは個人的経験でしかない。テレビではそれが画面の端に小さい字で短時間出るだけで、多くの視聴者は気付かないかよく見えない。このような物品の広告は言わば虚偽であり、それを黙認している関係者はけしからんと思う。

医薬品には副作用があり、サプリメントには副作用が少ないという印象を持つ人がいる。確かに副作用の無い薬剤は無い。だが圧倒的な有効性があるとか、有効例の頻度は低いがそれでなければというのが薬剤である。そしてまた副作用を逆利用する場合も多い。例えば高血圧症で最もよく使用されるカルシウム拮抗剤はもともと狭心症などの薬剤であったが、副作用として血圧低下があった。狭心症患者の血圧は通常高くはないので、症例によっては低血圧を起こし使用出来ない。だが高血圧症例には救いの手になり、現今ではカルシウム拮抗剤を処方されない高血圧患者は稀である。また巷間問題になったバイアグラはもともと降圧剤の副作用の利用である。それ故、低血圧、殊に狭心症患者での使用は危険なのである。

それに対し、よく知られているように、サプリメントのウコン含有物は肝障害が多いし、またある人には良いかも知れないが、ほかの人には駄目というものは非常に多い。極言すれば、例えばセサミンとかグルコサミンとか、テレビで宣伝されているものはすべて無意味か無駄である。外から見えないので気付かれにくいが、肝機能障害は思いのほか多い。本当に有効なものは、宣伝無しでも良く、黙っていても使われるのである。

サプリメントは高価である。本当に勿体無い。そんなお金があったら美味しいものでも口にしたい。その方が精神的にも良いだろう。土台、本当に有効な薬品を用いれば、サプリの何分の一かの出費でことが済むのである。

私の知人に、こういうサプリメントや健康食品の検定事業を行う施設の理事長がいる。所員は実験台になり、多くの人がそのために具合を悪くしたと彼は言い、そして長年に亘る無数の検証で、いまだかつて良かったものは一つも無かったと語っている。新聞・週刊誌やテレビがそれを口にしないのは広告収入が著減するからである。それだけを取っても、土台、新聞報道などは月光仮面ではない、つまり正義の味方ではないということが分かる。

私自身が患者を代表して医師や医療従事者に言いたいことは山ほどあるが、患者さんはなかなかそれをストレートには言い出せないだろう。

一つはお医者さんの態度、外来や入院患者に対しての不当な扱いに悩む方が結構いるということである。病院の施設に対する不満は新聞紙上などによく掲載されるが、人間関係についてはなかなか切り出せない。そうすることによって患者としての自分が不利になり、不当な扱いを受けるかも知れないという弱者の悩みがあるからである。もう二度とあの病院には入院したくないと陰で息巻く患者さんの声はしばしば耳にした。特定の看護婦に対する非難もあった。勿論医師に対しての深刻な悩みもある。

まさかと思う話もある。ある患者、下肢の激烈な疼痛発作のため、「木曜日夕方」に急患としてある大病院に入院したが、受持医が現れたのは実に「四日後」、入院翌週の月曜、それも再三の患者の訴えにより、夕方になってからやっとであった。その間、患者は痛みに耐えかねて家族に常備薬を持って来させて服用していたという。入院翌日の金曜日は外来で忙しく医師は現れず、土・日は休日、月曜は手術日とかで、受持医は決まっていたのだろうが来なかった。患者は痛みに耐えかねて看護婦さんに訴え続けたが応答は無く、看護婦の診療上の手抜きもあって遂に激怒した。翌日の診察もおざなりで、これもその患者の怒りを買い、婦長が事情を聴きに来た。患者は婦長に医師と医療従事者の不実を訴えた。そうすると翌々日の回診はおざなりで、明らかに医師達はあとずさりの姿勢、早くその患者の側から立ち去りたいとの思いがありありであったという。その患者は病院を見限って転院した。この患者、「ん」、誰かな？

疾病診断の難しい患者がいた。半年近く大きな病院に入院し、あちこちの診療科を受診させられ、結局は診断不明のまま死亡した。死亡診断書には症状だけが書かれ、病名は無かった。家族はどんな病気であるかを知りたがったが、剖検もされなかった。無責任極まると他の医師達は誰しもそう思った。大病院にて然り、あに小病院においておや。いや失礼。

患者さんの家族には是非正確な病名を知っていただきたい。いやその権利がある。なんだか分からないが死亡したでは、死者の霊に失礼なのではないかと思う。老婆心まで。

4　お医者さんと「ん」

医者である私がこの「ん」を語るのは色んな意味で難しい。上述のように、「イエス」の「ん」も「ノー」や疑問の「ん」も、色々なニュアンスを持つ「ん」のすべてがあるからである。

私は老人、一昔前の言葉を借りれば「ロートル」である。二昔前なら耄碌爺（もうろくじじい）、さらに遡れば妖怪変化。それ故か、インターネットで私が意見を発すると、賛成者に比し反対意見者の方が断然多い。それだけはっきりと世捨て人になったなと感じる。だが私には私なりの流儀がある。

その一つ、それは昔から「患者手帳」を持つことである。これは高名な大先輩医師で当代きっての名医と称されていた佐々廉平先生（明治四二年東大卒）の教えである。先生の実弟は東大第二内科の佐々貫之教授であり、その息子さんは私と大学時代の同級生であった。

入院患者の履歴はカルテとして永久保存されるが、外来病歴はいずれ破棄される。私の外来手帳は手掌大の分厚いもので、毎回一人一行に姓名、年齢、疾患名（自己流の英語略字）とその時の重要項目を書く。一冊で二年ほどは持つ。佐々先生はそういうノートを山ほど持っておられた。現在、当診療所もそうであるが、コンピューター外来の病院では毎回一枚にその日の全員を打ち出してあるから、それを綴じればいい。このメモは名前と顔の一致を思い出させるのに有用なだけでなく、長い間来院しなくなった患者を知らせてもくれる。勿論、患者さんの心情を忖度しながらの探索が必要となる。お節介かも知れないが、万が一という場合があるからである。

また常に「メモ用紙」を置いておき、なるべく言葉だけではなく、病名や検査名を書き、また模型図などを書いて説明し、その紙は渡す。言葉だけでは正確に伝わらないし、記憶に留め難いことが多いからである。あまり細かく時間をかけて説明したら、患者から「私、学生のようです。ところで授業料はお幾らで…」とからかわれたこともあった。

さらに一つ、もし患者が「死去」した場合、日帰り出来ない遠隔地を除き、現代の医師は患者の家族を訪ね、あるいは霊前に参るであろうかなと思う。「そんなことをしてなんになる?」と中年の医師はいぶかしげに問うた。だが私は駆け出しの頃、ある先輩からその大切さを教えられ、見習うこととした。そして間もなくそれは決して容易なことではないことを実感した。勿論、わざわざ葬儀に参列し、あるいは墓前に参ってくれる元受持医をねぎらい、訪ねてくれたことに礼を尽くす患家が多いし、私に生前の患者さんの病状その他について葬儀参列者に語って欲しいと願われたことも二、三度あった。だが一方、医師に命を奪われたと感じておられる方も稀ではなかった。東大病院という、当時はかなり先端的なことをしていた病院でもあったし、一〇〇%の剖検(解剖)率を目指す執拗な説得に嫌悪感を抱いた家族が少なくはなかったことは確かであり、がんぜない愛しい我が子を失って医師に対する恨みを抱く方がいることは歴然としていた。

・門前払いも経験した。家には仏壇も神棚もありませんからと、やんわり断られた例があった。その患者は死にあたって、奥方宛ではなく、なんと私宛に遺書を認めていた。それが奥方の気持ちを逆撫でしたのであろう。その遺書は見もされず、突き返された。

・今でも忘れることの出来ないファロー四徴の六歳女子の死亡は痛恨の出来事であった。当時は子供の患者でも内科に入院していた。幾つかの已む無い事情が重なり、また遠隔地でもあったので、葬儀には家内を代理に遣わした。玄関先で「先生は娘を見放して逃亡した。だから代理をよこしたのだ」と面罵されたという。度重なる無酸素発作のため緊急手術、それは成功し、安心した私は医局に戻ったが、直後、気管内挿管が外れ、麻酔医はそれを無理に押し込んで気管を損傷、出血と酸素提供の障害によって死亡したということを後で知った。電話を受け急行したが、既に亡骸は父親に抱かれて車内にあり、目を合わせる暇も無く立ち去って行った。結果は手術を勧めた医師の私が最終責任を取らずに逃亡したことになった。その愛くるしくあどけない子の写真は今も我が家の写真帖にあって、時々家内と共に思い出を語る。当時、同じような年齢の娘が我が家にもおり、親の気持ちを痛切に感じた。確かもう五五年も前のことだが忘れられないのである。

・長い診療生活と言えば、不思議なこともある。私より一歳年下の大動脈弁閉鎖不全症例で、昭和三〇年（一九五五年）から五〇年以上付き合い、途中、狭心症発作が頻発、弁置換を行った例があった。一〇年以上前から田舎に引っ越し診療のチャンスは無くなったが、年賀状などは頂いていた。ある日、奥様から書状が届いたが、脳卒中で意識を失い、間も無く死を迎えるという知らせと共に、長い間の診療に対する礼が述べられてあった。私は例によって長い励ましの手紙を奥様宛に書き、病気の起こりから始まって色々な出来事も書き加えた。奥様はそれを意識の無い患者さんの眼前でもう一度読み、主治医も聞いていたという。途中、まったく意識が無いのに患者さんから涙が流れ、主治医は驚き、奥様は主人が生き返ったかと感激した。だがことはそこまで、間も無く息絶えた由であった。それを聞いて私の目も潤んだ。このことは「忘れられない患者さん（四例）」というエッセイに書き綴った。

・日本最初の肥大閉塞性心筋症（重症）の死は劇的だった。七歳から約四〇年間、外来診療のため学校を休むのを出来るだけ避けるため、当時二週間しか処方出来ない薬を九〇日分渡す離れ業を考えたり、よく勉強した結果の一流大学合格を祝ったりもした。共に度重なる難局を乗り越え、入社時の身体検査も上手く潜り抜け、超一流企業に入社した。若くして部長にまで出世したが、連休の家族旅行の前一週間、会社に閉じこもって残業、出発前夜にあえなく突然死した。今で言う典型的な過労死だが、現病故致し方ない。本来ならば心室頻拍で悩まされていた二〇歳代で急死していてもおかしくはなかった。二人で治療法を考案し合い、またよく私の言うことを聞いて節制し、人知れず酷い不整脈発作の連続にも耐えて頑張ったのだが、最後の私の制止が甘かった。それほどの仕事をするとは気付かなかった。奥様から電話でことの次第をお聞きし、私は絶句した。とても葬儀に出席する心境になれなかった。責任を痛感し、泣き崩れる自分を予想してのことだった。剖検をと考えたが、言えなかった。この疾患としては当時日本最高長寿であったことがせめてもの私の慰めであった。ただし二人のお子さんが同じ遺伝子異常を有していて、それがとても気掛かりである。だが親を殺したとでも思っているのか、以来、来院しなくなった。私は恐らく殺人鬼の烙印を押されたのであろう。そう感ずべきである。

疾患によっては、機を見て心臓手術の可否を決めなくてはならないが、手術的治療が決まったら、患者を勇気づけ、またその手術には万難を排して立ち会わねばならない。私は事情が許す限り手術に立ち合い、また、帰路、術後の患者を見舞う。毎日ということもあった。九二歳の大動脈弁狭窄での弁置換例に手術を勧めたことが私の失敗ではないかと自責の念に駆られたためである。手術翌日は本当にそう感じたが、一日一日回復して一週後には立てるようになり、安堵の胸を撫で下ろした。九五歳の今でも心臓はしっかりしている（しかしその後胃癌を発症して死亡された）。

その昔の東大病院時代、大学は研究機関であるということもあって、かなり危ない橋を渡らざるを得ないこともあり、確実性が確立されていない手技が実施されて失敗する例もあった。このようなことは世界中、先端的な施設では常に直面するところだが、確かにそうとは言えない気の毒な例もあったことを告白せねばならない。東京地方裁判所で私は正直にそう述べたが、「覆水盆に返らず」の譬えのように、病院側の賠償は気休めにしかならない。

よく知られているのは札幌医大・和田外科における日本初という心臓移植手術である。これは明らかに殺人だと思うが、裁判で偽証した（その本人のその後の告白による）他大学教授などと共に、許容し難い暴挙である。この事件がきっかけとなり日本での心臓移植は大幅に遅れた。その後、日本学術会議会館で内科系、外科系各一〇名の移植可否検討会議があり、全員一致で移植実施案が採択されたが、帰路、一緒になった心臓外科の大家が私に「僕は最初でなきゃやらないよ」と言われ、私を失望させた。もう明らかに先陣争い、要は自分の名を残したいだけであり、「二番目では駄目ですか」という民主党女性議員の迷言通りであった。

私と何名かはこのような外科側指導者の言に疑問を感じ、「心臓移植時期尚早」論を「日本医事新報」に発表し、大見出しで朝日新聞の第一面を飾り（同日、ソ連での大きな政変があって、東京の最終版では第二面になっていた）、私は払暁から遠慮の無い各社からの電話取材で困惑した。かくして移植開始はさらに遅れた。国会にも呼ばれ、私は日本の現状を開陳した。多数の議員もどうして良いのか戸惑い気味であった。移植そのものは比較的簡単な手術なのだが、我々の提言はNHKにも我々の真意を踏み破るような形で報道され（二時間のインタビュー録音は完全無視、その後のオフレコが密かに録音され、その秘密が報じられた）、外科医側から猛烈なバッシングを受け、「坂本を殺せ」とまで脅迫された。しかし我々の提言はその後の日本におけるまともな移植実施に貢献出来たものと、今でも信じている。

外科医の悪口のような話になったが、これは限定的なものである。私事に亘るが、四〇数年前、内科医側がもう無理だと言う私の癌手術を執刀された医師は、クリスチャンだが、手術日の朝、教会で祈りを捧げ、さらに病院近くの神社に詣でた上で手術に臨んでおられたことを後で知った。人工肛門設置、腰椎麻酔、輸血、そのいずれも拒否した私の我儘を受け入れ、病勢、手技のいずれも困難な状況下で私を救命して下さった。出勤するとまず入院患者を見舞うのにも感激した。また東大時代、ある心臓外科教授は帰宅前毎日病床を回っていた。アメリカへの航空機内で患者の急変を知り、学会発表をキャンセルして空港からすぐ引き返したのもその教授、そういう事例が幾つもある。医師の鏡と言うべきだろう。だが一方で「謝礼目当では」と陰口を言う見下げた外科医がいた。

私の恩師（内科教授）は翌朝の病棟総回診のため札幌の学会から夜行で帰京、終わるとすぐまた学会へ戻られた。真似出来ない。学会講演を優先し、そのためご自身の手術が遅れて大事に到ったのも先生だった。先生はあの激しい東大紛争中、ご自身が渦中の身にあっても、自らの身を隠している多くの教授連を尻目に、定年の日まで一日たりとも総回診を休んだことはなかった。回診は「臨床教室主任として最も大切な義務だから」と言われていた。その責任感の強さには頭が下がる。もって学ぶべきだが、厚労省主導の改革はそういう真面目な医師の存在を許さないかのようにも見える。患者にとっても悲しいことである。

なんだか大仰なことを言ってしまったが、ことほど左様に、外から見ると医師ほど楽な商売は無いように見えても、現実を内から見るとこれほど厳しい仕事も無い。社会的には、良くてもともと、悪ければ恨みを買う。やりようによっては可もなく不可も無しで過ごせよう。だが老人の私の危惧するところは、以前の医師と違って、意味不明な和製英語グローバル・スタンダードの波に乗ってか、近年ますます医師が患者の心情を考えず、患者離れが進んでいることである。肌身の接触が希薄になり、さらにはまったく無くなって、患者よりもパソコンだという診察状況が一般化してしまった。それはそれで必ずしも悪いとは言わないが、それは勿論一般診療の一助となるからであって、戦前よく口にした「バスに乗り遅れるな」の文句のように、見境無く尻馬に乗ってしまうというのでは駄目、決して本末を転倒してはならないのである。

しかし残念ながら、それがしばしば逆になる。いやなりつつある。かく言う私もそれでカチンと来たことがある。

以前にも少し触れたが、症状が安定して主治医が若い医師に代わり、その最初の外来診察時、私の顔を見ることもなく、ひたすらコンピューターの画面を見つめながら「結果は変わりありません。

次は何時々の何時」。それで終わり。「それだけなら受付業務に同じ。診察不要です」と私は思わず声を発した。でもこういう発言は普通の患者さんには出来まい。高齢の医師の私だから言えることだろう。そう言われて主治医は驚いたが、それからはまったく態度が変わった（私に対してだけなのか、それは分からない）。

それ故か、いやそれ故に、安定していて遠隔地まで通院しなくてもと思われる患者さんや、足腰が不自由で通院が無理そうな患者さんには、そのような風聞のある形式的な病院への紹介はしない。また希望によって近医を紹介しても、そのかなりの方が舞い戻って来る。理由は上述の如くである。どの患者さんもコンピューターを見ているだけで患者さんと向かい合わない医師には失望している。酷い場合はこちらの言うことも聞かないで、いきなり検査、また検査、あるいは他の科へのたらい回し、責任回避に徹しているようにしか見えない。痛い所へは手を当てるのが診療常識だが、そのようなことを省略する医師に失望するのは、要するに患者さんを患者としてではなく、単なる物品としか見ていない態度に嫌気がさすためなのである。

古い話だが故五代目古今亭今輔の新作落語「お婆さん三代姿」という落語を思い出した。有崎勉、つまり故柳家金語楼の作である（お断りしておくが、落語は最高の芸術の一つである）。「若い人は年寄りに対して思い遣りが無いと言いますな。だが、年寄りは二〇代、三〇代、四〇代、五〇代と歳を取って来るから、二〇代ではどうだ、五〇代ではどうだということを経験して来ている。やれここが痛むとかリウマチがどうだとか分かっているけど、「若い人は歳を取ったことが無いから」、神経痛がどう痛むんですかって分からない。思い遣りが無いのは当然…」。名文句である。お客さんはどっと来る。

若い医師は経験の無さを教科書や先輩の話で仮想体験して行く訳だが、これは前もってすべてを経験して知識化することが出来ない以上、当然のことだし、誰でもそのようにする。でもオスラー医師が言っていたように「患者が教科書」でもある。教科書が教えてくれると言うより、患者が教科書の正当性や誤謬を教えてくれるのである。そのためにはまた書をよく読まねばならない。

最近の医師はゴルフなどには凝るが、書物を読まない。患者との接触には医学書はもとより、各種の書に広く接し、常識といわゆる教養を身に付けねばと思う。留学して日本の古典文学などを聞かれて答えることも出来ない医師は恥さらしである。国際学会でのオペラ鑑賞に日本人医師の私が解説したのは異様だが（実際、異様だ、日本人が西洋古典音楽を…とも言われた。かてて加えて、現代音楽のLigetiについても講釈したのである）、どの道でも良い、何かの特技も身に付けたい。このことはまた後に述べよう。

ここで思い出した。日本の民主党K元首相は国連の講演で「疾病（しっぺい）」を「しつびょう」と読み上げた。彼は工学部出身だが（政治問題で狂奔し通し、授業には出席していなかったという）、はなはだしい無学、無教養、いや非常識である。日本人として冷や汗の出るほど恥ずかしかった。

幸か不幸か、前述のように私は数えきれないほどの病気を経験した。利尿剤中毒による乳腺炎も罹患しているから、残すところは「子宮と卵巣だね」とからかわれる。臨死体験と言うか、医師に見放されて生き返ったことが四度ある。キリストの頃なら奇跡である。だがほとんどの医師は私のようにありとあらゆる病気を経験出来る訳では無し、患者さんに対する惻隠の情に濃淡があるのはある程度致し方無い。だが若い医師から見ると「そんな程度で、大したことは無さそうだし…」ということが、存外、患者さんの訴えであるし（重要な疾患で症状の無い場合は幾らでもある）、一つのことに対する医師と患者の比重の置き方が一致しない方が多いのだから、そこは医師が少し身をかがめなくてはならないのである。

さらに古い時代、江戸時代で蘭学が主流になるまでの間、一般の医師の身分は大変低かった。「三者」と言って、「医者、芸者、役者」は人に媚びを売って生活するものとして、河原乞食と呼ばれた役者同然、むしろ下賤なもの、と言うよりも占い専門の陰陽師（おんみょうじ）などよりはるかに低い身分であった。「よし、わしは今日から医者だ」と言えばその日から医業が通用する時代、「頭痛の気（け）でござる」とか「腹痛（はらいた）の気でござる」という程度だから致し方無い。それなら病気になって医者を呼ばないかと言うと、そんなことは無かった。何故か。病人も家族も究極的には人の心を通じた慰めが欲しいのである。これは古今東西、意識するとしないとに拘わらず、彼らの心底に横たわる潜在的希求なのではあるまいか。

医療の機微は案外こんなところにある。変な言い方だが、患者さんが診療を終えて病院を後にする際、彼らが病院を訪れたことを納得出来るように考えてあげねばならない。そのためには診療に関係無い一寸した話で心配を和らげてあげるとか、患者さんを巡る雑事や家族のことにも配慮してあげると良いと思う（私にはその雑事の方に比重が掛かりすぎる悪癖があるが、患者数の少ないことでそれが可能なのである。場合によっては個人的なコミュニケーションが出来て嬉しい。患者さんから話かけられても断らない）。一つの病院ではまだ手書きのカルテなので、小さなメモをカルテ内に残し、次回の診察の前にその小さなメモを見て、例えば真っ先に「お孫さんの方はどうなりました？」と尋ねるだけで、患者さんは自分達を思っていてくれた医師に信頼を寄せ、その後の診療がスムーズになるのである。

また勿論、病気や検査の意義や結果についても相当な時間を費やして説明する。最近の患者さんはネットなどでよく調べて来る方が少なくないので、こちらもおさおさ怠り無く勉強しなくてはならず、それが医師の老化を防ぐことに繋がってもいると思う。「生涯現役、一兵卒」たる所以である。

そう言えば、最近は家族歴とか職業歴を閑却する医師が多いことが気になる。遺伝性疾患ばかりが問題ではないのである。それを「個人情報だ」と怒った厚労省のお偉方がいる。そういう人が医療問題を云々するとは噴飯ものであろう。

ついでに言うと、少し触れたように、医者はなるべく多くの趣味を持った方が良い。数学者で文筆家の藤原正彦さんがどこかで言っていたように、人によって「読書、登山、古典音楽」とか「本、人、旅」でも、あるいは「映画、音楽、芝居、本」、なんでも良い。上述した読書を含めて、広い教養（と言えるかどうかは分からないが、雑学と言っても良い）を持つことが大切、人間の幅が出来る。なんにでも興味を持つ、つまり「好奇心の塊」という人が医師に向くと私は思っている。

一〇五歳の長寿で逝った故日野原重明先生は医師としては勿論、文筆にも優れ、宗教家、芸術家でもあった。老いてもオペラを作曲し、自ら歌い、そしてまた医学の道を説いた。その先生ですら、先生よりも確か二歳若い女性美術家・篠田桃江さん（注）とのテレビ対談で、もう少し頑張れと活を入れられていた。当時一〇五歳になった篠田さんはまだ健在で芸術活動をしておられた。上には上があるものだ。また日野原先生は若い頃結核を患われたせいか、上京後はゴルフなどのスポーツをなさらなかった。土台、患者さんは病の身だから多くはスポーツが出来ない（たまには例外がある）。私もしない。第一、ゴルフが出来るほど裕福な家庭でもなく、またその時間が物凄く勿体無い。それに、一日を費やしてゴルフに興じる同じ時間にどれだけの論文を見、あるいは読書が可能か。またゴルフは患者さんとの対話の対象にならない。講演に出掛けた翌朝、接待ゴルフに招かれたことが数度あるが、ブービー賞を戴いた。するなら退官後だろう。だが生涯一兵卒で研究もしなくてはならないから、とてもお呼びではない。私から見れば、日野原先生も生涯一兵卒であったと言うべきだろう。年中、日曜すべてをゴルフに当てている教授を見たことがあるが、一体何時論文を書くのだろう。不思議でならない。能力の低い私は日曜に休む習慣を持たず大学へ通っていたが、後れを取りたくなかったからだった。ある国のオリンピック選手合宿所の壁に掲げてあった数行の中に、"Work hard, Sunday is not holiday" とあった。その練習所からは多くのマラソン金メダリストが輩出されていた。

注：二〇二一年三月一日、老衰のため亡くなられた。享年一〇七歳。

5　医療の変遷に立ち向かう

時代は移り行く。私は九年前の第六〇回日本心臓病学会記念講演で、「時移り人は変われど」と題し、移り行く医療や学会のことを述べると共に、私が畏敬する三名の日本の医師について変わらぬ医学への真摯な姿を語った。一方、現代において、研究者や医師として科学と患者に向かい合う真摯な姿の希薄さを嘆いた。なんの役にも立たぬことをただ点数欲しさのために学会発表し、あるいはただ学会に出席（受付で出席証明を貰っただけでとんぼ返りという人も多い）、名誉職のためだけに奔走し若手を育てないか育てる力の無い上層部、私はそういう方々と袖を分かつために新しい学会を創設したのだが、六〇回目ともなると、劣化が目立って来た。皆さんにもう少し一途な研究者あるいは医師として生きて欲しいと思うからの講演であった。

だが時移り、現実には非人間的文明の世界となって、すべてが一変しそうな世情になりそうになった。いや、既にそうなりつつある。

A　コンピューター医学

世の中のコンピューター化が進み、もはやそれ無しでの生活は考えられなくなった。

携帯電話が普及し、公衆電話が珍しくなり、家庭の固定電話も減って来ている。昔の学会では何かと言えばテレフォンカードをくれたが、今ではそれが何十枚と溜まって宝の持ち腐れとなりつつあり、学会出張の時など、ホテルでわざわざ遠距離電話に使う位にしか役立たなくなった。電話会社も考えたのか、かつては会話が始まってからカウントしていたものが呼び出しベルと同時にカウントが始まるようになり、下手をすると呼び出しだけで一言も話さぬうちにカードの度数がどんどん減ってしまう。道路脇の公衆電話に人が入って、やおら携帯を取り出して話し始めるのを見かけた。外界の喧噪を遮断して話したいのか、他人に聞かれたくない電話なのか、公衆電話ボックスの新しい利用法である。

今やスマートフォン（スマホ）の時代だ。なんでも出て来る。やがては人がものを考えなくなり、スマホにこき使われるようになるだろう。辞書を引く楽しみも無く、たとえスマホで読書しても傍線を引くことも出来ない（出来るものもあるらしいが）。電車に乗るとスマホの列、一〇人が七、八人、時には全員がスマホを見つめている。私のように読書するものは希少人種となった。私はついに携帯を持たなかったが、生涯、スマホも持たないと決心した。反全体主義者である。

だがパソコン（パーソナル・コンピューターの略語だと知らぬ若者がいた）。メールのやり取りにはパソコンや携帯は欠かせない。さらに物書きにも必須となった（でもいまだに手書きの作家がいる）。パソコンの方がスピーディらしいが、私は指一本、それにミスタイプが多いからそうでもない。だが訂正が簡単、書き足し、削除（横線でそれと分かるようにしておく）、一部の入れ替えなどは非常に便利であり、パソコンに向かわない日は無い。日記もすべてパソコンになった。就寝前や早朝時に日記を書く（打つ）。だが他人様に見せる文章はパソコンだけでは駄目で、一旦紙に打ち出し校訂する必要が（私には）ある。やはり読むということは紙媒体でと、育ったせいであろう。それに個人的な手紙や年賀状は手書きに限る。今年は住所まですべて手書きにした。文面は人ごとにまったく違う。思いを馳せる。それが楽しい。

ＩＴ（information technology：情報技術）は色々な情報の習得や加工、保存、その伝達用の科学技術で、これにはコンピューターが欠かせない。それによるコンピュータープログラム（ソフトウエア）は医療にも盛んに用いられるようになっている。と言うより、それ無くしては現代の医学は成り立たない情勢になりつつある。早い話が手書きのカルテに代わる電子カルテとか処方箋、諸検査のリアルタイム診断、さらには病院の経営情報分析などなど、用途は広まる一方である。遠隔地の医療にも使われるが、この場合は単なるＩＴと言うよりはＩＣＴ（information and communication technology：情報・伝達技術）と言うべきだろう。

それよりも、医療では後期高齢者（高貴高齢者・光輝高齢者・私のような好奇高齢者）が激増し、最近問題化している超高齢化社会が現実のものとなり、社会保障費の増大とか介護の問題、それに伴う人材不足がＩＴ活用を望む母体となっている。この場合のＩＣＴによって業務の効率化、即、人材不足解消、さらにはうっかりミス・ヒヤリハットの防止などの安全性確保を確立するようにと、現在大変な努力が重ねられている。日本はその最先端を行く。

現段階では完成に程遠いように私には思われるのだが、人工頭脳（ＡＩ：artificial intelligence）によって、従来は人間にしか出来なかった色々な知的活動、例えばものの認識、推論、言語の適用、ものの創造などを機械に任せるような研究もなされていて、実用化の研究が盛んである。基礎医学的には病理診断への可能性なども検討されている。

巷間聞くところによれば、後二〇〜三〇年もすれば個人脳のすべてをＡＩに移入することが出来、個体は滅びても聡敏な頭脳を持つＡＩでことが処せるという。ある大学では心電図のみで急性心筋梗塞症例にカテーテル検査・治療をするか否かを八〇％も決めることが出来ると報じている（私が残りの二〇％に入ったならどうしてくれるのか！）。

しかしＡＩが進化して、昔のことをすべて思い出させる機能を持つＡＩが出来るようになれば、恐らく人間は生きる気力を失ってしまうか、気が狂うかだろう。人は忘れるという特技を有するから、不愉快なことが沢山あっても、それを忘却の彼方に追いやって現在を生きてゆける動物である。他の動物では瞬間的にそれが出来るのだと思う。それならむしろ、ＡＩは楽しくあるべき人生の破壊者ということになる。私は原子動物的で、苦しめられたり虐められたりの苦悩をすぐ忘れるから、こうやって生きて来られたのだと思っている。

Ｂ　ＡＩ先生

ＡＩを教育にという論議がある。医学でもそうである。先生はもう要らない、ＡＩが学生に講義すれば良いのではと、今様、家で授業を受ければ十分などということが言われ、一部実際に行われているようだ。現代の新型コロナウイルスパンデミックのように、生徒はパソコンを持ち、先生たるＡＩが授業するという。それを聞いただけで、古い頭の私は「もう駄目だ」とつぶやく。新聞によれば、経済産業省が教育と技術を合体し、これをeducation＋technology、略して「エドテック」と称しているという。だがＡＩに先生をやって貰っても、ある学者に言わせれば、ＡＩに出来ることは生徒のレベルに合わせた計算や漢字のドリルの提供とか、穴埋め問題の自動採点とかで、言葉の意味のある内容などの判断は出来ない。私から言わせれば、学生をマニュアル化するだけである。それにマニュアルはマニュアルを超えることが出来ないのと同じく、そういう学生はＡＩを超えることが出来ず、したがってＡＩに仕事を奪われるのみである。医学教育でもそうだが、教育に必要なのはＡＩにとって不可能なこと、つまり文章、自然現象、社会現象の意味を考え理解すること、医学で言えばその患者の心情、現象の多様性の意義、治療の可変性の在り方などを学ぶことなのであろう。そうした私の感覚では、欲しいのはその先生の人となり、生きざま、言ってみればその人間先生の人生哲学に触れ、共感することである。それはＡＩには恐らく出来まい。

音楽好きな私は思う。ＡＩはレコードのようなものだ。完璧なＣＤが出来た時、これで演奏会は無くなると言った評論家や学者達がいた。でも結果は逆であった。同じ曲でも、同じ演奏家が演奏しても、一期一会、持ち味が違うということを、賢明な人間は知ったのである。

美空ひばりの歌う「川の流れのように」の如く、患者も医師も医学も、「地図さえない　それもまた人生…」を歩む。ＡＩは戸惑う。

二〇一〇年代後半、ＡＩの第三次ブームとして汎用人工知能（artificial general intelligence：ＡＧＩ）がAGI Co.によって開発された。その感覚技術（sensibility technology）では、音声から人の感情をリアルタイムで認識出来るらしい。だが実際には人の知能の実現は予想よりもはるかに難しいことのようである。少なくとも私の目の黒いうちに日の目を見ないことは確実である。神様の存在を信じなくてはとも思う。

ところであるお店ではロボットが挨拶をしてくれる。始めは面白がってこちらからも話しかけたりしたが、すぐに飽きた。やはりそれは人ではないのである。一〇年ほど前から家にいる「ゆめる」(坊や)や「ねるる」(お嬢ちゃん)の会話人形の方がまだ可愛らしくてましな気がする。「行ってらっしゃーい、僕ねんねして待ってるね」、帰宅して手を握ると目覚めて「お帰りなさーい」、時間が来るとあくびをして「お休みなさーい」と寝てしまう。誕生日には〝Happy birthday〟の歌が目覚ましの歌である。何も言わなくても、勝手に何かを要求したり、天気の話をしたり。こちらが話すと何かの答えが返ってくる。だからテレビの前に置くと話が止まらない。

だがやはり本来の人間ではない。あるお爺さん患者に「ゆめる」坊やの話をしたら、それを購入して施設にいる痴呆の奥さんのところに持って行った。奥さんは孫と間違えて始めは喜んだのだが、三日目に、これは孫とは違うと言って放り出した。ロボット看護人も恐らくそのように扱われるだろう。漫画の「笑ゥせぇるすまん」で「ココロのスキマ♡お埋めします」という名刺を差し出す喪黒福造のように、大切なのは「…ココロデゴザイマス」だろう。

とは言ってもＡＩが医療の世界を変えるのは時代の流れだ。あえて抵抗しない。テレビのドキュメンタリーでは人生相談するロボットもいた。確かAppleのシリ（Siri）というＡＩアシスタントである。恐ろしかったが、こちらの名前を聞き、どこからどうやって引き出すのか、一寸ばかり待つと、年齢から始まってこちら側のすべての個人情報が開陳される。怖い。家族と対話しているうちに、夫婦の過去の出来事になると、子供達にその部屋を出て行くよう命令したりする。色々な回答も与える。新聞のありきたりの人生相談顔負けである。

だが欠点もあり、それが人間の感情を逆撫でする。感情が無く、抑揚のないモノトーンの声だ。我々は例えば電話に出る時、相手によって声を変える。女性では一オクターブ高くなる。そういう変化が実は患者さんにとっての慰めになることをコンピューターは知らない。男性の場合はそういう変調が苦手だから、相手の状況によって声を変えることが出来にくい。私が看護師は看護婦で、つまり女性でなくてはならないと言うことの一端はここにある。

ともかく、好むと好まざるとに拘らず、医療におけるＡＩは進歩の一途を辿る。診断に利用する、手術を任せる、省力化と正確さが取り柄だが、相手が生きた人間であると、ある法則性に支配されるＡＩは限界にぶつかることも知っておくべきだろう。

折しもスペインはバロセルナのガウディによるサグラダ・ファミリア大聖堂が完成間近である。その様子をテレビで見た。私がこの教会に家内と一緒に登ったのはかなり前のことだが、その当時、完成まではあと一〇〇年以上かかるとのことだった。確かに完成程遠しに見えた。しかしコンピューターの完成によって工事は急ピッチで進み、一〇〇年の単位は一〇年の単位となった。有名なウィーンの大聖堂は完成までに六〇〇年以上を要したが、完成の期限の無かった筈のガウディ大聖堂はコンピューター制御の恩恵を大いに受け、作業の速度は飛躍的に早まった。だが工事責任者は語っている。建築の最終的な完成は人間の「感性」が決める。やはりなんでもそうなのだと思う。我々は自信を取り戻さねばならない。

6　にっぽん（にほん）、こくみん、こっかいぎいん（日本、国民、国会議員）

もうとっくに紙数を超えたが、今現在の世相そのものはまた「ん」の連続であり、少しは物申す必要があると感じる。ここでは「ん」の付くものに対してである。

安倍総理が自民党総裁選挙で勝利した時、私は顎を引いて「ん」と頷いた。肯定の「ん」である。かつて記したように、私が勝利を予測して皆さんの顰蹙を買ったトランプ・アメリカ大統領誕生の時もそうであった。何もこの御両人が“must be”であると言っているのではなく、“better than”

という意味においての「ん」である。世の中、特に政治の世界では、衆愚政治の模範である「民主主義」そのもの同様、"best"などというものはあり得ない。だがその後になって、本当に肯定の「ん」で良いのだろうかと思考し、そして最近、時と共に疑惑の「ん」が徐々に頭をもたげて来た。

先だってワシントンに住む次女が二週間ばかり帰国したが（アメリカ人になってしまっているから外遊か）、声を大にしてトランプ大統領をけなしていた。時、まさにメキシコとの国境壁建設を巡って野党との意見対立から公務員の給料支給凍結。一方、議員相手の議会図書館は難を免れて彼女は給料を戴きながらも仕事が無く、お陰で予定の帰国が出来たのだが、一般の公務員は生活不能となった。何しろ貯金という概念を欠如し、借金してまでも物を買う国民だから、無給となったその日から生活に窮するのだ。非難囂々。だが物は考えよう、"Japan first"と決めてかかれば、日本にとってトランプ大統領は恐ろしいシナを牽制する格好の存在になっており、そのためシナは困って日本に擦り寄る姿勢を見せている。トランプ大統領になんとかとりなしてくれと言わんばかりである。

でもいまだ南シナ海は彼らが蹂躙するところであり、一帯一路は究極的には植民政策または自国基地確保の前哨戦だし(各国はそれに気付き始め、今やシナを本気で信用する国は無くなりつつある)、それに報道によると日本領空侵犯は昨年実に四七六回、その度に自衛隊機が出動している。嫌がらせである。だが安倍さんはにこやかで、相手国首脳と握手などしている。私から見れば「なんじゃ、それ」であり、アメリカなら面と向かって相手国を「ならず者国家」と面罵して憚らないのにと、八方美人の安倍さんの外交手腕に一抹の不安を覚えるのだ。

戦後の日本、殊に一九九一年の宮澤喜一総理の頃から「近隣諸国」という漠然とした表現を設け、悪印象を与えて個別の相手国を刺激しないよう、妙にへりくだった政治姿勢になってしまっている「にっぽん」。宮澤さんが韓国を訪問する確か六日前、朝日新聞が満を持したように慰安婦問題という虚偽報道をし、驚いた宮澤首相はなんの裏付けも無しに、何度(六回という)も韓国で頭を下げた。彼は学生時代、アメリカ歴訪学生団の団長を務めた東大の秀才学生だったが、肝っ玉は首相に値しなかった。当時の河野官房長官の慰安婦発言も、官房副長官であった友人の石原信雄君によれば、「まあまあ」というへりくだり体質の表れだったという。台湾での給油の際、国交が無いからと言って飛行機から外に出なかった位の河野さんの器量の無さが日本外交を失墜させたのだ。日本の歴史教科書も卑下して相手の気分を害さないようにとの線を行っている。相手国が文句を付ければ、事実を捻じ曲げたり削除したり、ある意味では嘘を書いていると言っても過言ではないと思う。

例えば韓国は朝鮮が日本に文化を伝えたと言い、日本の教科書にもそう述べるものがあるが、それは真っ赤な嘘、隋唐使は朝鮮とは関係無く日本に文化を持ち込んでいるし、第一、百済はかつて日本の植民地で、そこには倭国があり、日本人の居留地であった。それ故、百済だけには日本を真似た数々の遺物がある。そういう事実は韓国の強い要望に依り彼等の歴史から削除され、日本にもそれを要請し、現代の日本の歴史教科書には書かれていないだけである。これが韓国の「嫌日」思想の原点である。したがってそれ以降の韓国の歴史はあちこち「ん?」の字だらけにならざるを得なくなったのである。

そういったへりくだり姿勢が日本の政治家にはまだ垣間見られる。いやもっと如実に見られる。以前、「韓国は息を吐くように嘘をつく」と述べた私だが、まだ韓国に多少の秋波を送り、議員を派遣したり、日韓議員連盟を継続していたりと、それが安倍さんに対する私の「ん？」である。その昔の日本の政治家にもそうだったが、私は安倍さんにはもっとはっきりした態度を期待していたのである。相手が分かっているのに漠然と「近隣諸国」などという国会答弁をする。極めてあいまいだ。心の中で「ん？」と言わざるを得ない。他に人がいないから安倍さんに総理を託すしかないが、「外交は騙し合い」、「国際条約は破るためにある」という世界の常識に、日本が古来どれだけ譲歩させられて来たか、もっと真剣に考えては貰えないだろうか。最近はさすがに切羽詰まって相手国を名指しするようになったが、アメリカに対する属国意識は完全には払底しておらず、相変わらず依存主義である。

防衛大臣もそうである。私は小野寺五典大臣に最も期待を寄せていたが、先日のプライムニュースで韓国の横暴に対し制裁を科せという視聴者からの声に対して、「韓国テレビを止める方法もあるが、それを悲しむ視聴者もいるでしょうから…」と言って、私を啞然とさせた。私なら放映を禁じ、朝鮮学校は閉鎖、大使も引き揚げさせるだろう。当時の岩屋毅防衛大臣も、なんとなく覇気に欠けたのが気になる。有事の際、大丈夫かなと思う。多分、駄目だろう。

他方、河野外相は多数国を歴訪し（外務大臣専用機が欲しいと言っているがどうなったのだろう）、随分活躍しているようだが、木の枝の剪定はするが肝心の木の幹の方は手付かずの感じ、ロシアのラブロフ外務大臣が会談内容をすっぱ抜いているのに、河野さんは「内容は言えない」などと、滅茶苦茶に弱腰であった。「お前さんの方が勝手に日ソ不可侵条約を破って日本に攻め入り、かつまた戦争終結後に勝手に千島を占領したくせに何を言うか」と堂々と言えぬのか。ロシア（ソ連）は一度手にした土地をかつて返したことのない国家である。彼らの行為は日露戦争に負けたことに対する意趣返しなのだ。返還する訳はない。どうせ帰ってこない千島なのだから、ガツンとやるしかないだろう。やはり外交は持つものを持たねば勝てないのだ。すべて武力が背景にある。専守防衛は淡い幻想に過ぎない。この分では拉致問題も憲法改正も望み薄ではなかろうか（因みにトランプ大統領は日露戦争を知らなかった！）。

韓国軍からのレーダー照射も（アメリカ軍なら相手を撃沈するかも知れないが）、相手には日本は何もしないということが分かっているかの如くである。官房長官の言葉は判で押したように「遺憾の意を表明する」とかせいぜい「厳重に抗議する」だが、相手はそんなことに耳を貸す訳はない。逆にそれを肴に却って酷いことを言う。記者会見でも大して強固な質問は出ず、出しても暖簾に腕押しだから記者もそれでＯＫとしている。そんなことなら改憲も無意味だろう。ＮＨＫの人気番組「チコちゃんに叱られる！」ではないが、ほんとに「ボーッと生きてんじゃねーよ（Don't sleep during life)」である。性善説に立っているのか、何時も目が泳いでいる。その上に「バカ」が付く正直者のお人好しか、それとも外交にはやはり後押しとしての軍事力保持が必須なのだ。世界を見るとあんな小さな北朝鮮が大国アメリカと対等に渡り合えるのは、核の保持ということの持つ威力なのだろう。さすれば北朝鮮が核を放棄することは金輪際起こり得ないのではないか。第一次米朝会談は北朝鮮の圧勝に終わったが、第二次会談を仕掛けたのはアメリカ、ということはアメリカが下手に出たということであり、北朝鮮の優位さは今回も覆い難いように思うのだが。

トランプ大統領の基本は言うまでもなく“America first”だが、それが当然とは言え、世界各国に色々な反響を及ぼしている。土台、アメリカという国は「敵と味方を間違える天才」と言われているように、日本が現在置かれている様々な苦境はアメリカの怠慢に起因するのだとされている。韓国に竹島を取られても指をくわえているだけの日本だが、何故当時のリショウバン（李承晩）韓国大統領が勝手に海上にラインを引いたことに対してアメリカは黙認していたのか、千島もアメリカがソビエトに日本との戦争に参加する代償として勝手にその占領を認めたことが発端（何故戦争に参加させたのか分からない）、尖閣列島事件も当時のアメリカに一言あればこんなにこじれなかっただろうにと、私はアメリカの不作為をなじりたい気持ちを捨てきれない。

A 「ん」の付く人

最近､殊にこのエッセイに関して､「ん」の字の付く人物に興味を持った。特に語尾の「ん」である。

日産のゴーン会長は「ン」の字付きの問題男だが、日本経済に関して彼の為したことは功罪相半ばする。だがせこいことに脱税とか、色々な方法で金策に走り、金融商品取引法違反容疑で逮捕されてしまった。その去就はともかく、フランス政府が出て来たことは事件の大きさを想像させる。経済のことは良く分からないが､私個人としては動かすお金の大きさにただただ驚くばかりである。何しろ私など、一生、いや五〇〇年かかっても紡ぎ出せないほどのお金なのだから。でも何に使いたいのだろうか。せめてその一割でもかつてはフランスの植民地であったアフリカの難民に差し出したらどうだろう。だがブラジル生まれでは無理か。そしてその金を使ってのレバノンへの逃亡である。許せない。最近、手助けした二人が逮捕されてはいるが。

世界を見回してみると、「ン」付きの名の外国為政者は要注意だ。すぐに思い出すのはレーニン、スターリン、プーチンのソ連・ロシアの怪物達。北方領土返還が大きな問題だ。

史上最高の殺人者で、日ソ不可侵条約を破り、千島を勝手に占領したソ連のスターリン、彼は対ドイツ戦中、満州からの日本の侵攻を恐れて日ソ不可侵条約を締結したに過ぎないのだが、お人好しの日本はその条約を信じて関東軍の主力を南方に移動させて満州を空にし、しかもアメリカとの大東亜戦争終結をソ連に頼んだり、対独戦争勝利後、ソ連が戦力を満州近辺に集結しつつあったにも拘わらず、不可侵条約を信じ、嘘つきのソ連の侵攻を予見出来なかった日本の上層部は愚の骨頂であった。相手は漁夫の利に乗じて日露戦争の仇を討とうとしているのに。実際は昭和天皇が正直であられ過ぎたのであるというが。

秘密警察上りのプーチン大統領も似たようなものだ。二五回も安倍首相と会談しても千島返還が一向に埒が明かないのは、彼に初めからその気が無いということであろう。安倍さんは自分の在任中にと語っているが、望みは断ち切られた。むしろ千島全域を返せと言った方がすっきりしていなかったか。交渉の上、それでは全域ではなく四島だけに負けておこうと言って元をとるのである。どうしても駄目なら、千島を巡る漁業権だけでも取り返すべきだった。北海道の漁民は千島近海でしばしばロシアに逮捕され、漁船ごと連れ去られているのだ。賠償支払いや逮捕も行われる。

面白い実話がある。私の故郷である釧路の知人が毎年カニを送ってくれていた。ある年、今年は駄目らしいと言う。理由は「密猟が禁止されたから」だそうだ。それまでは密漁もある程度、わいろや見返り品があればお目こぼしに預かることもあったが、それも叶わなくなったという笑い話である。諦めざるを得ない。

アメリカにも悪い「ン」が何人かいる。人類平和に対する罪という戦争犯罪人のトップは、誰あろう、原爆を二発も落としたトルーマン大統領ではないか。ニクソンも結局は悪人だった。

ソ連との冷戦が終結し、世界はホッとしたが、考えてみると、その間の実質的勝者は、実は日本である。当時"Japan as number 1"という言葉が流行り、ドルは紙屑となったと言う人まで現れた。

ソ連に対する配慮が減ったのに引き換え、アメリカはその後、日本を相手とする経済戦争（trade war）を計画していたらしい。お人好しの日本は安閑としていただけだ。「戦争」と言うからには、どんな汚い手を使っても、たとえ嘘をついても、とにかく勝たなくてはということになる。

振り返ると、小泉純一郎総理 ＋ 竹中平蔵郵政民営化担当大臣は簡単にクリントン大統領の罠にはまった。大統領に強制されてか、勝手なグローバリゼーションの名のもとに、市場開放、我々が貯めた三〇〇兆円をアメリカの意のままにさせてしまった。確かにクリントンこそまさにずる賢いAmerica first実行者であった。

私の知る限り、規制緩和、大店法などによって一挙に駅前商店街はシャッター街となり、国民の格差は広がり、今振り返ると、小泉郵政改革選挙で何故自民党が大勝したのか分からない。悪しき民主主義、国民選挙で大勝したドイツ民主主義のナチス・ヒットラーとあまり変わるところはない。民主主義は衆愚政治であっては駄目、国民一人ひとりが賢くなければ民主主義はベストとは言えないのではないかと思うが。無理か。

しかし自民党も「ん」を挟んでいる。そしてそこには「ん」が渦巻いている。だが否定の「ん」は何もじみん（自民党）ばかりにあるのではない。現今の国会を見ていると、一党独裁と言われようが言われまいが、今のような体たらくの野党は要らない。彼らは歴史観、国家観に欠けるうえ、まったく建設的ではなく、ただ人のあらを探すだけ、つまり食言（しょくげん）を探すだけの集まりで、国民の負託に応えていないからである。政党としての（崇高でなくても良いが）理念に欠け、何を目指しているのか見えて来ない。天下の大道、国家の基本を論じる気持ちもその資格も無い。勿論中には自衛官を親に持つ野田元首相のようなまともな人材もいたが、憲政史上最低のルーピー総理と最悪の無能総理が、退任後、共に国を売るような行為をして憚らない。

残念ながら自民党にも元総理福田さんのようなシナ礼賛者がいる。戦前ならいずれも逮捕拘留である。アメリカの二大政党が羨ましい。アメリカでは共産党は非合法、選挙には出馬出来ないが、共和党と民主党、喧嘩ばかりでも、共に愛国者同士である。国を売るような者はいない。そこがやり放題、勝手放題の無責任な日本と違う。

そう言えば私の子供の頃の日本も二大政党時代だった。知っておられる方もおられるだろうが、私の生まれた昭和初期、日本には「立憲政友会」と「立憲民政党」という二大政党が鎬(しのぎ)を削っていた。そして国民は（選挙権を持つのは男子のみだったらしいが）真面目に政治を考えていた。総選挙は文字通り町（国）を挙げての一大行事で、代議士候補者も今様の政党補助金などという悪習が無かったから、文字通り乾坤一擲、代議士を一期務めたのち落選すれば、残るは塀と井戸のみという状態だったから必死だった。選挙民たる市民の方も、何しろある政党が勝てば、反対党の人間は警察署長どころか、小学校の校長まで首を挿げ替えられるのだから、みんな真剣だったのである。アメリカでも大統領が変われば二〇〇〇人以上の官吏の首が飛ぶ。厳しい世界である。日本の官庁の役人はその点まったく天下泰平だ。だから今回のような出鱈目な統計処理の仕事がまかり通る。厚労省の基幹統計「毎月勤労統計」不適切調査問題の件である。この底無しの不正統計、今の野党が政権を取っていた時代から既にあったのだから野党攻勢はモリカケのようには行かないが、それはともかく、これがアメリカであれば処罰は格下げとか減俸どころではない、解雇なのである。だから真面目にやらざるを得ない。だが心配なのは、省庁に関係する統計学者だったかつての友人の言である。「統計を取る前にどんな結果が欲しいか言えよ。それによってどうにでもなるんだから」。これが本心なら恐ろしい。また私が留学生であったケネディ時代、所得税申告が一ドルでも間違っていれば議員は馘であると聞いたことがある。日本は本当に甘い。甘すぎる。だから官吏も議員も真剣さに欠けるのであろう。

沢山いる「ん」の中で、今現在最も問題なのは、傲岸不遜な北朝鮮第三代最高指導者「きんしょううん（金正恩：キム・ジョンウン）」や、呆れて物が言えない韓国「ぶんざいいん（文在寅：ムン・ジェイン）」大統領がトップだろう。共に「ん」を二つも持っている名うての悪党どもだ。

虚言の事大主義の韓国、虎の威を借る狐の北朝鮮、捏造と野望の傲慢なシナ、これらにも手が焼ける。断固たる対応を取らぬ「優しく穏やかで性善説」の日本。ロビー活動では他国の後塵を拝し続け、憂国の情に薄く、国民がみな等しく苛立つほどの腰抜け、腑抜けである。「何もしない者ほど偉くなる」とは我が師上田英雄先生が大勲位を戴いた先輩に対して言われた言葉（暴言）だが、身を挺して国のために働く外交官や議員はいないものか。

アメリカは日露戦争後、我が国を手強（てごわ）しとみて、三〇数年に亘るいわゆるオレンジ計画により手足を縛られた日本があえて手を出さざるを得ないようにし向け、大東亜戦争を勝ち取った。ソ連は日ソ不可侵条約を破って日本を攻略、米ソ冷戦が終わると日米安全保障条約の下、先述のようにクリントン政権は日本に経済戦争を仕掛けて勝利した。北朝鮮は核開発で日本を恫喝し、韓国は日本を敵視して北朝鮮と融和政策を取り（文大統領の両親が北朝鮮出身だからか？）、シナは着々と日本を支配下に置く準備をしている。「核心的利益」と称して、いや、既に実行に移している。

韓国は自衛艦旗に文句を付け、竹島を占拠して大統領や国会議員団を送り、日本企業に賠償を命じるいわゆる徴用工問題など、次々に日本を挑発し続けており、また最近は自衛隊機に火器管制レーダーを照射して知らん振り、加えて嘘の上塗りどころの比ではない態度でいる。「ん」が二つもつく文大統領は名うてのぼんくらのように見える。ある人は「路上に寝っ転がって駄々をこねる子供みたい」と称していて、あちら良ければあちら、こちら良ければこちらという事大主義の国の長にしか過ぎないように見える。それに対して日本の野党、殊に立憲民主党とやらが故意に韓国や朝鮮の問題に触れないのはおかしいと新聞には出ているが、その党が韓国系であるのを知りながらそれに言及しない新聞もおかしい。（初代幹事長の福山氏を始め、在日韓国人が多い。菅直人首相の母は済州島出身（その献金問題が討議されかかった際に、彼にとっては天の恵みの東日本大震災が発生して議会は中止となった）、鳩山首相は韓国人とのハーフ、その夫人も在日韓国人である。そのほか沢山の韓国系がいる。国会討論会を見ていると、「総理、総理。総理…」などと叫ぶ、生粋の日本人には出来ないその所業や態度ですぐそれと分かるものだ。

シナの習近平さんも困ったものだ。南シナ海問題での国際裁判所判決も「屑紙だ」として平気で破り捨てる。一帯一路は広い意味の植民地政策だろう。と言うより、シナを中華として全世界を彼の覇権支配下に置くのが最終目的である。最近はその範囲を月や宇宙にまで広げようとし、アメリカとぶつかっている。貿易問題で引っ掛かり、日本に擦り寄って日米安全保障条約にひびを入れようと企んでいる。そして今や世界の信用を落としている。それなのに安倍さんはニコニコし、国賓として迎えようとしたりしている。そんな場合じゃないぞと私は思っている。それがまた安倍さんに対する私の「ん？」なのである。

私の孫の一人は一寸した変わり者、名前の発音は「セイジ：政治」であるが、とても奇抜な意見の持ち主である。何かを尋ねると、必ずと言って良いほど、他の人とはまったく違った見方で返答が戻ってくる。何か事を起こしそうだ。そこで常日頃、政治家であった祖父を真似て代議士弁舌を夢みる私こと、おじいちゃんは、この孫に「国会議員（ぎいん）にでもなったらどうだ」とけしかけた。だが返事がまた奇抜だった。「おじいちゃん、僕はどんな職業でも選り好みしないけど、バカにだけはなりたくないんだ」。

日本の国会議員諸君、子供にこんなことを言われぬよう、お国のために「ふんこつさいしん（粉骨砕身)」して戴きたい。多謝。

エピローグ

尻取りの「ん」同様、この駄文エッセイも後が続かず、また人様の役に立つことも無く終わる。読まれた方には時間を損したと叱られるかも知れない。まったく冒頭の考えとは別の筆の走りであった。

だがこの世の中、「ん」が尽きることは無い。「とんちんかん」、「みかん、きんかん、さけのかん…」、「じまん、ごうまん、馬鹿のうち」だってそうだ。国語辞典はもとより『国誤辞典』を紐解くと、さらに沢山の「ん」にぶつかる。例えばこの駄文、多分に我田引水(がでんいんすい)だが、国誤辞典では「我店飲酔」と出る。なんのことは無い、自分の店で飲んで酔っ払う。

こんな酔狂なことばかり考えるのは読者に失礼だが、それよりも何より、稿を終えるにあたって脳裏に去来する心配事と言えば、限りある我が身よりも、限り無き我が祖国の命運（めいうん）に関する「ん」である。

この「我店飲酔」には二つの「ん」があって、何か引っ掛かるものを感じるのである。

それはどの党とは言わないが、我が国会の野党にはそれそっくりなものがあることである。そして彼らが国会議員として適当な人物ではないと知りつつも、スーダラ節の植木等流に言えば、「分かっちゃいるけどやめられない」のが議員だ。前記のようにその議員連が国会で討論とは言えない喧嘩をする。もともと立案の資格を欠く上に、ビジョンも無く、ただただ政府を非難攻撃し、嫌がらせをすることで我が意を得たりしている子供みたいな野党に、国民はうんざりしている。そしてまた売られた喧嘩を買う政府も政府、これにも情けないと感じている。先日の国会討論では野党第一党党主が首相に向かって「(お前さんより）私の小学生の子の方がまだましだ」と安倍首相を子供じみていると揶揄した。自分は大人のつもりらしいのだが、ワイワイ言うだけで何も出来ない大人なら幼稚園児と大差無いのに、と私は思った。その党代表はかつて「六三歳児」と揶揄された民主党首相に官房長官として仕えた人である。またかつての民主党政権時の副総理岡田克也さんは安倍首相に「悪夢のような民主党政権」と言われたことに立腹し、その言葉を取り消せと執拗に迫っていたが、断固として取り消さぬ首相に対し、さらに「ちっちゃな首相だな」とほざいた。当時の民主党の無様な姿を国民はとうに感じていたから、総選挙の結果、民主党は三〇〇以上の議席を五〇議席ほどと約六分の一に減らしてしまい、また党名を変えたりしてイメージ回復に狂奔しているだけではないかと思った。言う方も言う方だが、痛い所を突かれてカッカとするのも大人気無い。実力で撃ち返さねばならないが、如何せん、無定見では救いようが無い。

国会中継（録画）や日曜討論を見ていると、私は途中で腹立たしくなって来る。「千万人と雖も吾往かん」という政治家はもう望めないのかと残念に思う。そして孫が「真実」を語ったことに今更ながら共感する。いや、せざるを得ないのである。新しい国民から行き詰まった「ん」を強固な未来に繋ぐ聡明にして愛国心溢れる「草莽の臣」の出でんことを強く望むものである。日本は今本当に危機に立っているのだから。

追記：Donald Keene先生は二〇一九年二月二四日、享年九六歳で亡くなられた。日本人以上に日本人であった惜しい人である。

初出一覧

第六章　日本学術会議論考

プロローグ

昨年（令和二年）秋、交代する日本学術会議の会員任命に際し、政府によって推薦者一〇五名中六名が任命を拒否されたという出来事があった（注）。「拒否」という強圧的で目立つ言葉を使っているが、内容は「見送った」ということである。なんと言うことはないのだが、背景に政治的な動きがあるように見え、大きな波紋を呼んだ。

注：定員二一〇名中、三年ごとに半数の一〇五名（再任者を含む）が交代、会議側からの推薦者を学術会議を信任した上で政府側が任命する。欠員の補充も同様。

しかし事情をよく知らない世間様は勿論、古くからの経緯を知る私などもそれほど気に掛けないでいた。だがこの二月、「健康医学」の原稿を書く段階で、いまだにこの問題を連綿と書き続けている朝日新聞（令和三年一月二八日現在）が目に留まった。さらに任命を見送られた人物がその後もオブザーバーとして学術会議そのものに出席していることを知り（会議を私物化し、いわば睨みをきかせるためか）、また学術会議側は見送られた六名の再任を政府に申し入れたという。だが学術会議の本気度はあやふやに見え、政府が相手にしないことを予測した上での形だけで実効性に乏しい特攻隊的な抗議のようにも見えた。また一方、その裏にはこれを政治闘争化しようとする共産党を始めとする野党の姿が見え隠れし、「またか」という厭らしさを感じたりもしていた。

この問題を少し考えてみたいと思い、筆を執った。昭和三〇年代から六〇年近く、学者の端くれとして折りに触れ学術会議に縁を持ち、一度は心臓移植問題を巡って会議に参画したこともあり、外側から会議を見つめて来たのも執筆理由の一つである。

1　日本のアカデミーの中の日本学術会議

日本には二つの国立アカデミーがある。あまり知られていないが、一つは終身制の「日本学士院」(The Japan Academy)(定員一五〇名、二五〇万円の年金給付)と言い、功成り名遂げた学者によるいわば「学者の殿堂」である。医学関係の現会員を見るとノーベル賞受賞者数名を含め錚々たる大家が並んでおり、雲上人を仰ぎ見るという感がある。また外国人の会員もいるが(循環器学者でアメリカのアカデミー会員)臨床家には馴染みの少ない御仁、もっと素晴らしい方が別に沢山いるのに何故わざわざこの方が、と不思議に思う例もある。また日本の学者でもなんでこんな人がと思う方もいる。つまり教授時代に学者としてのめぼしい実績は無く、教育にも誠に不熱心だったが、定年後たまたま由緒ある病院の院長を経、人事に関しては熱心で、社会に対しなんらかの貢献をしたらしいだけのお人である。世界に名を馳せた真の医学者がほかに幾らでもいるので、こういう人選は一寸おかしいなというのが私の偽らざる感想である。

もう一つが問題の「日本学術会議」（Science Council of Japan）（以下学術会議）というアカデミーである。近年は発足時とは全く様変わりして、全学者の選挙も経ない現在の学術会議は設立当時の「学者の国会」という印象はとっくに消え失せている。だがまだその幻想に浸っている「マスゴミ」もある（一〇月一日朝日新聞夕刊）。それはともかく、この学術会議、現在の選考プロセスは後に少し触れるが、半年かけて「学術会議自体が選考」した「最高に」優れた学者の集まりということになっている。知恵者の集団だが、知恵は知恵でもその色合いは様々なものがあり、当然、建設的ではない悪知恵というものも含まれ得る。

山積する問題は後に述べることにして、以下、簡単にこれまでの学術会議の歩みを振り返ってみよう。

学術会議の設立は昭和二四年（一九四九年）、全国の科学者による「選挙」によってであった。でも下記の体験談で述べるように、この選挙はすぐに不正に繋がった。正直に言えば、学者のトップの集まりと言うよりも（今もそうだと思う節があるが）、むしろ名誉を求めるだけの形骸に化している感がある。勿論ノーベル賞受賞者という隠れ蓑も少し入れて格好付けをしたりしたが（注）、本当の学者というものは本来他人の仕事や世事などには無関心だから、かつての帝国学士院会員・寺田寅彦のように、剛毅朴訥、誠心誠意、国のためにこれこれを、などと提言する人は極めて稀、したがって学術会議会員になっても、彼ら、彼女らは国民に対して期待するほどの成果を上げているようには見えなかった。いや、今ではそれを求める方が無理なのかもしれない。枝葉末節、色々提言はしているらしいが政府がまともに採り上げないというのは、当局が学術会議に対して何も期待していない証拠ともとれる。最近はその提言さえ無い。そして恐らくこの会議の存在すら知らなかったという国民の方が圧倒的に多かったのではないかと思う。

注：ノーベル賞受賞者は湯川秀樹氏以降、過去に二七名おられるが、学術会議会員になられた方はわずか六名であるという。

しかしそうは言っても、志は良し、初期の会員には今でもその名を留めておられる非常に優れた方々がおられた。だがもともとこの会議の原型は、戦後、公職追放令で二〇万人もの有為の人物が除去された後、マッカーサーが司令官を務める占領軍総司令部（ＧＨＱ）の肝いりで設置された。目的はおのずと知れている。白洲次郎のような厄介者がいる政府よりも、学者を通してある程度国をコントロールさせようとしたのであろう。また戦争中、研究者・学者が横暴な日本陸軍の要求に従って戦争遂行に協力したことを是正させる意味もあったと思う。したがって選ばれる人物はアメリカ追従型（あるいは日本学士院会員となった宮澤俊義東大教授のような変節漢の後継者達）、あるいはまた共産党系ないしは社会主義者といった戦前からの体制に反旗を翻していた人物、そして京都大学滝川事件（注）に見られるような思想統制や戦前の軍部によって齎された息苦しさから脱却したいと考える学者にならざるを得なかったようにも思う。これによって、学術会議とともに民間でも当然左派が息を吹き返して来ることになる。

注：一九三二年（昭和七年）、京都大学瀧川幸辰教授の刑法学会講演が無政府主義ととられ、翌年、著書が発禁処

分となり、教授は終局的には休職処分に追い込まれた。これに反発して大学総長、法学部教授の三分の二の大量辞職、全学生一三〇〇名の退学願など、大事件となった。後ほど、多くは辞表を取り下げたが、瀧川教授以下七名の教授は辞表を撤回しなかった。なお瀧川教授は戦後、GHQによって京大に復学している。これに似た事件には、東京大学でも河合栄次郎教授の追放がある。

それはともかく、設立当時、この会では戦争に対する反省という意味で、後々問題となる研究制限項目、つまり有形無形、戦争に関係する可能性を秘める研究を一切排除するという、国際的に一見極めて平和的な、しかし独断的思想が盛り込まれていた。

また学術会議発足時、これは独立した組織ではあるが、他の先進国とは違って政府機関であった。また設立の趣旨はその草案にあるとおり「科学を通じて日本の平和的復興と人類の福祉に貢献する」である。「学問の自由」、「表現の自由」、そして魔法の言葉と言われる「政治的に中立」という考えがあった。そしてまた一九五四年（昭和二九年）（原子力国際管理並びに原子力兵器禁止に関する決議案は同年四月五日全会一致で可決されたが）には原子力潜水艦の日本寄港に反対して、原子力使用を平和目的にのみ限定するという、いわゆる「非核三原則」（原子力三原則）の声明を発表していた。実は私は今になって一九六八年の佐藤栄作総理施政方針演説における「核を持たず、作らず、持ち込ませず」という「非核三原則」が学術会議の提言であったことを初めて知った次第である。アインシュタインによる原爆投下に対する贖罪声明も背後にあったのだろう。国際情勢が激変するはるか半世紀以上前のことである。

だが外国のアカデミーと異なり、日本学術会議では一般的な科学者（自然科学者）ではなく、当初から人文系の学者がその舵を握っていたように思われる（注）。つまり科学者が政府に提言するのは、世界的に見て本来自然科学的な問題が主体であるべきなのに、我が国の学術会議の理念は半ば観念的、思想的な側面が強く、創造的・建設的側面において欠けていた。例えば今回の大事件である新型コロナウイルス（COVID−19）の問題に対して、学術会議はほとんど全く機能しておらず、安穏として提言すら行っていない。思想的・政治的側面に乏しい問題であるからであろうか。またワクチンの研究は民間人の海外への渡航、ひいては自衛隊の海外活動に必須の問題であるがゆえに、意図的に閑却されているかに見える。と言うことは政府に対しては勿論、国民の負託にもなんら応えていないことになる。

注：東京大学は日本における最初の大学であるが、設立時（一八七七年）は法、理、医、文の四学部であった。このうち官僚を多数輩出する法学部は絶大な権力を持ち、「緑会」はその学生自治会だが、東大法学部そのものを指す場合もある。現在に至るまで東大ではその頂点に立ち、大きな権力を持っている。学術会議が（会長・副会長が誰であれ）法学部系に差配されているのは、法学部がすべての中心という意識と無縁ではない。

それはさておき、上記のような平和的声明を起草したのは、京都大学の滝川事件をきっかけに退職し、その後立命館大学に転じて、後にその総長となった高名な民法学者の末川博氏であるという（第一期会員でもあり、また学士院会員にもなられた）。因みに後述するように、今回任命拒否に遭い、それに対してもっとも華々しくマスコミ活動した松宮氏もここの大学人である。

なお、この学術会議は日本人の発案のように言うかつての会長もいたが、上述のようにそうではない。それに日本政府が頭の上がらないＧＨＱのお墨付きとあれば、設立当時の会員の中には、自分達の方が政府よりも上に立つものだという特権階級意識を持つ方がおられたであろう。現に今でも学者としてのやや尊大な矜持を持ち、常に上から目線で、国民、それの選良、そして国民の負託による政府、それらすべてを見下しているとしか思えない態度の方々がおり、しかも堂々とマスコミなどに向かってそのようなことを口にする元会長や、それを支持する会員とか県知事までがいる。その態度は、たとえて言えば、大して能力も無いのに権威のみを振りかざす教授のようなものである。そして私の知る限り、一方ではその権威を振りかざし、単に色々な利益代表として押し上げられた無能学者や、はては政治結社のようなものが潜入させたオルグ的会員も存在していた。つまり下部組織の結社会員を使って学術会議を利用し、なんらかの目的を達しようとするのである。

医学関係で言えば、前述のように医学部教授として在任中ほとんど全く業務を果たさなかった方もいる。会議では眠りこけ、人事問題になると刮目する御仁、週刊誌に精通していることを自慢する「週刊誌教授」の綽名をもつ無教養な人物さえいた。コンファレンスと言えば、後輩の医局員にとっちめられるのが嫌で、遣り込められた最初の集会を除き、在任一〇年以上に亘って一度も顔を見せなかった無能な「学者」も会員名簿には載っていた。私にはそのようなダメ人間の方がより鮮明な記憶として残っており、だから学術会議に期待するものは皆無であった。

したがって、そんな方々が政府に対して何を提言しているのかも知らずまた知ろうともせず、そして総体的に言うと、学士院にせよ、学術会議にせよ、医学関係のみに限定すれば、「沈香も焚かず屁もひらず」的な方がところてん式になるものだなぁと感じていた。実際、学部ごとの順番が回って来て医学部長から大学総長にはなったが、会議では座長として内外ともに一切口を開かなかった(開けなかった)ことで有名だった方が知らぬ間に学士院会員名簿にはあることを見て驚いている。ところてん式に押し出されて登り詰めた御仁である。ご本人もそれを認めておられた。個人的に交際のあった方だが、肝心なところでは何も知らなかった顔をなさって逃げられるので、付き合いづらかった。

ところでそのような政府直属の機関や会員に対して、後に述べるように、任命機関としての政府はかなり古くから色々検討していたようである。

第一は恐らく選挙方法の是正、第二は会員、殊に法文系会員の思想とその社会活動の是非についてであったのではないかと思われる。憲法第二三条は学問の自由を保障し、研究発表も自由、そして学校教育法五二条により教授や研究者がその専門の研究結果を教授する自由も保証されている。しかし、学問の自由に関するこの憲法第二三条は、政治的社会的活動に当たる行為を保障していない。これは昭和二七年に起こった東大ポポロ事件（注）の最高裁判決でも明確にされている。しかしその後の学術会議では、特に法文系会員の逸脱した政治的社会的活動が目立って来たのである。

注：ポポロ事件：国鉄労働組合が国鉄への反発として東北本線で機関車を脱線させた社会的事件（松川事件）を題材にし、反植民地闘争の一環として東大の学生演劇団体ポポロがこれをテーマに上演。この時、本富士署の私服警官四名が大学の許可を受け、チケットも購入して観劇。それに気付いた学生が三名の警官の身柄を拘束、服のボタンを引き千切ったり、洋服内のポケットから警察手帳を強奪して暴行を加えた事件。警察側が起訴、一審、二審は無罪と

なったが、最高裁では有罪となった。この演劇活動は学問的発表ではなく、実社会の政治的活動であって、学問の自由と自治は享有しないというのが判決理由である。つまり、社会的政治的活動は本来学問の自由の持つ能力や権利ではなく、学問の自由とは相容れないとしたのである。

その後、昭和五八年（一九八三年）になって日本学術会議法が改正され、選挙法も変わって、七つの研究分野ごとに推薦（と言っても候補者は複数いるから結局は推薦者同士の確執が起き、醜い闘争が行われた）、学問的業績よりも、行政的な手腕や大学の権威が優先されて人材が選ばれるという結果を招いた。

しかしそのような実態は国民の目に見えず、また後に記すように、これを機にオルグ的活動家の潜入によって急速に変質して行く姿も国民の目には映らなかった。上述のように、そのことに気付いたのか、政府は改革を提案したりしていたようだが、学術会議はそれを受け付けようとはしなかった。

後でも触れるが、学術会議会員は首相の任命に依るのだが、それは形骸化し、一九八三年、当時の中曽根首相が推薦者に対して任命の判を無批判に押すことを許容したのであった。つまりその年の五月一二日、参議院文教委員会で八代英太議員の質問に対し、首相は「学会やらあるいは学術集団から推薦に基づいて行われるので、政府の行うのは形式的任命に過ぎません。…（原文ママ）」と答えている（注）。

注：当時の学術会議第一二期（第三代：昭和五八年五月〜六〇年七月）会長は慶應義塾大学医学部教授の大脳生理学者・塚田裕三氏であったが、副会長の一人（人文・社会学部門）は東京大学社会科学研究所（社研）の強力なリベラリスト・渡辺洋三教授であった。氏は日米安保反対、核廃絶などで当時も強い発言を行っていた強力なリベラル派筆頭であり、中曽根内閣批判者であった。中曽根発言はそれに対する「なだめ的」効果を狙ったものではないかと思える。またそもそも二名の副会長が一八〇名の自然科学部門から一名なのに対し、三〇名という圧倒的に少ない人文社会科学部門からもまた同様に一名というのは不均衡のそしりを免れない。そして実情は農学系（それもある特定の学術会議屋と称する人物：共産党員・福島要一氏：氏は昭和二四年から三三年間、昭和六〇年まで、一一期にわたる古参会員。反戦運動家としても大いに活躍していた）が会議の実権を握っていたのである。その後、黒川清会長（第

二〇期、平成一七年一〇月）時代からは従来の副会長二名から三名の副会長制度となった（組織運営等、政府との関係等、国際活動）。

中曽根内閣時代（昭和五七年一一月〜六二年一一月）の我が国は日米友好（ロン・ヤス時代）で天下太平、外敵も無く、現在のような緊迫した世界情勢とは全く違った状況下にあった。そして時の総務長官（故丹羽兵助氏）は選挙制から推薦方式に変わった学術会議に対して、「会員は形だけの選挙制で、推薦してもらったものは拒否しない。形だけの任命をしていく」というおもねり発言をして、どんな人間が推薦されようと、政府自らが任命権を「放棄」する形にしてしまったのである。見方によっては「誰がなろうと、そんなことどうでもいいよ」という投げやり姿勢、重きを置かず「好きにしなさい」という無体なものであった。明らかに投げやり式の政府に非がある。

次いで平成一六年（二〇〇四年）からは現在の形をとった。学術会議推薦：第一部（人文・社会科学)、第二部(生命科学)、第三部(理学・工学)の各七〇名、総計二一〇名(本来ならこの第三部がトップの第一部であるべきだろう。勿論人文・社会学は第三部であるべき)。全容はこの会議自身の推薦による「特別職の国家公務員」からなり、任期は六年、三年ごとに半数(一〇五名)が入れ替わる。現在、政府は学術会議に年一〇億五〇〇〇万円を投入し、五〇名ほどの事務局職員が青山の大きな会館で働いていて、この金額のほぼ半分は職員給与や退職金積立である。学術会議会員は公務員だが給与は無く、出張手当などが給付されるだけで、ボランティアみたいだと言う会員もいる(注)。

注:加藤勝信官房長官によると(一〇月六日)、少し話が変わって、令和元年度には学術会員手当として総額四五〇〇万円、事務常勤五〇人の人件費が三億九〇〇〇万円、その他、旅費などがあるという。

そもそも学術会議会員の選出は、科学者による全国的選挙が原則であったが、後で具体的に述べるように、それは事実に反しており、一九八四年(昭和五九年)からは学会などの推薦制となったのだが（実態は後述）、かえって利益代表性となって学術から離れる結果となった。それを知りながら怠慢この上もなく安住の地を二〇年間も放置し、二〇〇五年（平成一七年）に至ってようやく海外の多くのアカデミーが採用する会員選考方式に倣い、現在の会員が会員候補者を推薦するという「コ・オプテーション」方式がとられている。だがその公平性については多くの批判もある。専門は専門者にしか選択し得ないというこの方式が公平だとは言い条、また会員自らが身近な人物を後任として指名することはないと言いながら、実際にはそうでないケースがあとを絶たないからである。私の近辺にもそういうケースがあり、また知人もそのように回顧している。その点、後継者の選択に際し、誰を選択したかがその推薦者の栄誉として評価される外国と、そうでない日本との違いが歴然としている。日本は推薦者の名を公表しないのである。

またどのようにして選ばれるのか不明だが、各種の関係団体が選んで、現在そのほかに約二〇〇〇名の連携会員（再任可）がいて、これは「一般職の国家公務員（ただし非常勤）」であり、いわば将来の学術会議委員候補と言える。もし連携会員二期、学術会員一期を経たとすれば、計一八年もの間、この会に関係を持ち得る計算になる。もっとも三〇年を超える上述の福島氏には比べようもないが。

繰り返すが、問題はこれらの推薦会員、および連携会員がいかにして選ばれたのか、実態が不明瞭なことである。私の知るところ、少なくとも、抜群の学者だけではないことは確かである。特に任期を終えた会員が関係者を通じて自分の後継者を会長に具申し得るのは大いに問題であろう（勿論、具体的な内容を審査出来ない会長は、慎重審議とは言っても、専門は専門者にしか評価出来ないとする前提に立てば、推薦者の具申通りに受け取るしかないと思われる）。またその際、政治的に偏った選考委員が次の会員を選ぶとなると、問題はさらにおかしな結果になる。後述するが、かつて任命を見送られた人物をまた黙って推薦するようなことも、今回実際に起きている。どうせ政府側がそのまますんなりと任命するだろうから、こっそりと、とでも言うのであろうか。会長はこのことを恐らく知ってはいまい。とすれば、「名簿を見もしないで（勝手に）決めた」という総理を非難する前に、学術会議の推薦人である会長も同罪であることを認識しなくてはならない。

これに対して政府は二〇一八年、「内閣総理大臣に学術会議の推薦のとおりに任命すべき義務があるとまでは言えない」という見解を示し、その唐突さに学術会議との間で法解釈上の問題が噴出した。今回の任命見送り事件の発端である。「推薦名簿どおりに任命するという従来の規定を相談無しに勝手に変えるということは違法だ」とする学術会議側と、「それでは推薦イコール任命という形になって、実質的な任命者は首相でなくて学術会議そのものであるという結果になって違憲である」という考え方の齟齬である。

2　私と学術会議との関わり

私は約八万名という学者仲間の下っ端にいるからこの会議とは無縁の筈だが、遡ると実際には二度、三度と実質的な関わりを持ったことがある。また一寸した個人的な関係もある。

まず、過去、この選挙がいかにして行われていたかを回顧してみよう。

私が関与した最初は、確か昭和三五年、第五期の選挙である。前年暮れ近くの投票であったと思う。全国八万有余の学者が「投票」する筈だが、私は投票用紙も貰っていないし、投票の仕方も伝えられていなかった。ひょっとすると、無給医局員だったから、まだ投票資格が無かったのかもしれない（以下のことから、そのようにも思える）。

ある日、私は若手の一〇数名とともに医局に集合を命じられた。皆が集まり他の医局員が室外に去ると、医局のドアは閉鎖され、代わって見かけたことのない二、三人の男性が大きな革製の角型トランクを持って現れた。中身は大量の白紙投票用紙であった。ある人物の名が示され、私達はその男達の監督下、色々な字体、あるいは平仮名で、あたかも多数の投票者が別々に記入したように見えるよう、投票用紙一枚一枚にその人物名を鉛筆で一、二時間書き続けた。はっきりした数は忘れたが、一人宛数百枚くらいは書かされたように思う。それを束ねるとトランクに収め、男達は何も言わずに立ち去り、また今回のことは他言無用と命じられた。公職選挙法の適用も無いし、またどうせ我々には無関係なことだからと、明らかに大きな不正を働いたのに、正直なところ、私はなんのギルティも感じていなかった。勿論、報酬はゼロである。だがこれほど大掛かりな違反選挙は日本、いや世界的にも類を見ないであろう。他大学の友人もそう言っている。またその後、昭和三九年からは助手となった私にも確か選挙権があった筈だが、昭和五八年の選挙法改正に至るまでの一九年間ほどは、大学医局に在局していたにもかかわらず、一度たりとも選挙通知を受け取ったことは無かった。その間、学術会議の選挙は少なくとも七回行われているが、一体、私を含め、数十人の医局員の投票用紙はどこをどのように彷徨っていたのだろう。そしてその間、所属していた教室の主任（教授）は一度当選したが（一九六三年：昭和三八年）、その後は落選している。東大内部の票をまとめる人の造反だとの噂があった。

下って昭和五八年（一九八三年）、前記のようにそれまでの選挙には上述のような組織票不正があることから選挙法が変わり、第一部から第七部まで、各三〇名の会員は「学会の推薦」で決められるようになった。第一部は法文系で数少ない中から三〇名、医学薬学関係は第七部で数万名から同じく三〇名、第一部に比べると一〇〇倍もの激戦であった。また通常アカデミーと言うと当然のごとく自然科学系が主体であるが、前記のように日本では文系が幅を利かせ、様相が全く違っている。実際、文学などは学術ではないし（日本芸術院に属させれば良い）、法律や経済を科学と名付ける国は無く、それゆえ人文科学と称して第一部を設けることは学術会議の理念にはそぐわないと私は思っている。

遡るが、私は無鉄砲にも、それまでの医学における上意下達の権威主義、しかも実験至上主義で臨床を下に見る医学界に嫌気がさし（現在のように薬剤の話など入るとたちまちバッシング、論文なら却下）、半世紀前の昭和四五年（一九七〇年）、当時としては破天荒の四〇歳の若さで万難を排して新しい循環器系の「臨床学会」を設立、大家達による筆舌に尽くせぬ非難やリンチに近い虐めにも遭ったが、それが逆に功を奏して、忽ちのうちに若手中心による一万二〇〇〇名の大きな組織を統括するようになっていた（現日本心臓病学会）。
　そして師と弟子との関係においては、従来、弟子は恩師の教えを拳拳服膺し、その教えを金科玉条とするものとされがちだが（確かに東京大学法学部の宮澤俊義教授一門はいまだにその道を行っているかに見える）（注）、私は全く異なった考えの持ち主で、少なくとも自然科学の分野では、先人の業績を絶対視するのではなく、常にそれを乗り越える、つまり極端に言えば先人を否定するところから学問が始まると考えていた。ガリレオ然り、アインシュタイン然りである。今もってその考えは変わらず、未知のことを避ける既存の教科書を書き換えることに専心しており、それがそういう革命的業績を成し遂げて来た内外の偉人を数々見て来た私にとっての信条である。

注：現行憲法を改正しようという動きがあるが、法律学者の多くは改憲は違法だという論調である。しかし内心はそうでもないらしい。自分の恩師に忠実であろうとするゆえにである。恩師が亡くなれば改憲に転じるという。古色蒼然たる学閥のしがらみで、自然科学者の理解の範疇を超えている。

私はそれゆえ自ら創設した学会の設立趣旨に沿って、権威主義の学術会議とは無縁を保ち続けた。それまでの臨床医学に対する権威主義を打倒する覚悟であったからである。別に勧められて日本医学会の傘下（分科会）に入ったが、案の定、大家達が居並び、対立するある大きな学会（日本循環器学会）の強硬な申し出によってその後理不尽にも除名され、以来、ますます政治的なもの（専門医制度を含む）とは無縁になった。そしてアメリカ留学時の恩師や学友に勧められ、アメリカの類縁学会に準じ、優れた専門臨床医師を推挙するという新しいフェロー制度を確立した唯一の学会を創立した。

しかし事件が起こった。

昭和五八年（一九八三年）の学術会議選挙にあたって、関東地区からの候補者が私と無縁な人物ではないことによって問題が生じた。その方は敵対視する日本循環器学会の元理事長であったが、私が所属した教室のかつての主任で、事に触れ私を筆舌に尽くしがたいほどとことんまで虐待した教授であった（皆がそれを知っていたから、教室追放などという件に関して、私は教授の言うことを全く聞き入れなかった）。立候補した彼は対立する他の候補者に対し、僅差で勝てそうにないことが明らかとなり、勝利するためには大嫌いな私の未参加学会の票が欲しくなったらしい。もともと無関係であるから当然拒否したが、尊敬する上司やその取り巻き関係者のたっての懇願で最終的には許容せざるを得なくなり、登録締め切り一時間前に急遽六本木の学術会議事務局へ参上、参加手続きを済ませた。かくしてその候補は学術会議心臓血管研究連絡委員会委員の名誉職を手にした。「僕はね、良い星の下に生まれたからだよ」とみんなに自慢するその無能な委員は、その後もことあるごとに後輩達、殊に私や私の所属学会を痛めつけ、私にとっての彼は文字通り不倶戴天（ふぐたいてん）の敵であった。以来、私はこの会議を全く相手にせず無視することにした。断っておくが、すべての学術会議会員がそうだとは無論言わない。私の知る限り、本当に優れた人材は沢山おり、彼の跡を継いで会員となった次代の教授は高潔な人格者として、私を含め、皆の尊敬を集めていた。また近々には宇宙飛行士で医師の向井千秋さんなども会員である。三・一一の福島原子力発電事件を巡って菅直人元総理と対決して弾劾し、国の将来を危惧する黒川清君（私の後輩で第一九―二〇期会長）のような憂国の士もいた。本来仲人役である私達夫婦に代わって媒酌人の労をとって下さった第二〇―二一期会長の金澤一郎君も素晴らしい学者であった（残念ながら任期中に病没）。

だから昨年末、その学術会議の存在が、このような「任命拒否」という形で眼前に現れるとは、私は実は夢想だにしていなかったのである。

だがそれ以上に驚いたことに、実は学術会議会員である私の友人は、「僕はいつの間にか知らないうちに会員になっていたんだ」と称している。そして面倒くさいから会議には一度も出席したことはないと言う。確かに動画などを見ても、とても二一〇名が一堂に会して討論しているようには見えない。学会の評議員会のように、欠席して「議長一任」という会員が結構いるのではないかと思いたくなる。ほかの一人の知人も、きちんとした役職名を有しながら会議への出席はなかったということ。日本の医学関連学会では、会期の前日に理事会・評議員会が催されていたが（現在、会員は社員と改称されている）、実際に参加する会員はかなり少なく、しばしば過半数を割るが、一切を理事長一任とする委任状があれば出席とみなされ、会議は成立する。したがって理事長または会長と有力理事のみの決議で事が運びやすく、そういう事態が分かっているから、評議員の集合はますます望み薄となる。

もしそういう事態が学術会議にも存在したとすれば、今回任命拒否となったような活動家が会を牛耳るようになるだろう。実際、拒否にあってもなお会議に陪席するというのは異常である。越権行為もどきの無言の圧力と言うしかない。

私が青山にある学術会議事務局に呼ばれたのは一度、日本でも心臓移植を正式に認めるべきかを検討する会であった。外科系、内科系の循環器学者各一〇名からなる午後数時間の検討会で、勿論私も意見を具申したが、結論的に全員一致で移植賛成に決した。心臓移植手術そのものはそれほど難しい手技ではないことも知った。

だがその帰路、外科側の某大家がふと漏らした言葉に私は耳を疑った。「坂本君、僕はね、日本最初でなければやらないよ」と言う。要するに患者を救うということが目的と言うよりも、後世に名を残すことが一義的と見えたのである。痛く失望した私は積極的に外科系の各施設を巡り、設備、環境その他を含め、まだとてもその時期ではないことを実感、さらに人道的に移植に疑問を持つ順天堂大学循環器内科山口洋教授の強力な勧めもあって、日本心臓病学会では総務委員会八名（委員長：坂本、以下七名）による声明文を発刊し、同じ文章を日本医事新報に掲載した（注）。

注：日本心臓病学会総務委員会：心臓移植：日本心臓病学会からの提言（八頁）：一九九一年七月二九日
同文：日本医事新報　三五一五号、平成三年九月七日発行

この提言は心臓移植に対する国内の論議が盛んとなる頃で、ある日、突然朝日新聞の第一面に仰々しく取り上げられ（朝日新聞一九九一年八月二五日、日曜朝刊）、そのため夜半過ぎから早朝にかけ、私は各新聞社の電話攻勢に眠ることが出来なかった。しかし幸か不幸か、モスクワでソ連保守派のクーデターに関係した三名の青年犠牲者に対し、ゴルバチョフ、エリツィン両大統領が出席する

一〇万人の追悼大会の記事が入って八版あたりからそれがトップ記事となり、移植問題は第二の記事となった（しかし大阪ではもとのままであったという）。だがそれを見た外科医側から私に対する囂々（ごうごう）たる非難が起こり、「先生を暗殺しろという声があるから注意して」というかつての弟子からの電話も入った。

日本心臓病学会の特別会議でも私は外科側から執拗に攻め立てられたが、屈しなかった。

これによって日本での心臓移植開始が遅れたことを私は後悔しておらず、かえってそれ以後の健全な発展に寄与したと後輩達からは言われている。

その後、議員会館に呼ばれ、移植可否を巡って煩悶する約二〇〇名の議員さんたちに対し、一時間ほどお話ししたのも思い出に残る。だが一方、二時間に亘るＮＨＫの取材で取り上げられたのは、驚くなかれ、田中総理の暴露記事で有名になった立花隆氏による声明文をかざしての発言で、本質とは全くかけ離れた取材後のオフレコでの会話であった。私の抗議に対して、プロデューサーの返事は、これまた「先生はそんなことにケチをつける方でしたか」というような無礼なものであった。

取材のでたらめさで毎日新聞に対し一度懲りた私は、ＮＨＫも信用出来なくなって、以後、マスコミとは一切縁を切った。

心臓移植希望施設は日本全国で一三ヶ所に上り、なかには早とちりして巨費を投じて施設の建設に没頭し、その落成式で挨拶に立った私は、申し訳ないことに、中央の内々の決定に触れることは出来なかった。と言うのは最初から中央ではある五施設の認可しか考えておらず、それ故不認可を知らずに建設を進めた他大学が気の毒であったのである。そしてどこの世界にもあるというそのような構造に嫌気がさした。一方、五施設のうち、東京大学だけがそれに応ぜず(古瀬彰心臓外科教授：助手時代、心臓移植実験で学位を得た)、再三の強力な説得に対しても「あえて火中の栗を拾わず」と発言して拒否した。東京大学での心臓移植がかなり遅れたのには、それ相応の準備に日時を要したことも一因である。学者の集団と言い、マスコミと言い、おどろおどろしたものは付きまとって離れない。

このような私的なこと以上に、実は学術会議と政府が衝突したのは今回が初めてではなかった。

3 丁々発止の戦い―その一―

閑話休題。

学術会議と政府との確執はこれまであまり表に出ることはなかった。

森喜朗内閣から小泉純一郎内閣にかけての行政改革（二〇〇〇～二〇〇六年）において、学術会議がそれまでの国の機関として留まるか、独立した法人団体として民営化するかが論じられて対立、学術会議側の陳情によって前者に留まることとなった経緯がある。つまり恐らくは専門家集団という矜持は持つが、国家に属する下部組織ということである。そして前述したごとく、さらに今後一〇年以内に外国のアカデミーに倣った民営化の形態を目指して行く筈だったという。

だが学術会議の高踏的な姿勢は相変わらず続いていた。

二〇一六年（平成二八年）、学術会議は定年で空く三ポストの欠員補充のため、当時の第二三期会長であった大西隆氏（元東京大学大学院工学系研究科教授、先端科学技術研究センター教授）は各二名を推薦、それに一位、二位の順位をつけ、（当然のごとく初めから）一位の候補者を任命させようとしたが、政府側からその候補者に難色を示され、理由を示さず下位の者を推薦するよう求められた。矜持を傷つけられたと感じたのか、議論の末、会議側は反発したのか全ポストを取り下げてしまった。つまり結果的に見て、これら三ポストは実質的には不要だということになる。そして重要なことは、この時点で中曽根内閣における「形式的に任命する」という体制が変更されているのである。

さらに二〇一七年六月には、政府側が少し多めにということで、学術会議側は一〇五名の改選候補に対し一一〇名の名簿を示し、初めからそのうち会議側が選定した一〇五名の改選希望者名を伝えている。いずれにしても任命する政府に対し、自薦した一〇五名の任命を高圧的に強要している形である。任命は認めるが、こちらの推薦者のみにせよということである。

そして今回は学術会議側がその一一〇名という規定を無視し、任命が拒否され得るとした大西会長の後を継いだ第二四代山極会長が最初からあえて一〇五名のみを推薦するという、いわば約束違反をしている。会長交代の申し継ぎの際に一一〇名という内容は言及されなかったのだろうか。そして学術会議側が予期せぬことに六名が見送られた。

以下に示すように、任命を見送られた六名は、すでに新聞やテレビで報道されたように、名うての反政府主義者のようであり、本人達もそれを認めているが、任命されなかったことに対しては、皆一様に憤りを示している（朝日、毎日、東京、京都新聞）。一〇月一九日の「ＴＢＳ報道一九三〇」（八五分）では、司会者を交え、金澤会長の死によって第二一期の最期の僅か二ヶ月ばかりの間会長を務めた広渡清吾氏（法学者、東京大学名誉教授）と元大阪市長の橋下徹氏とが激しく討論した。広渡会長はと言えば、国会議員選挙の際、市民連合呼びかけ人として堂々と共産党の推薦する大阪の立候補者（宮本たけし氏）の応援演説をし、どうしても安倍政権を打倒せねばならぬと熱弁を振るった方である。話を聞いていると、よくこういう方が敵対する政府組織機関の会長になっておられたと、その不思議さに私は小首を傾げざるを得なかった。もし私なら、そんな政府の下に就けるかと椅子を蹴るだろうにと思う。政府の機関でありながら一切自由であるという切り札を政権から求めるから、常にボタンの掛け違いが生じる。

一方、一〇月二九日朝のＮＨＫニュース「おはよう日本」では「国会・学術会議めぐり論戦」と銘打ってわざわざその日の国会における論戦を前もって予告し、その夜、ＮＨＫクローズアップ現代＋「学術会議任命問題のあり方は・当事者語る〝政治と学問〟は」（三〇分）では、山極会長談を始め、関係者にインタビューと称して事細かにこの問題を取り上げたが、多少左がかったＮＨＫらしく、上に述べたような本当の裏話に触れることは少なく、また任命されなかった方々は直接画面上で語ることも無かった。この中で、学術会議は「喉の奥に刺さったトゲのような感じが政府としては持っておられたのではないか」と語られた増田善信元会員（九七歳）の回顧談が面白かった。

それを受けてか、一〇月七日には村上陽一郎東大名誉教授による学術会議批判がyoutubeに寄られ、また一一月一日の産経新聞には東大教授戸谷友則氏の寄稿が掲載され、学術会議の重鎮が少々強引にすべての研究者を縛っていると述べ、軍事研究禁止を強要するのであれば、事情が変わればその逆も起こり得ると警告している。

任命を見送られたその方々は以下のとおりである（五十音順）。当選すれば当然第一部に所属する文系の方々であり、自然科学系の方はいない。

①芦名定道 京都大学院教授：キリスト教学
②宇野重規 東京大学社会科学研究所教授：政治学・政治思想史
③岡田正則 早稲田大学大学院法務研究科教授：法学（行政学）
④小澤隆一 慈恵医科大学教授：憲法学
⑤加藤陽子 東京大学大学院人文社会系研究科教授：歴史学（日本近代史）

⑥松宮孝明　立命館大学大学院法務研究科教授：法学（刑法）

この中で一番派手に振る舞ったのは⑥の松宮氏であろう。氏は九月二九日、会議事務局から首相任命名簿に自分の名前が無いことを事前に知らされ、確認の上、その事実を直ちに共産党の機関紙「しんぶん赤旗」に通報し、「専門家でもない総理に学問的判断など出来る訳はない」と訴えた張本人である。政府の公布は一〇月一日であるが、早々とその日の「しんぶん赤旗」の朝刊に大見出しでこの事件が報じられ（京都新聞にも載っていたという）、そして共産党志位委員長（注）はツイッターで、任命拒否されたものには「安保法制や共謀罪を批判してきた人が含まれる。推薦者が任命されなかったケースは過去に無い。学術会議の自主性、学問の自由への乱暴な介入は許されない」と述べている。いかにも共産党らしい攻撃的発言である。そしてそれでかえって学術会議の根城が共産党であったことが明るみに出たと言える。反政府を掲げる朝日、毎日、東京、京都といったいわゆるリベラル新聞は直ちにそれを追った。

注：志位委員長はその後「日本学術会議の人事介入を問う」という小文を著しているが、その中で会員任命拒否に対し、異論を排斥する政府でいいのかと問うている。これは共産党が政党として成り立っていること自体が（共産党が破壊活動防止法、いわゆる破防法の対象とされ、当局によって監視されていても）政府によって排斥を受けていない事実を見れば、口には出来ないことだろうという人もいる。また共産党の言う「異論」は時により変化する。憲法改悪阻止は今の共産党の党是だが、この戦後の新憲法発布に対して反対したのは、実は共産党そのものであった。当時の書記長野坂参三氏は第九条に対して、軍隊を持たないと明記する憲法などあり得ないと反対論を述べている。また共産党は天皇制廃止が目標の一つだが、野坂氏は天皇制を支持していた。しかしながら、共産党は非常にしばしば自己批判と言うか、時の情勢によって意見を変えるので、その真意がつかみづらい。そして例えば現在はある法律に対して擁護の立場を取っていると言っても、その裏には常に未来はそうではないという含みがあって、油断がならないのである。

松宮教授は上述したように、立命館大学末川学派の人である。戦前におけるかつての京大滝川事件（前述）の系統である。二〇一五年、安全保障関連法案の廃止を求める早稲田大学有志の会の呼びかけ人であり、同年七月、衆議院平和安全保障法案特別委員会中央公聴会に共産党が推薦する参考人として呼ばれ、その法案を違憲だと主張し、反政府デモにも参加している。またこの度設けられた人文科学系が科学技術・イノベーション基本法によって理系分野との統合が求められたが、それにそぐわない人を切ったと政府を非難もしている。確かに科学の進展によって環境問題、人工機能、ゲノム編集など数々の社会的問題が浮上している現在、彼の言うことは首肯し得るが、それと彼の任命見送りとは関係が無い。

　それにしてもかねてから学術会議における各種専門委員会の人選が偏向しているとの指摘がある。またその人選に、いわば井戸の中の蛙である専門家が同居中の蛙を選ぶ以外に方法が無いということもあるようであり、用管窺天（ようかんきてん）、そんなことで果たして大局的に政府に何かまともなことを提案出来るのだろうかと不安に思う。歴史をひもとくと、学会に受け入れられなかった『種の起源』のチャールズ・ダーウィンのように、むしろ一匹狼の方が偉大な学者であるということもよくあることである。後世に名を遺す学者であるか否か、生存中に決められない例は決して少なくはない。

年老いてから認められてもすでに遅い。

その他の方々について詳述する余裕は無いが、六名の方々はすべて人文・社会科学系（三名は政治学）の専門家である。そして国論を二分した「安全保障関連法」（二〇一五年）や「共謀罪」（二〇一七年）とか「スパイ防止法」（いまだにこれが無いのは世界で日本だけ）に反対の立場をとった人々である。しかし断っておくが、このほかにも同じように政府に反旗を翻す会員は他にもおられて、それらの方々は別に任命を見送られてはいないのである。何故この六名のみが…という真意は何か。前述したような意味から私には理解出来る。つまり最高裁の見解からすると、これらの方々は真の意味での学問の自由を逸脱し、反政府的な民間団体とか特殊な政党（例えば共産党）と連携して社会的に色々な実質的活動を行っていたのである。これは学問ではない。前述したように、昭和二七年に成立した破壊活動防止法（いわゆる破防法）の調査対象となっている日本共産党はこの学術会議に深く関わっていると思われている。また未確認情報によると、この六名の中にはアメリカ

ＦＢＩの捜査対象になっている一名がいるともいう。

この中で比較的まともな発言をされているのは②の宇野教授と⑤の加藤教授のように思う。常識派とも言われる宇野氏は「少数派の意見が正しいとすれば、それを抑圧すれば社会は真理の道を自ら閉ざす。仮に間違っているとしても、批判が無ければ多数派の意見は教条化し、硬直化する」と言う。だが政府機関に対して、学術会議の主張する少数意見の提示を求めるか否か、後に言及する軍事研究問題を考えるといささか的外れのような気もする。なお東京新聞によれば、前述のように、宇野教授の任命見送りはこれで二度目だということである。
⑤の加藤教授はかつては右でも左でもないと自称される方だったようだが、当初、そういう歴史家が排除される理由が私には解せなかった。だがその後、氏は「新左翼」に転じ、安倍首相の歴史認識と集団的自衛権に反対、一個人としては自由だが、学術会議会員という政府機関の者として、国民の負託に応えている政府と反対方向に向かう学外挙動を問われたのであろう。
学問の自由は何も学術会議の会員だけに与えられる権利や自由ではない。我々学者は、王道を行

くものであれ、私のように末席を汚すものであれ、個人的にはいかなる信条を持つことも自由である。現に国会へのデモに参加し、安倍晋三首相（当時）に対し「お前は人間じゃねえ。たたっ斬ってやる！」などと凄い格好をして怒号してやまなかった山口二郎教授（北海道大学→法政大学）のように、その政権から数億円という研究費を得ながら自由奔放に好きなことをしている恥ずかしい学者もいる。氏はかつての民主党でのブレーンで、テレビでも大活躍、自由奔放に政府非難をしていたが、そのために国家予算の研究費を削られたということは寡聞にして知らない。

③の岡田教授も一〇月三日の首相官邸前で行われた抗議集会でマイクを握っている。だがテレビ映像では共産党小池議員のマイク姿が主役であった。そしてまた、教授はもはや会員でもないのに、一〇月一日～三日の学術会議総会や委員会に傍聴という形で出席している。私から見ると、前述のように、これは会議を私（わたくし）し、睨みを利かせていることを意味するものである。自分がいないと会が運営出来ないという過信か。「俺がいなくてなんの学術会議か」という姿勢である。人の好い会長が押し切られてやむなく陪席を許可したのであろうか。仮に落選代議士が陪席だと言って国会に

出てきたら、警備員につまみ出されるだろうに。こういうところに一部の学術会議会員の傲岸不遜な態度が良く見て取れる。そしてそういう人物が実際の運営を我が物顔に行って来たのであろう。

④の小澤教授は、よほどのことが無い限り学者は社会的な声明を控えるべきだとしながらも、安全保障問題で公述人として違憲を唱え、自国の防衛を逸脱しかねないと反対論を唱えた。共産党の言うように、これを認めたら今すぐにでも戦争が始まるかのような議論である。そして政府の言う近隣諸国の脅威は問題視しない。私から見ると時代錯誤である。

①の芦名教授については良くは分からないが、やはり安全保障問題が関わっていると思われる。土台、共産党が強い京都にはそういう風潮がある。

この六名の教授に共通しているもの、そして政府側も学術会議側も表立って示さないものは何か、おおよそのことは明らかになったであろう。

私が代わって政府側の答弁をするとすれば、これらの方々がなんらかの形で反政府主義のオルグと無関係ではなく、かつその上に乗って学問の自由と社会的活動の自由を混同しているということである。

この任命見送りに関して、新聞、週刊誌、その他出来るだけの資料を通覧すると、影の人、つまり後述する警察上がりの杉田和博菅内閣官房副長官が看過出来ない方として見えてくる。また問題となるそのオルグの主体は、ご承知のように、政府当局の監視下にある日本共産党であり、またはその系列に属するものである。一人のオルグが潜入すれば、それは「蟻の一穴」のようにどんどん周囲を抱き込み、土手の崩壊を齎す。共産党の常套手段である。そして人の好い学術会議会長達は「しんぶん赤旗」に呼ばれて彼らに都合の良い論述を述べさせられる。会長そのものがシンパというのではない。乗せられてしまうのである。そして会員の中にもそのような軽薄な者が現れ、やがてはシンパと化して行く。

赤旗に通報した松宮教授、会議に居すわろうとした岡田教授、それに小澤教授は、ともに「民主主義科学者協会法律部会」役員の経歴を持つ。この会は日本共産党系の法律学者によるもので、『安保改定五〇年：軍事同盟のない世界へ』（二〇一〇年）を出版し、政府に盾突いている。また宇野、加藤の両教授は「立憲デモクラシーの会」の呼びかけ人で、この会は旧民主党のブレーンで安倍政権打倒を唱える山口二郎教授（当時は北海道大学：前出）等が共同代表であった。最後の一人、芦名教授は「安全保障関連法に反対する学者の会」や左翼系の京都大学の「自由と平和のための京大有志の会」に与している。

こうやって見ると、どう贔屓目に見ても学術会議には目立った左傾の会員がいることは否めない。前述したが、ある会長（広渡氏）は総選挙で共産党立候補者の応援演説をし（安倍内閣打倒を叫ぶ）、また最近の山極会長も共産党機関紙に寄稿、あるいは副会長や部長クラスが共産党の会合で講師を務め、あるいはれっきとした共産党員（？）の幹部もいる。となると、共産党は学術会議をなんらかの目的に利用しようとしているのではないかとも思われるし、あるいは逆に学術会議が己の野望を実現するために日本共産党を利用しているのではないかとも思われるのである。そこで今回、そのような左翼系団体に関わりを持つ極端な活動家の人物を排除したのではなかろうか。一〇月一日の「しんぶん赤旗」の中見出しにはまさにこのことが暗示されている。

もちろん個人の信条は自由であり、政府に逆らったりすることは勝手であるし、学者の権限内において行っておれば、自由放埓の国日本では、国に逆らったからという理由で共産圏におけるように逮捕・拘留されたり、場合によっては死刑になったりすることは絶対に無い。しかし、善かれ悪しかれ政府の転覆を望むような人物、しかも会員の上に立ったり大きな影響力を持つ者が「政府直属の機関」に留まっているということ自体が、私には不思議に思えるのである。旨いもの（会員という権威や名誉）だけをくらって後は好き放題という訳か、あまりにも身勝手過ぎると思わないのか。思わぬとしたら、それは昔流に言えばお殿様、今様なら特権階級意識、いわゆる「学者貴族」というものである。

確かに従来はそれで良かったのであろう。その雰囲気にどっぷりつかって自己満足出来た。だが今回はそうならなかった。それで驚き、狂喜乱舞の世界から一転して自己流の髀肉之嘆（ひにくのたん）をかこつ状態になって大いに周章狼狽、悔しくて落胆し、一方、それまで恐らくそういう事態を察していながら拱手傍観していた会長は、驚天動地の現実に右往左往することとなった。まことにお気の毒である。子供が手にしている飴玉をいきなり取り上げられた時のように、泣きわめく姿に似ている。

世が世なら、浅野内匠頭同様、会長は幕府に盾突いたとして切腹を申し付けられようが、現代の日本ではおとがめ無し、ちょっと引っ込んでおれば済む。だが今回の場合、会長が六人の会員を本気でかばうのなら、自ら切腹（辞任）してその気概を示すべきであったのではないかとも思う。もっと大仰に言って、もし完全に我が方に非無しと信じるなら、私が会長なら会員もろとも全員辞任という切り札を政府に示し、断固戦うであろう。その点、一〇月一六日、首相を訪ねた現梶田会長（第二五期）は残念ながらまことに不甲斐なかった。首相との会見を終えた後、記者団に囲まれ、六名の拒否について首相とのやり取りを質された梶田氏は、「六人の件ですが、まあ、これについては…今日の主要な目的と思って来て…もちろんそれは（任命拒否の件は）重要なんですが、こういう機会なので、むしろ学術会議の在り方等について意見交換をさせていただきました」（発言ママ）と語り、記者達が焦点としている任命拒否の理由などには答えず、彼等に肩透かしを食わせている。

首相の方も「学術会議が国の予算を投ずる機関として国民に理解される存在であるべきと、そういうことを申し上げました」（発言ママ）と述べている。

でも今の学術会議にはもう戦う気概は無いのかもしれない。と言うより、それが出来る条件下に無いのである。いかに学者が否定したいと願っても、学術会議は政府と対等ではなく、その下部機関なのである。ある意味では、お釈迦様の手のひらで踊っている孫悟空のような存在の今の学術会議は、その頭を冷やされたのである。任命云々で言えば、同級生の医局員のうち、何名かが助手に任命されたからと言って、選に漏れた者が「その理由を説明して下さい」と任命権者の教授に迫ったら、「この馬鹿者め！」で終わりである。元会員で最高齢者の増田善信さん（前出）は六万人のネット署名を集められたそうだが、ネットの集計はいい加減である。それにたった六万名ではとるに足りない。反対に政府の方針に賛成のネット集計をすれば、それをしのぐ数になるに違いない。この場合は、一方だけではなく、賛成・反対の両者を同時に調べなければ無意味である。そもそも増田氏も拒否問題については両面的な考え、「そんなバカな」と「いよいよ来たか」を発しておられており、「かくあれば　かくなるべし」と、覚悟のほどを否定されてはいないのである。

話を戻そう。

4　丁々発止の戦い─その二─

任命不許可の知らせがあった折、京都におられた前（第二四期）会長、山極壽一氏（京都大学大学院理学部研究科教授、京都大学総長：ノーベル賞受賞者）は、九月二八日、内閣府から今回推薦された一〇五名の内示について、六名が任命されなくなったということを学術会議事務長から聞き、大変驚かれたそうである。まさに驚天動地、会議の歴史上、かつて無かったことだからであるという（そのように事務局から言われたのであろう）。何度も政府側に面会を求めたが、「その必要無し」であった。

その理由について、その後、菅義偉首相の発言は一貫して「個々人の任命に関することは人事にかかわることであり、お答えは差し控える」であった。その内情についての私見は上記のごとくである。また首相自身はその名簿に目を通していないということであったが、首相の所へ上がって来た時はすでに九九名で、誰が六名を除外したのかが、上述のように問題にされたりした。

国会では一〇月二五日の総理所信表明演説でも同様、二七日の参院代表質問で、枝野立憲民主党代表は学術会議に関し、「六人を任命しないのは総理ご自身の判断ではないのか、誰がそれを資料や基準をもとに判断したのか、任命しなかった理由はなんなのか、明らかにお答え下さい」と言い、総理は「必ず推薦のとおりに任命しなければならない訳ではないという点については、内閣法制局の了解を得た政府の一貫した考えであります」と答えている。そしてさらに梶田会長との会見時と同じく、「国の予算を投じる機関とは国民に理解される存在であるべきだということ。さらに言えば民間出身者や若手が少なく、出身（や）大学にも偏りが見られることを踏まえて、多様性が大事だということを念頭に、私が任命権者として判断して行ったものであります」（発言ママ）と答弁している。

当然のごとく、共産党の志位委員長がコロナ問題の最中に自己の持ち時間五五分のすべてを学術会議問題に充て、また一〇月三〇日の参議院では立憲民主党の福山幹事長も半分以上の時間を費やしてこの問題を取り上げた。マッチ・ポンプと言うか、なんとかこの問題を政局化したい一心に見えた。

だがその際の菅総理の答弁はまことにそっけなく、これは総理が自らこの一〇五名の名簿を見ていないと言明した後も、判で押したように同じであった。学術会議では前述した大西元会長が「名簿を見もしないで拒否するとは無責任だ」と非難の声を高め、マスコミもそれに同調した。だが総理は「(学術会議の構成には) 多様性が大事だということを念頭に、私が任命権者として判断を行って来たものであります」と応じていて、一歩も譲らなかった。少し怒っているように見えた。因みに大西元会長は名簿を見ていないことを非難しているが、任命拒否を非難しているようには見えない。誰がなんと言い条、任命権行使は政府の常套とするところである。そうしなければ政府としての一貫性は保てない。旧民主党の鳩山由紀夫元首相が沖縄問題に関して福島瑞穂大臣を罷免した時のように、泣いて馬謖を斬る場合もある。

また総理が一々個々の推薦候補者の経歴を調べた上で、責任をもって任命許可を与えるということなどはあり得ないことだろう。逆に学術会議の会長も各候補者の履歴を一々知っているかと言えば、恐らく否であろう。そのいずれにもそれを判定する下部組織とその責任者がいる筈である。そして今回の場合、長きに亘って会長職にあった大西隆氏や会議側としても、二〇一六年頃から省庁の幹部人事について官邸から事前に相談を求めるというか、報告を求めるという流れが定着していることを知っており、学術会議もその対象となっていると感じていたようである。

政府側として杉田和博内閣官房副長官兼内閣人事局長がその最高責任者であることは万人の認めるところである。彼は元警察官僚で内閣情報調査室長、内閣情報官、内閣危機管理監などを歴任した文字通り事務方のトップである。国会に召喚せよと野党は叫ぶが、政府は応じない。当然のことである。この辺については、情報がもっぱら反政府的なマスコミ（朝日、毎日、東京、赤旗、京都などの新聞）のみであり、「モリカケさくら」のような政争の具にされているようにも見える。

遡るが、一〇月二日の加藤勝信官房長官の記者会見でも、反政府問題に関して、「日本学術会議の会員については、これまでも専門領域の業績のみにとらわれない広い視野に立って、総合的・俯瞰的観点からの活動を進めていただくために、累次の制度改正がなされて来ました。今般、それを踏まえて、内閣総理大臣が日本学術会議法案に基づいて任命を行った」、また「研究内容の萎縮に直接つながるものでは無いというふうに考えている」と、（腹に一物を隠して）述べている。某政党へのいわば遠慮である。でも世間知らずの自己中心的学者が、一部の例外的人物や何かを隠し持つ扇動者を除き、そんな俯瞰的な考察が出来るかいな、というのが私見である。

残念ながら私は手にしていないが、『赤い巨塔―「学者の国会」日本学術会議の内幕』（時事問題研究所：一九七〇年）という出版物がある。学術会議が七部制になった際、日本共産党は各部会に党員を潜入させたが、第七部の医学・薬学関係だけにはそれが成功しなかった。本書はその当時の学術会議の内情を描いたものだと言うが、この書名は明らかに医学部の暗部を描いた山崎豊子氏の長編小説『白い巨塔』のもじりだろう。教授に代わって共産党が支配する学術会議という意味である。

『自民党の智慧』（一九八七年発行）のなかに、当時の総務庁長官・中山太郎氏が「学術会議は共産党の牙城、海外調査などは共産党主導で行っている」と述べており、それで彼はその出張旅費の承認印を拒否、学術会議の解体を危惧し文句を言いに来た当時の第一一期伏見康治会長に対し、「自分の手で会議を直せ」と言ったら、理論物理学者の会長は「自分が座っている椅子を自分では持ち上げられない」と自力改革を拒否、以後、中山氏は一切海外出張の印を押さなかったそうである。

このように一九八〇年代に入って両者のぎくしゃくした関係が表面化して来て、国民の税金を使って学者の特権のようなことを偉そうに言うのは解せないという政府側と、批判されながらでも自主的に動くのと命令されて動くのとでは大きな違いだとする会議側とのせめぎ合いが続く。

そういうことから直ちに納得し得た出来事は、今回の拒否問題を知った任命拒否の松宮孝明氏が、事前に何故それを「まず日本共産党に」直接通報したかということである。何故「赤旗」か、松宮氏が共産党員であるか否かは不明だが、勿論「しんぶん赤旗」は一瞬の遅れもなく第一面にでかでかとこの事件を報じた。

面白可笑しく報道するワイドショー的テレビ番組は論外として、以後、当初、記事としてあまり大きく取り上げなかった読売新聞を除くと、事件の多くは反政府新聞報道に牛耳られた格好であった。野党がこれを政局に持ち込もうとしているのは明々白々であり、また学術会議会員の四分の一程度が抗議したが、世情は冷ややかだった。「お高く留まった学者どもが」という風潮だった。毎日新聞は世論調査で学術会議事件は「問題だ」という者が三七％もいたと報じたが、よく見ると「問題ではない」がそれ以上の四四％もいて、完全に空振りアウトであった（毎日は都合の悪いものをよくぞ報道したと思うが、続いて一一月二三日、「読者の声」欄を利用してこのアンケート結果に噛みついている。あくまでアンケート結果を否定したい心情が見え見えだが、この声欄は社のOBが書くと、某大新聞の幹部が酔った勢いで話してくれていた。でも読売新聞のアンケートは明らかに政府側の正当性の方にあった。これは学者側の高踏的と言うか、人を見下すような貴族趣味に対する国民の反発の現れであったと思う。我が霞が関ビル診療所では東京新聞を読むことは出来ないが、まあそれは朝日の新聞の下請けと思えば大過なかろう。記者会見で質問を断られる者もいたくらいの新聞である。それらに対して日経、産経の各紙は中庸を行っているように見えた。私の古くからの友人で日本共産党の幹部、参議院議員を二期一二年間務めた党員から毎週「しんぶん赤旗日曜版」が送られて来ていたが、それを見ると、日本のリベラル誌がその週に何を書くか、大よそ推測出来た。いわば連合艦隊司令が「しんぶん赤旗」であった（断っておくが、私は共産党員でもシンパでもない）。

それにしても傲慢に見えたのは、橋下徹氏もテレビ（BS-TBS 報道一九三〇：一〇月一九日）で語っていたように、川勝平太静岡県知事の興味ある、かつまた驚くべき発言である。知事は今回の見送り事件について、菅総理の無教養さが露見したと言い、周りにそれを諫める人がいなかったのかというような発言で物議を醸した（注）。彼は確かに早稲田大学教授や静岡文化芸術大学理事長などを歴任した麗々しい経歴を持ち、したがって一〇月七日の定例会見の記録では、「菅義偉という人物の教養のレベルが図らずしも露見したということではないか。秋田に生まれ、小学校、中学校、高校を出られて、東京に行って働いて、勉強せんといかんということで通われて学位をとられた。（中略）。言い換えると学問された人ではない。（中略）。こういうことをすると、自らの教養が露見しますと、教養の無さが、ということについて、（周りに）言う人がいなかったのも本当に残念です」。

エリート意識丸出し、「学歴差別」発言だという世間からの猛烈な批判をものともせず、学者は教養人、それ以外は総理であろうが誰であろうが無教養という、典型的な蔑視発言である。だが、学術会議の中にも他人を見下げるそのような人がいると思う。私などはもっとひどい目にあっている。大学医学部後輩にあたるある高踏的な学術会議会長に「あら、負け犬さん」と公衆の面前で挨拶されたことがあった（失礼極まるが、事実だから気にかけないし、既知の間柄だからご愛敬でもある）。でもそのくらいの他人を見下す気持ちが無ければ学者をやっていけないのだろう。実際、大学人、特に東大人は誰もが「俺が一番」と思って他人を見下す節がある。そう思わないのは「東大出の東大嫌いで、常に一兵卒気分」の私くらいか。

注：川勝知事はかなり後になって前言を取り消したという。

5　山積する問題点

私のような部外者から見ると、学術会議を巡って考えるべき無数の問題点がある。

①「推薦どおりに任命すべき義務があるとは言えない」という政府の見解が果たして妥当か。確かに推薦された人が偽作論文製造者だったり（こういう事件は後を絶たない）、殺人などの凶悪犯罪者だったりすれば、これは任命出来る訳は無い。でもそういう際でも、政府ではなく学術会議

側が判定の権限を持ち、事の是非を判定し、政府はそれに干渉出来ないという。おかしい。一方、重大な瑕疵が無く、学問的に尊敬を受けている人物が外される場合があっても良いのか。

②学術会議が推薦者を決め、それをそのまま首相が任命するということであれば、実質的には学術会議そのものが任命者ということになり、「首相が任命する」ということに対して違法ではないか。また任命しないことを説明する理由は無いのではないか。

③学術会議と政府とは同権か。学術会議は下部組織の筈である。

④外される以上、隠れた瑕疵があるのではないか。本当に理由が無ければ、それは個人への人権侵害になりはしないか。

⑤今回の事件は、それがマスコミや批判者が政府に対して言うように、「政治の介入」と言えるか否か。

⑥一般の学者にとって学問の自由は保障されているが、共産党の言う「学術会議会員に対する学問の自由への侵害」という疑義は妥当か。

⑦研究費の実権を握る政府に盾突けば財政的に不利となり、自由に活躍出来なくなるというのが学問の自由への侵害という意味か（私はかつて留学中、研究費の実権を握るＮＩＨの研究成績に逆らうような論文を書いて、翌年度の研究費を凍結された経験がある。その年は老人ホームの宿直で研究費を稼いだ）。

⑧そうでないならば、民間に下りて自由研究すれば良いではないか。

⑨赤旗の主張のように、これから果たして物が自由に言えない社会になるのか。

⑩そして「議論を封じ戦争へ」という（朝日新聞の見出しのような）時代となるのか。

⑪国民のためという政府見解は、実は政府のためという意味ではないか。

⑫少数意見はどこまで、またどのようにして保護されるべきか。

⑬少数意見が正しかったということは後世になって初めて分かることだが、では現時点ではどう扱われるべきか。

⑭政府の意に沿わない研究が制裁され、自由に研究出来ないというなら、学術会議は会員に対して

学術会議に都合の悪い研究を認めないのはなぜか。

⑮初心に戻って、現在の会員は閉鎖社会の学者ではないか。振り返って、単なる名誉欲に駆られた亡者ではないか。

⑯年二度の会合で多くの案件を処理するとなれば、初めから決められた路線で結論が出る形式になっていないか。本当にまともな議論は出来ているのか。

⑰そしてその際、それを主導する会員が、ある種のポリシーを持って会長や会員を引きずって行くのではないか。

⑱その背後に日本共産党があるという実態は真実か。抗議集会を指導していたのは共産党小池議員だった。

⑲先進諸外国のように、会議を政府の支配から切り離してはどうだろうか。また自然科学に限定し、人文科学という分野は、諸外国のように学術会議に含めないとしたらどうか。文学には日本芸術院という組織があるではないか。

⑳国から離れれば運営資金に事欠くというのであれば、会議の諸経費は学術会議会員の発想を商品として売り出すか、民間からの委託に答える形で、その報酬でまかなったらどうだろう。

まだまだ疑問だらけだが、際限が無い。

そしてもっとも不思議に思うことは、現会長がどういう覚悟でおられるのかはっきりしないことである。総理に面会した際、先述のごとく、任命拒否の撤廃を強行に申し込んだようでもなく、かと言ってこれではやっていられないと辞職をちらつかせたのかも分からず、現在の問題に幕引きして「未来志向」について考えようと、ただすごすごと引き下がっておられる。やはり梶田さんは優しい純真無垢なノーベル賞学者であって、海千山千の会長には適していないのではないかと私は思う。蟷螂（とうろう）（かまきり）の斧をもってしては、所詮、隆車（りゅうしゃ）のごとき敵には立ち向かえない。どうすれば良いか、『九十歳。何がめでたい』の佐藤愛子おばあさまにでもお聞きするか。

6 防衛問題

学術会議は平和を希求する会であるから、戦争とは無関係とされる。学術会議は何度もそのことを謳っている。これは殊に共産党が力説するところだが、日本政府の公式名称である「近隣諸国」の共産主義を見れば、ただ〝のほほん〟と構えてばかりではいられない。その点、学術会議を見ていると、戦後の平和主義がどのような変遷に曝されているか認識しているのだろうかと、その平和ボケぶりにむしろ恐ろしさを感じる。発足当時に会員は恐らくすべてこの世を去り、世界の情勢は激変し、我が国はよその国に頼っていればのほほんと過ごせる時代ではなくなった。かつて友好の絆を作り、大いに経済的援助もし、世界一の製鉄工場その他を提供し、新幹線を走らせ（もっとも彼らはそれを自国の発明だと称している）、それらを通じて巨大な国に成長した中国は、逆に我が国を敵視し、「核心的利益」と称して、近未来、その領土を奪取すると宣言している。尖閣諸島がその見本である。また安倍元首相と対談した習近平主席は、「遼東半島の恨みは忘れない」（注）と言って安倍さんを驚かせた。アメリカの影が薄くなってきた現在、うかうかしていられぬのが現状なのである。

注：第一次世界大戦のドイツ敗戦でドイツ領の南洋諸島とともに旅順を含む遼東半島も日本の支配下に入った。だが、もともと遼東半島はシナ領であったから、日本陸軍のこの半島占拠はシナ人民の反日感情に火をつけた。習氏は今なおその恨みを受け継いでいるのである。

私は昭和四年（一九二九年）生まれ、今は戦前派と言われる。生後二ヶ月で世界大恐慌、魔の木曜日にぶつかっている。一九三二年の海軍将校たちによる五・一五事件は知らないが（犬養毅総理大臣暗殺などで政党政治が事実上終焉）、次いで陸軍青年将校たちによる大掛かりなクーデターのような事件（一九三六年の二・二六事件：首相官邸、内務大臣官邸、警視庁などを襲撃、大蔵大臣などを殺傷）は小学校入学直前で、何かは知らないが世情がおかしいとは感じていた。「汨羅（べきら）の淵に波騒ぎ…」で始まる「青年日本の歌」（俗に言う昭和維新の歌）のように、世を憂い国を思う純情からの事件であるとの世間の同情論やそれに乗っかった責任逃れの上司たちの愚論に激怒した若き昭和天皇は、国軍が国に属するという憲法上の理解を欠くものとして、将校以上一六名ほかを全員銃殺刑に処した（自殺者もいた）。しかしその後の日本は軍人が政治に介入し始め、軍隊を持つ「軍国日本」の枠を踏み外し、「軍国主義」に走って、結果としてみじめな敗戦を迎えた。自分の考えが正しいと信じて猛進すれば、何をしても許されるという、殊に日本陸軍の身勝手さが、国の方針に逆らってまでも満州事変から泥沼の日支事変へという滅亡の道を選択する結果を招いた。

だが大袈裟に言うと、今回の学術会議事件は、この軍国主義に似ている。一方は戦前の軍国主義＝愛国心、他方は戦後の平和主義＝理想論だが、いずれも空想、学術会議は銃こそ持たないが、互いに一方の裏返しのようなものとお見受けする。ともに愚論である。国の方針が自分たちの意見に沿わなければ上司に盾突く姿勢という点において、問答無用だと殺害に及ぶ青年将校たちと、理由を明らかにしろと叫ぶ任命拒否学者とは同根である。

この事件に介入した日本共産党はその一歩先を行く。天皇制廃止、国家転覆を図る共産党は、法律がどうであれ、自分たちが選んだ手段は、たとえ暴力であれなんであれ、常にそれが法的に正しいものとなるという原理で動くので、恐ろしいのである。勝手に日ソ不可侵条約を破棄して満州に攻め入り、戦後には千島を占拠し、国内で数千万人を殺したかつてのスターリン、それに劣らぬ毛沢東、現在の習近平氏も周りをすべて粛清してしまった。そういう国が日本に食指を伸ばそうとし、現にその行動に打って出ている。

学術会議はそのような点に触れず、一体どこまでさ迷い歩くのか。

だが現状把握に関して忘れていることが一つある。戦争は侵略とは違う。端的に言うと、侵略には攻撃があるのみで防御は無い。一方、戦争は攻撃vs防御である。日本には憲法によって先制攻撃は許されておらず防御のみである。ところが近年の武力攻撃の無い相手国からの侵略には一体どう対処すべきか。専守防衛と言えば格好は良いが、現代にあってそれは手ぶらということに等しい。学術会議は戦争＝武力侵略と錯覚している。現実はそれよりもっと悪辣で、武器を用いない様々な侵略が横行している。ここに大きな問題がある。

また「隣の国とは仲良く」と言うのが四面海なる日本国、日本人の優しさであり、「隣の国は敵だ」と言うのが四面を他国に囲まれて何千年となく争ってきた孫子の国、中国である。それは水と油である。それに日本を太平洋に沈めてやると豪語する北朝鮮、竹島を占領し、日本とは決して仲良くしたくはないという韓国（断っておくが日本は李王朝の申し出により、協議の上、彼の国を統括したのであって、西欧諸国に見るような「植民地＝略奪政策」は行っていない）、千島列島を盗み取ったロシア、これらにはどう見ても「平和憲法第九条」では太刀打ち不能である。また何しろ国際条約も国際司法裁判所の裁定も勝手に反故にするシナが相手である。

我が国には六〇〇〇余の島がある。平和な時代には閑却されているが、近年はきな臭い状態が頻発するようになった。お隣の拡張主義の国のせいである。尖閣諸島ばかりではない。これに対して自衛隊は三〇〇〇名の特殊部隊（水陸機動団）を編成し、島嶼防衛の任に当たらせている。昨年だけでも、中国船の日本接続水域進出は三三三回を数え、先述のように彼らは尖閣諸島奪取を「核心的利益」であると断言している。つまり必ず奪取するとの宣言である。だがこの水陸機動団の内容を見ると、日本の法律は、事実上、自衛隊からその戦力を奪っているようにしか見えない。いやそれよりも六法全書を片手に持って戦わねばならぬように、許可されたこと以外はすべて禁止、島も占領されてから初めて取り返し作戦を決行することしか出来ない専守防衛である（注）。学術会議の法律家はこれをどう見るのだろうか。それでもまだのほほんと「憲法九条が守ってくれる」とでも信じているのだろうか。

注：島を占拠されるまでは手出しが出来ない法律なので、自衛隊は占領されてから初めて、いかにして奪回するかの訓練をしている。それをアメリカの教官がしょうがないねというように苦笑している。

この点については、現在、ようやく我が国では「危害射撃」の可否が論じ始められている。なかなか議論が進捗しないのは、自分の国を否めることをもって良しとする公明党やリベラルと称する野党があるからである。

自衛隊にはまた別の問題もある。自衛隊を軍隊としないで文民のままでおいて良いのであろうか。

学術会議に問いたい。安倍元総理は憲法第九条を変えて軍隊を認めようとしたが、野党の追及に対して、「それによって何も変わることは無い」と答えている。だが軍人でなければ文民の自衛官は被選挙権を持ち得ると言えるかも知れない。自衛隊員三〇万名は職務上の秘密保持と政治活動の禁止で拘束されているが、軍人でなく民間人（文民）として扱われるなら、被選挙権を持ち得るのではないか。そして退役者を合わせ一〇〇万人とその同調者が揃って選挙に打って出たらどうするか。

また軍人であれば国際法によって捕虜などの保護措置が与えられるが、民間人には適用されないので、保護の保証は無く、殺されてもそのままである。また訓練によって自衛隊員にはすでにかなりの死者が出ているが、軍人恩給は出ないのであろう。事故死で処理されると聞き及んでいる。これでは本人の名誉は保障されない。

それに加え、今の自衛隊は自衛のためと言うよりも、本来の業務を離れた奉仕のための集団のように見える。三・一一でも自衛隊員の犠牲者が出ている。マスコミはそのようなことを報じないばかりか、掲載写真から自衛隊員の姿を消し去る。自衛隊反対を唱える沖縄が自衛隊に災害救助を要請している。コロナで手薄になった大阪の病院が自衛隊の看護師に救助を求めている。ともにふざけた話である。あるいは自衛隊員募集のポスター掲示を拒否する自治体がある。勿論、万が一の災害救助も拒否するのであろうが、どうか。それとも平和憲法によって、その自治体に災害は発生しないとでも言うのか。

繰り返すが、今、尖閣諸島をめぐり、前述のように中国の「核心的利益」に基づいて日本の領海が連日侵されている。その規模もどんどん大きくなって来ている。しかし新たな日米首脳会談や国会における首相所信演説その他では、これまで中国の「チ」の字も出なかった。その点ではまことに学術会議的である。だが専守防衛の日本は、連日領海を越えて来る中国公船（その後には戦闘艦がいる）に対し警告しか出来ない。公船が二〇〇メートルまで島に接近すれば、日本の警備艇は身を挺してそれを防がねばならない。つまり体当たりである。相手は七インチの砲を持ち、こちらの砲は四インチ砲である。敵わないし、もともと相手より大きな火力を使用することは憲法で許されていない。相手が銃を撃てば、こちらは拳銃である。最初から負けが決まっているのである。

その際、公船からボートが降ろされても、その乗員に手出しは出来ない。それゆえ向こうは発砲しないで済む。したがって専守防衛の日本側も発砲出来ない。その前に、民間人か否かを確かめなくてはならない。下手をするとその間にこちらがやられる。彼らはそのまま上陸し、島の占有を内外に知らせる。日本海の竹島と同じことが起こっても、我が方は静観するしかなく、外交ルートを通じて（それを相手が無視することを知りながら）シナに「抗議する」のではなく、「遺憾の意を述べる」だけである。せめて大使の引き上げくらいしたらどうか。

上記の「水陸機動団」は政府の要請があって初めてここで登場するわけだが、みすみす奪取されるのを確認してから取り返しに行くというのは、本当に馬鹿げた話である。でも今の日本の法律ではそれしか出来ない。歯がゆいことこの上ない。泥棒が家の周りをうろつくことは勿論、玄関を開けて押し入り、また中を占拠するまで、こちらは手出しをしてはいけない法律である。また医者として付け加えると、戦闘になって戦傷者が出た場合、アメリカ軍では誰でも救急救命処置をすることが出来るが、日本の法律では医療従事者が到達するまで待たねばならない。現在、救急車の乗務員は救急救命処置が可能になっているが、発足当時の議論の際、「医者でもない者に何が出来るか」と苦笑いして一蹴した御仁は、その後、学術会員に収まっている。

そしてさらにもし日本に照準を合わせた中国の二〇〇〇基のミサイルが一斉に発射されると思うと、B29による雨あられの爆撃を経験した身には戦慄が走るのみである。核弾頭所有は二〇〇発と言われる。そんな恐ろしいことは起きっこないと信じたいが、広島の一〇〇倍という北朝鮮の原爆が万が一東京の中心で爆発すれば、横浜までが一瞬にして壊滅、消え失せる。それゆえ専守防衛論は夢物語だけでは済まされない世となっている。そういう警告を何故政府は名指しで声高に発信しないのか。そして学術会議はそういう事態に対する的確な提言をすべきではないか。永世中立国のスイスでは核シェルターを装備しなければ家の建築許可が下りないが、でもそんなことを提言したら、夢うつつの今の日本は大混乱になるだろう。ではどうすべきか、どうやって防衛するかの提言をするのが学術会議ではないか。石原慎太郎氏が東京都知事の時、「東京にミサイルが一発落ちないと目が覚めない」と言って顰蹙を買ったが、落ちたら最後である。だから防衛の研究は世界並みに、いやそれ以上に専守防衛国日本にとって重大な問題なのである。ちなみにスイスでは、境界侵犯した航空機は国籍を問わずすべて有無を言わさず忽ち撃墜している。だがそれに対して文句をつける国は無い。「攻撃は最大の防御である」とは真実だが、核の時代、共倒れの危険が大であるから、先制核攻撃はもう出来ない。ならば別種の攻撃に対応出来る徹底した防御体制をと思うのである。攻めてきたらどうするかという問いに対して、テレビに良く出演するある大学教授がワイドショーで真剣に語った言葉には唖然とした。「竹槍を持って立ち向かう」（現経済アナリスト森永卓郎氏）。こういう教授は直ちに精神病院に送らねばならないのではないか。

日本の平和ボケは半分はアメリカのせいでもある。いつかワインバーガー国防長官が言っていたような「平和のパラドックス」にどっぷり漬かった日本。理由も無くあえて戦争したいという国はまず無いが、国が絶ゆまぬ努力を重ね、しっかりした装備を持ち、何にでも即応出来る体制を取っていれば、戦争は抑止され平和が訪れるのだが、そうなると「何も起こらない」ので今度は逆に軍備は不必要だとの論議が出て来る。そして実際にはその現状における装備の大半がアメリカ依存であることを故意に忘れている（忘れたいと思っている）日本。一度アメリカが日本を突き放してみたら初めて分かるのではないか。

我が国には遅ればせながら防衛省が五年間に亘って最高五億円とかいう研究費を支給する「安全保障技術研究推進制度」がある。だがこれは学術会議の方針にそぐわないとの見解がある。学術会議が二〇一七年（平成二九年）三月に出した「軍事的安全保障研究に関する声明」では、発足当時の一九五〇年、科学者としての節操を守るためにも、「戦争を目的とする科学の研究は絶対にこれを行わない」の一節と、重ねて一九六七年の「軍事目的のための科学研究を行わない」の一節があって、今後もこれを「踏襲する」のだという。

完全な時代錯誤である。「平和ボケもここまで来たか」という感じで、戦後アメリカ軍に守られ、何が平和で何がそうでないのかの認識を失い、学術会議は完全に平和ボケして念仏を唱えているようにしか、老境の私には思えない。でも私の周りにはそれを心配する方が少なくはないし、日本国民の過半数も外国の脅威を感じて来ている。そして今や国民の過半数が時代に適した憲法の改正を希求している。

そうこうしているうちに実際に北海道大学では軍事研究というレッテル張りの問題が起きた。軍事技術と言えば、直ちに思いつくのは例えばIT、レーザー、宇宙技術（宇宙衛星を始め極めて多数の技術）、航空機、新素材、オートメーション、核技術、通信技術などなど極めて多彩だが、これらは軍事技術以上に民間企業でもあり、つまり民間・軍事両用（dual use）である。民間・軍事の境は漠然としていて、もし学術会議の定義を厳密にとれば、日常の携帯電話もスマートフォンも使用不能となる。

それに今回の北海道大学の事件は全く違う内容のものだった。奈良林直工学研究室研究教授の研究が二〇一七年の上述の通達によって研究辞退に追い込まれたのである。つまり防衛省のこの技術推進制度に応募していた教授らの研究が上記の二〇一七年の通達に抵触するとされ、任期を残したまま研究辞退に追い込まれたのである。しかしこの研究は教授の得た研究費で同僚のM教授が行う微細な泡で船底を覆って航行の抵抗を減じるという流体力学的研究であり、船の高速化、タンカーなどの航海燃費が一〇％ほど低減されるという素晴らしいものである。燃費も減ってCO_2排出も減少、地球温暖化対策にも役立つ。しかし船舶全般に適用し得るということであるから、自衛隊の艦艇（や飛行機）にも適用出来ることになり、学術会議側にこの研究を停止させる口実を与えた。恐らくこの研究が別の研究資金で行われていたとすれば問題が無かったのではないか。明らかに、学術会議は内心、「防衛省」という研究費の出所を問題にしていた嫌いがある。そのように明言した会長もいる（広渡清吾氏：後述）。

北海道は元来社会主義の猖獗する土地である。以前、日本社会党の横路孝弘知事の在任一二年間、駐屯する自衛隊の訓練は禁止され、また私の友人の弁護士（共産党員で後に代議士）によって自衛隊が敗訴するという前述の恵庭事件などもあった。当然のごとく、北海道新聞始め、朝日新聞、それにＮＨＫなども加わって研究反対運動が起き、学内には「軍事研究反対」ののぼり旗が乱立し、「軍学共同反対連絡会」と称する面々が繰り返し大学学長室や研究室に押しかけ、知人の話では公開質問状を示し、机を叩いて学長に詰問し、堪り兼ねた学長の指示で研究辞退ということになった。これは明らかに暴力事件である。一点集中反復攻撃が彼らの常套手段で、多事多忙の学長が時間的にも肉体的にもこれに対抗出来る訳はない。このことは東大紛争始め、全国学生騒動で体験済みである。この事件に学術会議会員が直接手を下した模様は確認されていないが、「声明」による学長への通達はあった訳だから、学術会議の間接的威嚇は否定し得ない。そしてほかの研究もストップしてしまった。奈良林教授はサンケイ新聞の取材に対して、「学問の自由を侵害しているのは学術会議の方である」と語っている（注）。

注：奈良林氏は北大名誉教授となり、その後、東京工業大学先導原子力研究所特任教授。櫻井よしこ氏との共著で『それでも原発が必要な理由』などの著書がある。

これは明らかに学術会議の越権行為であり、また研究の自由に対する侵害である。もしこの研究助成金制度が学術会議の意思に逆らうのであれば、学術会議は義務として先に防衛省や政府に具申し、廃止希望の趣旨を伝え、論戦すべきである。それをせずして全国の国立大学に対し応募しないようにと言わんばかりの「通達」を発するとは、自分たちが政府の上に立っているとの特権階級意識の現れでなくてなんであろうか。大学側としては政府機関である学術会議の通達であるから、これを無視は出来ないであろうし、オルグ的活動家にしてみれば願ったり叶ったりの「通達」である。学術会議はそうと知って通達を出したとすれば、それは陰険そのものである。大学側は科学研究費の配分に学術会議の会員が関係していることを知っているから、学術会議に盾突くと科学研究費（科研費）（注）が減額されるかも知れないと思っているのだろうか。もしそういうことが起こったとすれば（起こり得る）、学術会議の罪は一層大なるものである。そして追い打ちをかけるように、幾多の大学が学術会議に沿う声明を出し、中には琉球大学や広島大学など、防衛省の制度に応募を禁じたところも出た。

注：科研費助成は日本学術振興会の裁定によるが、これは文化省所管の独立行政法人である。一説によると学術会議と密接な関係にあるとされる。具体的なことは承知していない。

一方、興味深いことがある。その頃、実は同じ研究費によって、学術会議会長大西隆教授（東京大学先端科学技術研究センター教授・名誉教授から豊橋技術科学大学学長）の「毒ガス研究」は行われているのである。教授は大学の新規事業への参画を積極的に推進するとして、二〇一五年度には大学の軍事研究を積極的に推進、豊橋技術科学大学では教授の果敢な取り組みにより、奈良林教授と同じく防衛省の「安全保障技術研究推進制度」研究資金を得、有毒ガスを吸収するシートの開発に取り組んでいる。これは戦闘行為に対する有益な研究である。また二〇一七年の声明に先立ち、二〇一六年には「大学などの研究者が、自衛の目的にかなう基礎的な研究開発をすることは許容されるべきだ」との見解を示している。この場合は二〇一七年の学術会議声明以前の声明であり、また「純粋に」防衛のみであるから許容されたのか。それとも下衆（げす）の勘繰りだが、会長の研究だから許されたのか。

だが我々の近辺を見回してみると、日常生活に欠くべからざるコンピューター始め、通信機から航空機や船舶に至るまで、さらに宇宙研究で我々を喜ばせるロケットも、すべての文明の利器は軍事研究の賜物と言って過言ではない。日常の治療である静脈点滴でさえも米軍の発明である。日常と軍事との境は画然としたものではない。要は用いる人間の知的レベル如何である。

ものの開発に積極的でなければ、多くのものを外国から高い値段で購入せねばならず、国益を損じる。よしんばそれが兵器であってもそうであり、いやその方がもっと国益を損じている。「日本国内ではそのように構え、一方、中国とは軍事研究に協力を惜しまない」という甘利明議員の発言に対して抗議する学術会議だが、実態はどうか。いつの間にか相手の術中に嵌ってしまっているのに気が付かないということもあり、実は私もそうであった。病院長はどこでも医師ではなく、賄賂の利く共産党幹部だったのである。知らなかった。そんなことには無頓着に、「軍事研究以外ならどんどん中国と協力する」という有馬朗人先生（元東京大学総長・文部大臣）のような能天気な方もいるが、さすがは「ゆとり教育」推進者と私は天を仰いでしまう。そして二年前には中国科学技術協会と協力促進の覚書を手交している。これは我々日本国民の安全に関する脅威となり得るもので、見ようによっては国家的犯罪である。このようなことはすでにココム事件（注）で我々は実際に経験済みである。不注意なこと、あるいは良かれと思ったことが実は重大な事件に発展してしまっているのである。

注：一九八二年から二年間、東芝機械がソ連に「工作機械」八台などを輸出、これは対共産圏輸出統制委員会（ココム）協定違反である。その結果、ソ連潜水艦のスクリュー音が探知困難になり、日本はアメリカの非難の矢面に立たされた。東芝機械の幹部二名が逮捕され、親会社の東芝会長と社長は辞任に追い込まれた。

私の弟子の一人も中国人に誘われて彼の地に立派な研究施設を作って貰っている。「千人計画」とは関係無いが、彼の極めて独創的な研究は、結局は良いように利用されないか心配である。この一年はコロナ問題によって中国とは音信不通だが、その間、どのように研究所が利用されているかが気になる。そうでなくても我が国は規制が緩いので、企業機密が漏れやすい。コロナ規制前には週末の成田空港・関西空港には監視の会社員が張り付いていた。自社の幹部が機密を売りに国外(中国)に脱出するのを防ぐためだという。こうなるともう売国奴である。

中谷元防衛大臣は、奈良林教授事件以来、この研究費の応募が減じ、「ですから反対に学問の自由を奪っているのは、学術会議ではないかという気がします」と、同様に天を仰いで長嘆息し、国の将来に不安を抱いている。もっともな話である。北大の事件以後、研究費の申請は五八件から僅か九件に激減した。明らかに研究の自由の萎縮である。だが橋下徹氏との対談で、くだんの元会長・広渡清吾氏はこの研究費について「研究費を貰うこと、それ自体も明らかに研究の自由に反するもの」だと言及している。恐るべき偏見と愚かな確信犯である。これに対し、岸信夫防衛大臣は「研究は応募者の自由な発想、意思で行うもの、予算執行の観点から研究の進捗管理は必要だが、研究内容に介入することはない」と述べている。進捗上の管理は一般の研究でも中間報告として行われているとおりのものである。

防衛省と同じような危惧は、今現在、自民党や日本維新の会などで論じられている。日本の外務省ではいわゆるチャイナスクールがあって中国贔屓が少なくないが、その一人、かつて中国大使を務められていた宮本雄二氏は「日本は中国の属国になった方が良い」とテレビでは言っていたのだけれども（BSフジテレビ・プライムニュース）、それに先立って、定年退官時の日本記者クラブでの講演では、「中国に席捲されたくなければ、それに相当する準備（軍備）を持つべきだ」と述べていた。一つのことに対するものの考え方がまるで異なる傍若無人な国を相手にするには、そしてその国との（経済的）交流をある程度保って行こうとするためには、戦争をせず、しかし軍事的には対等でなくては無理だということである。我々は自民党の陰の首魁である二階幹事長とか公明党の山口那津男代表のような、未来を見据えない単なる卑屈な中国礼賛者であってはいけないのである。

エピローグ

日本学術会議の在り方に関する有識者会議は二〇一四年（平成二六年）から翌年まで、七回の会合を持っている。男女各六名の有識者、座長は尾池和夫氏（京都芸術大学学長：八〇歳）である。その内容を私は知らない。

また自民党ではプロジェクトチーム（project team：PT）を立ち上げて討論し、一二月一一日、改革案を井上信治科学技術担当相に手交している。しかしまだその内容はつまびらかになっていない。

学術会議育ての親の一人、冒頭に紹介した末川博氏はその著『憲法談義』の中で「学問の自由を奪うことは大衆が真実を見る目をふさぎ、大衆が本当のことを語る口をふさぎ、大衆が政治などに対する批判をするのを封じることになるのである」と述べておられる。真理である。しかしこの度の事件は皮肉にもこれを裏返すものであった。学術会議や志位委員長の叫ぶ「学問の自由」を政府が侵害したという主張によって、逆に大衆が真実に目覚め、本当のことを語り出し、政府の判断を支持するようになったのである。まことに皮肉だが、学問の自由を叫んだ当節の御仁は自ら墓穴を掘り、晴天の霹靂のごとき批判の対象になってしまったのである。

この際一気に学術会議を解体してしまえという極論もあるが、先進諸外国並みに民間組織にすべきだという声が高い。もう四二〇年も前に設立されたイギリスの王室協会は政府から独立した民間団体で、会員は約一五〇〇名、アメリカも同様で約七〇〇〇名、ともに会員の投票で選出され、ドイツも同様で政府から独立した公益法人である。私もそれに倣えば良いと思う。菅総理も梶田会長も、これからは単なる蝸牛角上の争いにうち過ごすことなく、総理はこれを発展的に自立し得るよう、また梶田会長は政府の桎梏を離れて独立するよう、互いに努力されることを強く祈願したい。ただ学術会議は知恵者である。それゆえ政府は一層毅然として，羹に懲りて膾を吹くのような体たらくになってはいけない。

だが心配なのは、民間の組織にすれば、選挙で当選したからと言ってもさして名誉な職についたとは言えなくなり、叙勲の対象にもなりにくく、雑用が増すだけだから、会員になりたい学者が激減するかも知れない。その方が一挙両得か。学術会議の運営資金は国家からの助成金のほか、各方面からの委託に対して助言やしかるべき知的資料を与え、その対価を支払わせれば良い。そのためには常に真摯に立ち振る舞わねばならず、政治闘争などしていれば民意は離れる。「医者は患者を裸にして（聴診器をあてて）聴く」（注）が、もし人文・社会学科を学術会議に参加させるなら、医者とは逆に、「弁護士は聞いてから身ぐるみを剥ぐ」（注）のが常套手段だから、運営資金稼ぎには役立つかも知れない。「法学は法の屍体解剖である」とは、あの詩人・高村光太郎が「詩学は詩の屍体解剖である」との語りのもじりだが（芸術論集　緑色の太陽）、「…に基づき…」などというその法の切れ端を我々に突きつけるのはもうご勘弁願いたい。骨の一片のごとき法律用語の解釈を振りかざしての喧嘩は止めにしよう。

注："Il medico ti spoglia e poi ti ascolta, l'avvocato ti ascolta e poi ti spoglia"

一方、自民党の悪いところは、いたずらに右顧左眄して、物事の決着に戸惑ったり先送りしたりすることである。特に今回は相手がただ政府答弁の僅かな食言（しょくげん）を狙って叫喚するだけの野党ではなく、一筋縄では行かない知恵者・巧者である。それは買い被りかも知れないが、心して臨まねばならない。

我が身にかえり、末端者の私などは学者様から見れば無教養な賤民である。だからこのような論考は一顧だにされぬ可能性が高く、マスコミには見向きもされまい。それはともかく、今は世に出れば右を向いても左を見ても「コロナ、コロナ」の大合唱。我が家はベランダに出れば目の前に悪名高き新宿歌舞伎町、玄関を開ければコロナ問題に明け暮れる国立国際医療研究センターをすぐ近くに望む。「前門の虎、後門の狼」である。皆さんは家に閉じ籠り、退屈し、フラストレーションの塊だという。確かに八方塞がりと言える。

だが私には大変役に立った閉じ籠りであった。講演は遠くに出かけずオンラインで済むし、分厚い随筆集や一寸した医学書も完成した。難しい専門書も執筆中である。またこの論考に数日の推敲を加えることも出来た。イギリスの高名なミステリー作家アガサ・クリスティーの言うように「退屈は創作の源泉」であり、そして今回はそれにもましてまさしく「災い転じて福となす」と言うか「奇貨居くべし」の典型である。そして今までの私はすべてその調子でやってきた。だから一五〇を超す病気を患っても「多病息災」、こうして生き続け、卒寿を過ぎても若い医師とともに元気で働いている。新型コロナでは内外の親友を失って中国への恨みは深いが、かく言う私は中日友好超声波(超音波)講習会の名のもとに、一二年に亘って毎年数名の専門家を引き連れて中国各地を転々とし、二〇〇一年には今は悪名高き武漢で数日を過ごした。だから連絡の途絶えた武漢の親友や弟子のことが気になり、相手を無暗にコロナ、コロナと虐める気にはなれない。いや、非難ばかりしては可哀そうかな、とも思う。それと同様に学術会議を可哀そうかなと思わなくて済むように、関係各位の善処を望むことしきりである(二〇二一・二・一一)。

追記一:日本学術会議による軍事研究禁止に対する反応は各大学によってまちまちだが、総じて学術会議側に与するものが多い。このことは雑誌「正論」四月号(三月一日発売)に詳しく表示掲載されている。五〇大学の内容が示されているが、その中で一つの救いは東京大学の柔軟性というか、積極的に論議しようという前向きの姿勢である。一方、「安全保障技術研究推進制度」は勿論のこと、その気のあるありとあらゆるものに何がなんでも反対という盲目的な上智大学のようなところがあり、逆に本稿でも触れたが、学術会議の大西元会長所属の豊橋技術大学のように、積極的にこの制度を活用し、民間・軍事dual use研究姿勢をとるところもある。

だが総体的に俯瞰すると、どこの国においても見られるような、知恵を働かせたマクロ的見地、つまりdual useに触れる大学は我が国では極めて稀、そのような研究が一方では国防に寄与し、また他方では民用に繋がって我々の生活を豊かにし、ひいては平和や学問の自由が守られるという実態を受け入れている機関は残念ながら少ない。学者の頭が回らないのか、魔物に取りつかれたせいか、何かの後難を恐れてか、私にとっては、各学長達のこのきわめてミクロ的で狭量な見解や声明は何かの思想に誘導されたものに見え、それによって我が国が世界から取り残され、ひいてはいつの間にか果てしない亡国の道へと繋がって行くようにしか見えない。ごまめの歯ぎしり様の私に代わって、破邪顕正の剣を振るう者はいないのだろうか。

追記二：二〇二一年四月、学術会議梶田会長は改めて会議存続について政府に具申している。政府間では自民党のプロジェクトチームが中心となり、学術会議を政府から切り離し独立した組織にすべきだとの意見が強いが、学術会議側の改革案では、現在同様、国の機関であることがふさわしいという。すなわち会議の独立を考慮していない。それを受けて、井上信治内閣府特命担当大臣は、日本学術会議の在り方について、総合科学技術・イノベーション会議（議長は菅総理）の有識者議員懇談会で五月から論議を開始すると言明した（四月三〇日の記者会見）。懇談会は大学や企業関係者七名のほか、梶田会長で構成される予定。会議の組織形態の見直しも論じられるという。

私は少なくとも文系の関与は断わるべきだと思っている。もしそれを存続させるとするならば、現在の推薦方式では決して選ばれることは無いが、本当に我が国のことを思う有識者や憂国の士を含めるべきではないかと愚考する。例えば作家（元は官僚）の佐藤優氏、政治学者・評論家の三浦瑠麗氏などである。もし御存命であったなら、岡本行夫氏（コロナで死亡）のような世界的視野を持つ方、あるいは立命館大学からというのであれば宮家邦彦氏でも良い。そして徒に拱手傍観せず、新型コロナウイルス対策も満足に行えない政府に助言を与え、また現行の法律の是正を提言すべきだろう。だがこれはただ徒に政府に盾突く現在のままの学術会議では提案不可能なことかも知れない。やはり学術会議は解体・再建すべきか。折も折、維新の会の馬場伸幸幹事長は国民投票改正案の審議に際し、なんでも阻止に走る立憲民主党を名指して「言ってることとやっていることがチグハグ過ぎる。立憲は日本に必要の無い政党だ」と喝破したが、日本学術会議もそのように言われないよう、各種の問題に関して迷走する政府を見たならば、英知を集めて積極的に助言し、鼓腹撃壌とまでは行かなくても、せめてより健全で明るい日本を育て行く姿勢を堅持すべきだろう。妄言多謝。

追記三：この章の原本となる拙文が掲載された「健康医学」発刊後、白川司著『日本学術会議の研究』（ワック株式会社、二〇二〇年一二月二一日発行）を手にした。この書は反共主義でやや右寄りの論考であるが、教えられる点が多い。論述は理路整然としており、学術会議への鋭い批判に反論の余地は無く、この方面に興味を持つ人には必読の書であると思う。私は「健康医学」から転載するにあたって今回かなり加筆したが、その中に白川氏の書によって明らかになった点を幾つか参考にし、また記憶違いの点も訂正させていただいた。その点感謝申し上げたい。

追記四：学術会議の「ガラパゴス化」とも言うべき世界の標準から乖離した理想的・幻想的平和主義により、医学の進化もまた阻害されている事実が産経新聞「正論」に掲載されている（二〇二一年五月一七日）。緊急時の静脈点滴については前述したが、そのような単純な状態ではなく、外傷外科学における大量出血を止める技術、出血コントロールのための大動脈内バルーン血流遮断など、すべてが戦争体験からもたらされたものだが、日本ではアメリカに四〇年以上もの後れを取っていて、死亡率もそれに応じて大変高い。ドクターヘリの利用も、学術会議の論法によれば禁止事項になる。日本医科大学外科の松本尚教授は、日本における外傷外科の後れは、「戦」と名がつく研究分野をことさらに排除し、外傷外科の進歩を止めたことにあるとし、結果として交通事故、労災事故、自損、加害で、防ぎ得る外傷死が発生し続けて来たと述べている。この死亡を減らすには学術会議による妨害を排除しなくてはならず、有事の際負傷し得る自衛隊員や国民を守るには、最近の学術会議の「現行組織を維持したい」などという笑止千万な希望は排除すべきだと説いている。正論である。

追記五：最近、いわゆる慰安婦問題に関し、アメリカのハーバード大学ロー・スクールのマーク・ラムザイヤー教授の「性奴隷説」否定論文に反対する非難活動が展開されている。しかしそれは学問の自由を侵害するものであると、国際歴史論戦研究所（会長・杉原誠四郎元成城大学教授）は沈黙を守る日本学術会議に対し、公開質問状を送付したと記者会見で言明している。こういう問題が発生することの是非よりも、学術会議は本来の自然科学分野に戻るべきではないか。

参考書（五十音順）

ア

青木理：日本会議の正体。平凡社新書、2016
飯塚恒雄：ニッポンのうたの夢職人たち。愛育出版、2020
伊吹文明、山崎拓、麻生太郎、ほか7名：自民党という知恵：日本的政治力。宝島社、1987
五百旗頭真、伊藤元重、薬師寺克行編：岡本行夫・現場主義を貫いた外交官。朝日新聞出版、2020
李栄薫（イ・ヨンフン）（編著）：反日種族主義：日韓危機の根源。文藝春秋、2019
同（編著）：反日種族主義との闘争。文藝春秋、2020
石川理夫：温泉の日本史。記紀の古湯、武将の隠し場、温泉番付。中公新書、2018
石原慎太郎、坂本忠雄：昔は面白かったな：回想の文壇交遊録。新潮新書、2019
磯田道史：日本史の探偵手帳。文春文庫、2019

同　：無私の日本人。文春文庫、２０１９
今田忠彦：横浜市が「つくる会」系を選んだ理由：教科書採択の〝熱い夏〟。産経新聞出版、２０１９
猪木正道：軍国日本の興亡：日清戦争から日中戦争へ。中央文庫、２０２１
猪瀬直樹：昭和16年の敗戦―新版。中公文庫、２０２１
同　：昭和23年冬の暗号。中公文庫、２０２１
猪瀬直樹、磯田道史：明治維新で変わらなかった日本人の核心。ＰＨＰ新書、２０１７
乾正人：令和をダメにする18人の亡国政治家。ビジネス社、２０１９

カ

片山杜秀：革命と戦争のクラシック音楽史。ＮＨＫ出版新書、２０１９
掛谷英紀：学者の暴走。扶桑社新書、２０２１
川勝平太、東郷和彦、増田寛也：「東北」共同体からの再生：東日本大震災と日本の未来。藤原書店、

2011
ドナルド・キーン（角地幸夫訳）：ドナルド・キーン自伝（増補新版）。中公文庫、2019
同　：明治天皇を語る。新潮新書、2003
ケント・ギルバート：まだGHQの洗脳に縛られている日本人。PHP研究所、2015
同　：やっと自虐史観のアホらしさに気づいた日本人。PHP研究所、2016
日下公人、高山正之：世界は邪悪に満ちている。だが日本は……。ワック、2015
倉山満：東大法学部という洗脳：昭和20年8月15日の宮澤俊義。ビジネス社、2019
古賀茂明：官僚の責任。PHP新書、2011
国立がん研究センター・研究所（編）：がんはなぜできるのか：そのメカニズムからゲノム医療まで。講談社、2018
古郡悦子ほか・数から科学を読む研究会：あっと驚く科学の数字：最新宇宙論から生命の不思議まで。ブルーバックス、2015

小駒勝美：漢字は日本語である。新潮新書、2008

サ

坂本二哉：多病息災―あるお医者さんのたわごと―（増補改訂版）。愛育社、2015
同　：心音ふしぎ探検：坂本二哉の心臓病診断学実習補講。南江堂、2021
坂本允孝：福島を耕す。愛育出版、2019
櫻井よしこ：親中派の嘘。産経新聞出版、2020
同　：赤い日本。産経新聞出版、2021
櫻井よしこ、奈良林直：それでも原発が必要な理由（わけ）。ワック、2017
佐藤愛子：九十歳。何がめでたい。小学館、2016
佐藤優：国家の攻防／興亡：領土、紛争、戦争のインテリジェンス。角川新書、2015
里見清一：医学の勝利が国家を滅ぼす。新潮新書、2016
産経新聞取材班：国会議員に読ませたい敗戦秘話。産経新聞出版、2016

白川司：日本学術会議の研究。ワック、２０２０
菅義偉：政治家の覚悟。文春新書、２０２０
先崎彰容：国家の尊厳。新潮新書、２０２１
関野通夫：世界史で読み解く日米開戦：一神教が戦争を起こす理由。世界史で読み解く日米開戦。ハート出版、２０１９
曽野綾子：人間の分際。幻冬舎新書、２０１５
同　：死の準備教育。あなたは死の準備、はじめていますか。興陽館、２０１７

タ

高草茂：「モナ・リザ」は聖母マリア：レオナルド・ダ・ビンチの真実。ランダムハウス講談社、２００７（筆者書評）
同　：名画に描かれた女性たち。ランダムハウス講談社、２００８
同　：美母神礼賛：ヴィーナス（地母神）から聖母へ　美の巡礼。里文出版、２０１３

高村光太郎：緑色の太陽　芸術論集（復刊）。岩波文庫、２０１０
立川志の輔：古典落語１００席。ＰＨＰ研究所、２０１８
田辺功：お医者さんも知らない治療法教えます。糖尿病からインフルエンザまで（完結編）。西村書店、２０１６
田原総一朗：ヒトは１２０歳まで生きられるのか：生命科学の最前線。文春新書、２０１９
田原総一郎、百田尚樹：愛国論。ＫＫベストセラーズ、２０１４
津田敏秀：医学的根拠とは何か。岩波新書、２０１３
手嶋龍一、佐藤優：米中衝突：危機の日米同盟と朝鮮半島。中公新書ラクレ、２０１８
鄭忠和：なぜ微熱は体にいいのか：毛細血管が生き返る生活術。講談社、２０１８

ナ

中曽根康弘：自省録。歴史法廷の被告として。新潮文庫、２０１７
中山祐次郎：医者の本音：患者の前で何を考えているか。ＢＳ新書、２０１８

西部邁：保守の真髄：老酔狂で語る文明の紊乱。講談社現代新書、2017
日本心臓病学会総務委員会：心臓移植：日本心臓病学会からの提言、1991

ハ

橋下徹：決断力：誰もが納得する結論の導き方。PHP新書、2021
半藤一利、船橋洋一、出口治明、水野和夫、佐藤優、保坂正康、ほか：大人のための昭和史入門。文春新書、2015
ビートたけし：芸人と影：小学館新書、2019
日野原重明：医学概論。医学書院、2003
日野原重明、篠田百恵、堀文子、入江一子、後藤純男、高山辰雄：一〇〇歳が聞く一〇〇歳の話。実業之日本社、2015
同　：今日すべきことを精一杯。ポプラ新書、2017
同　：生き方上手手帳。ハルメク、2019

百田尚樹：この名曲が凄すぎる：クラシック劇的な旋律。ＰＨＰ研究所、２０１６
同　：今こそ、韓国に謝ろう。飛鳥新社、２０１７
同　：日本国紀。幻冬舎、２０１８
同　：偽善者たちへ。新潮新書、２０１９
同　：バカの国。新潮新書、２０２０
同　：百田尚樹の日本国憲法。祥伝社新書、２０２０
百田尚樹、有本香：「日本国紀」の天皇論。産経新聞出版、２０１９
百田尚樹、石平：「カエルの楽園」が地獄と化す日。飛鳥新社、２０２０
平川祐弘：日本の正論。河出書房新社、２０１４
同　：生きる道：米中日の歴史を三転測量で考える。飛鳥新社、２０１６
藤田信雄：わが米本土爆撃：毎日ワンズ、２０２１
藤原正彦：国家と教養。新潮新書、２０１８

同　：管見妄語：失われた美風。新潮社、２０１９
本郷和人：空白の日本史。扶桑社新書、２０２０
本郷和人、井沢元彦：日本史の定説を疑う。宝島社新書、２０２０
本間良子：しつこい疲れは副腎疲労が原因だった―ストレスに勝つホルモンのつくりかた―。祥伝社黄金文庫、２０１３

マ

舞の海秀平：なぜ、日本人は横綱になれないのか。ワック、２０１５
松田純：安楽死・尊厳死の現在：最終段階の医療と自己決定。中公新書、２０１８
宮下洋一：安楽死を遂げた日本人。小学館、２０１９
民主主義科学者協会法律部会編：安保改定50年：軍事同盟のない世界へ。日本評論社、２０１０
村上春樹：古くて素敵なクラシック・レコードたち。文藝春秋、２０２１
村上陽一郎：改めて教養とは。新潮文庫、２００９

同　：〈死〉の臨床学　超高齢社会における「生と死」。新曜社、2018
同　：学術会議問題は「学問の自由」が論点であるべきかなのか。Wireless Wire News 2020.10.07 (youtube)、ほか多数
森田良行：日本語をみがく小辞典。角川文庫、2019
森村誠一：老いる意味：うつ、勇気、夢。中央公論社、2021

ヤ

山口謠司：文豪の凄い語彙力。さくら舎、2018
山本章：老年医療を通じて知る老化の予防。中外医学社、2016
同　：横断的に見る老年医学―基礎と臨床の間を流離う。中外医学社、2018
山本尚：日本人は論理的でなくていい。産経新聞出版、2020
養老孟司：遺言。。新潮新書、2017
同　：半分生きて半分死んでいる。PHP新書、2018

養老孟司、南伸坊：老人の壁。毎日新聞出版、２０１７

ワ

和田政宗、藤井実彦、藤岡信勝、田沼隆志：村山談話：20年目の真実。イースト新書、２０１５

(画集)

Brueghel•150 Years of an Artistic Dynasty. 2018, pp236

Caravaggio and his Time: Friends, Rivals and Enemies. 2016, pp328

あとがき

先著「多病息災」(二〇一四年)が上梓されて早7年が経過した。その間、筆者は多病の名に恥じず、数回の小手術を含めて沢山の病気を経験し、患者さんに慰められる一見気息奄々(きそくえんえん)の身だが、不思議なことに恒例となっていた入院だけはしなかった。閻魔様とのお付き合いがあまり良くないらしい。そうこうする中に惰眠の夢をむさぼりつつ卒寿の年を迎え、しかしそのお蔭をもって毎年寄稿する「健康医学」のエッセイだけが増え、そしてこの度その推敲が本書となった。のんびり構えていたわけではないが、シナ起源のウイルス病(China-originated viral disease-19と勝手に自己解釈しているCOVID-19)のために、投稿から実に二年近くが経ってしまったのである。

有為転変、それに関係する諸行無常という四字熟語があるが、この二年ばかりは武漢に発することの厭らしいウイルス感染によって、世の中はめまぐるしく変転し、生活も一変、また何をやっても空しいという空気さえ蔓延した。東京オリンピックは結構楽しかったが、無理を重ねて開催してなんとか一時的に虎口を脱しようとしても、笛吹けども踊らずの喩えのように、喉元過ぎればなんとやら、世の中には政府の言うことに耳を貸そうとしない人が増え、個人主義と民主主義とを混同している国や住民の混乱は一向に収まる気配を示さず、一方、繰り返す「緊急事態宣言」も解除の目安が立っていない。

遂に三年間の「無入院」記録が破られて、大腸癌、皮膚癌に続き三度目の癌（胃癌）を患い、手術入院する羽目になってしまった。「多病息災」で疾患の数は一六〇種を超えた。疾患博物館人間である。ある権威ある医師には外来で「一体お幾つ迄（生きたい）とお思いですか？」と聞かれた。「一〇〇歳までは頑張りたいんです」と真剣に答えると、先生は「大丈夫ですよ。なんでもお好きなようにして下さい」と笑いながら答えられた。でもとても自信は無い。

本書は年に一度、その年ごとに脳裏を去来する思い出、感慨、医療、医師、その支配者（政府その他）に対する主として苦言、そのほか世に対して書き止めたいこと、それが何であれ、栓が解放された水道水が流れ出すように書き綴られた放言・妄言である。ほとんどは患者さんとのなんとはない対談が骨格にある。

第一章の寄稿のきっかけは、日本の科学界、いや世間一般を騒がせた理化学研究所の小保方嬢STAP細胞事件である。根っからのフェミニストで、東大時代には沢山の女性研究員を擁していた私の研究室だったが（また東大医学部始まって以来、個人の研究室で女性秘書を私費で雇用したのは私が嚆矢である：非常に問題となった）、正直に言ってこのSTAP事件には心を痛めた。しかしそれが嵩じると、世の中にはもっと悪質なペテン師学者がいることに筆が向き、殊に医学関係者は知らない稀代のペテン師に多くの頁を割いた。

第二章はその年に出遭った悲喜こもごもの物語、それに対する斜交い（はすかい）の批判だが、医師や医療に関する義憤めいた叫びが語られている。一縷の望みとして面白い記述も挟んだが、全体としては短調、暗い。

第三章は一転してオプティミスティックとなり、他人様のことなのに、まるで我が身に降って湧いた喜びのような物語、長調の明るい物語りである。勿論、自分では金輪際取れないノーベル賞、日本を愛してやまない私の誇り、そして一転してこれからの大切な問題に付言する。

第四章ではお医者さんの実態、患者さんの観察、それこそおかしなおかしな日本特有の「病気」、まったくノーベル賞学者の臍で茶を沸かすようなお話、そして急にお休みを頂いてスズメと戯れるキンディシュな（子供こどもした）他愛のない私を描いてみた。

第五章はふとしたことからヴィクトル・ユーゴーの「レ・ミゼラブル」にまつわる世界最短の手紙、〝?〟と〝!〟を思い出して、「ん」という一文字がいかに意味深長かという話を巡っての珍談である。最後の方は書いているうちに世情の激動を感じ、段々熱して来た私の慨嘆、いや筆の滑りである。余裕があれば、本当は「々」についても書きたかった。

第六章は最初の投稿原稿には含まれていなかった。出版が延び延びになり、校正が繰り返されているうちに、このエッセイが出来上がっていた。身近の学者にも言及する問題なのでかなり調べた上での「健康医学」への執筆であるが、その身構え方がそれまでの章とは趣を異にしている。

その別刷りをあちこちの方に差し上げたところ、色々なご返事の中に、便箋7枚もの長い感想文のほか、「どこかで刺されるかも知れないからご注意を」という、私の言動を心配されておられる方からの忠告があった。それで余計に一念発起、若干の訂正や加筆をし、私はあえてこのエッセイを本誌に加えようと思ったのである。それがまた出版遅延の一因となった。

学者の端くれとして思うが、今回の日本学術会議の態度は恥曝しである。みっともないとも思え、多くの学者は忌々しく感じているだろう。テレビなどで拝見していると、友人達の言うように、つくづく「学者馬鹿」という言葉が彷彿とされる。そして日本という国の危うさも感じさせられた。そういうぱいっぱしの「憂国の士」気取りの私である。

一章一章が筆に任せての記載なので、何分長い。だがどの章から読まれても齟齬は無い。数年間に亘る記載故、内容に若干重複するところがあるが、その点はご寛容願いたい。

最後に先著に従い参考書欄を設けたが、これは執筆の際、一寸でも手にしたもので、その多くは通勤の間の読書であり、また美術書評を担当した書である。雑誌類も多いのだが割愛した。新聞やヤフーその他の情報も、1つを除いて省いた。また直接・間接関係した美術書も数冊加えた。素人の物書きにとって、全く感覚の違う美術書の記載は、文章にまぶすちょっとした綾に欠かせないものなのである。高草君は東大仏文出身の畏友で、かつて岩波書店の編集長、あちこちの美術館長を勤めていた。彼のダ・ビンチ論の書について、私は畑違いの日本医事新報に書評を寄せていただき、出版記念会で披露された。。

本文や参考書にある日野原重明先生は私の父の後輩だが、京都帝国大学の同じ内科（真下俊一教授）の門下生である。そのせいか色々とお世話を頂いた。先生の「医学概論」に、良い医師やナースになる4つの条件が書かれている。

1．病人の友人を持つこと、2．自分で病気を経験すること、3．良い音楽を聴くこと、4．良い絵を見ること。3と4は人の心を優しく感性を豊かにする。

嬉しい。大賛成である。だが私にはこれに加えてマイナス面が多すぎる。なんでも批判的で、斜に構え、権威に対抗するという悪癖である。それで人の後塵を拝する身となった。そして命旦夕に迫りそうな事態に至り、初心に立ち返り、今年、専門の入門書を上梓し、また一八〇度逆に最も先端的な書を手掛けている。それが我が完結編である。
馬齢を重ね、半死半生、世間とはそろそろお別れの年齢である。皆様お元気で。

卒寿医師の幻想

二〇二一年十月二十六日　初版第一刷発行
著　者：坂本二哉
発行人：伊東英夫
発行所：愛育出版
東京都荒川区東日暮里五―六―七
ＴＥＬ　〇三―五六〇四―九四三一
ＦＡＸ　〇三―五六〇四―九四三〇
http://www.aiikusha.jimdo.com/
印　刷：国宗

ISBN 978-4-909080-63-9 C0276